KiWi
796

Über das Buch:

Zoltán Rózsa, den seine Freunde Zoli nennen, hat mit 25 in Budapest sein Studium beendet und muss erkennen, dass die Frage seines Vaters berechtigt war: »Und wie wirst du als Meeresbiologe einen Job kriegen in unserem Land ohne Meer?« Zoli entschließt sich, nach England zu gehen, das Land, das er liebt, ohne es zu kennen. Bloß findet er in London nur eine Arbeit – als Au-pair.

Seine indische Gastfamilie hatte zwar ein Mädchen erwartet, dennoch entwickelt sich bald eine Freundschaft zwischen Zoli und seinem Gastvater. Denn die beiden teilen eine Leidenschaft, die ein Leiden ist: Sie lieben England und bleiben bei den Engländern doch immer außen vor. Während Doktor Mukherjee dies kompensiert, indem er sich britischer als die Engländer gibt, verkehrt Zoli in einer Londoner Welt, in der man keine Engländer trifft: deutsche Investmentbanker, brasilianische Sprachschülerinnen, australische Tagediebe; und Tina, die Münchner Modeeinkäuferin. Erst als Zoli mit ihr für drei Monate nach München geht, lernt er sie kennen, die Engländer. Denn die Kellner im Biergarten am Chinesischen Turm sind fast allesamt – genau!

Atmosphärisch dicht, mit wunderbarem Witz und zarter Melancholie erzählt, führt uns der Debütroman von Ronald Reng in die Subkulturen Londons, ähnlich wie die Bücher von Zadie Smith und Hanif Kureishi. Und beleuchtet einen bislang unbeschriebenen Mikrokosmos: die Welt der jungen Europäer, denen es selbstverständlich erscheint, mal für ein Jahr ins Ausland zu gehen – und die in London ihre Heimat in der Fremde gefunden haben.

Über den Autor:

Ronald Reng, geboren 1970 in Frankfurt am Main, wohnte von 1996 bis 2001 in London und lebte davon, dass er für deutsche, englische und japanische Zeitungen über den englischen Fußball berichtete. Heute wohnt er in Barcelona. Sein erstes in Zusammenarbeit mit Lars Leese entstandenes Buch »Der Traumhüter – Die Geschichte eines Torwarts« (KiWi 685) über den Aufstieg eines Amateurfußballers in die englische Premier League ist ein Bestseller und wurde von der Kritik hymnisch gefeiert.

Ronald Reng

Mein Leben als Engländer

Roman

Kiepenheuer & Witsch

Originalausgabe
5. Auflage 2005

Umschlaggestaltung: Barbara Thoben, Köln
Umschlagfoto: © zefa
Gesetzt aus der Minion regular
Satz: Pinkuin Satz und Datentechnik, Berlin
Druck und Bindearbeiten: Clausen & Bosse, Leck
ISBN 3-462-03339-5

Für Barbara

»Alle Geschichten sind Liebesgeschichten.«
ROBERT MCLIAM WILSON, *Eureka Street*

Eins

Als ich sein Gesicht sah, merkte ich sofort, dass etwas mit mir nicht in Ordnung war.

Doktor Mukherjees Stirn zog sich zusammen, hinter seiner Brille rückten die Augen näher an die Nase heran, der Mund ging auf und blieb stumm. Entgeistert betrachtete er mich von oben herab; er stand in der Tür seines Reihenhauses und ich davor, also eine Treppenstufe tiefer. Ich hatte ihn mir dunkelhäutiger vorgestellt, für einen Engländer indischer Abstammung war er sehr hell.

Sein Gesicht löste den Drang in mir aus, mich zu entschuldigen. Aber ich wusste nicht wofür. Ich hatte keine Ahnung, was mit mir nicht stimmte.

Instinktiv presste ich die Lippen aufeinander, als könnte ich so wenigstens etwas von mir verbergen. Doktor Mukherjees Augen blieben unbeweglich auf mir haften. Er sagte noch immer nichts.

Mir blieb nichts anderes übrig: Ich senkte den Blick auf die Treppenstufe, die uns trennte, und wiederholte die Worte, die seine Fassungslosigkeit heraufbeschworen hatten, leise und so sanft ich konnte: »Doktor Mukherjee? Ich bin Rózsa Zoltán.«

»Karen!« Der Schrei kam tief aus seinen Lungen und erschütterte den ganzen Körper. Ich bildete mir ein, dass ich mich duckte. Doch der Ausbruch war, kaum hatte er stattgefunden, schon wieder vorbei. Still lehnte sich Doktor Mukherjee gegen den Rahmen der Haustür und wartete, dass jemand anderes die Situation für ihn klärte.

Hinter ihm erschien aus dem Haus schnellen Schrittes eine Frau. Sie hatte blonde Haare, kurz geschnitten, so wie viele Frauen über vierzig, die früher einmal mit langen blonden

Haaren schön gewesen sind. Sie drängelte sich neben ihn in die Haustür, legte ihm, ohne ihn anzusehen, ihren linken Arm um die Schulter, und so sahen sie aus wie das Paar auf einem Werbeplakat, das ich bei meiner Ankunft am Busbahnhof Victoria gesehen hatte. Blutspenden-Werbung. Ein gerade in sich zusammengefallener, aber tapfer lächelnder, dicker, indischer Mann wird von einer dünneren und deshalb größer wirkenden weißen, blonden Frau schützend in den Arm genommen. »Gib Leben«, stand auf dem Plakat. »Wir brauchen nichts«, sagte die blonde Frau in der Tür zu mir.

»Karen!« Es war kein Schrei mehr, nur noch ein kurzes, Einhalt gebietendes Aufstöhnen. Dann schüttelte er den Kopf. Seine Frau Karen und ich sahen Doktor Mukherjee an und warteten.

»Das Au-pair-Mädchen«, sagte er schließlich mit matter Stimme und warf den Kopf kurz in meine Richtung.

Ich hatte noch keinen einzigen Abend, während er mit seiner Frau ausging, auf seine Kinder aufgepasst, ich hatte noch niemals seine Toilette geputzt oder seine prall gefüllten Plastiktüten vom Supermarkt nach Hause geschleppt, und doch war nach dieser Begrüßung klar, dass ich als Au-pair für Doktor Mukherjee eine einzige Enttäuschung war. Ich war kein Mädchen.

Seine Frau dagegen schien das gar nicht so schlecht zu finden. Jedenfalls bat sie mich, doch erst einmal hereinzukommen. Ihr Haus sah so aus, wie ich es mir vorgestellt hatte: von außen genauso wie alle anderen Häuser in der Straße, der Doneraile Street im Stadtteil Fulham. Als ich die Straße zu Hause in Ungarn in meinem neuen Stadtplan von London gesucht hatte, um zu schauen, wie ich von der Victoria Busstation zum Haus der Mukherjees kommen könnte, hatte ich bereits bemerkt, dass die Doneraile Street in einem Raster von kerzengeraden, parallel angelegten Straßen lag; daraus schloss ich, dass dort auch alle Häuser gleich aussehen würden. Ich war zufrieden, dass es tatsächlich so war. Es waren schöne Häuser, backsteinrot, zweistöckig – und nicht zu groß, das begeisterte mich am meisten: Da würden keine zwei Familien hineinpassen. Das war für mich der Inbegriff von Wohlstand. Ein Haus für sich. Schon der Gehsteig davor hatte mir klargemacht, wie viel vornehmer als zu Hause es in der Doneraile Street war. Hier flogen keine Plastiktüten herum. Hier verfaulte das gelbe Laub, das die Linden abgeworfen hatten.

Ich musste mich an Doktor Mukherjee vorbeidrängeln, denn er hing noch immer im Türrahmen. Er machte keine Anstalten, mir auszuweichen, obwohl ich in jeder Hand eine Reisetasche und einen riesigen Rucksack auf dem Rücken hatte. Als ich, die beiden Taschen vor mir balancierend, neben ihm war, atmete er gerade aus, und sein dicker Bauch drückte mich gegen die andere Seite des Türrahmens. Für einen Moment steckte ich fest, ehe Doktor Mukherjee den Bauch wieder einzog und mich freigab. Ich sah ihn dankbar an. Ich wusste, ich hatte etwas gutzumachen, und wollte mir wirklich Mühe geben.

»Entschuldigen Sie die Verwirrung«, sagte Frau Mukherjee zu mir, als ich die Taschen im Wohnzimmer abgestellt hatte. »Aber wir – also, mein Mann – er hatte ein ungarisches Au-pair-*Mädchen* erwartet.«

»Ja«, sagte ich, lächelte und beschloss, nicht mehr zu sagen.

»Aber sagen Sie, ich meine, wir kennen uns in Ungarn nicht so aus, wie vielleicht, nun, wie vielleicht die Ungarn selber sich in Ungarn auskennen, Sie verstehen?« Sie lächelte mich Hilfe suchend an.

»Ja«, sagte ich und lächelte zurück, weil ich einerseits natürlich verstand, dass sich Engländer in Ungarn nicht so auskannten wie wir Ungarn, und weil ich andererseits überhaupt nichts verstand.

»Aber sagen Sie: Ist Rózsa denn kein weiblicher Name?« Sie war erleichtert, dass sie es rausgebracht hatte.

Ich konnte nicht mehr lächeln, so gerne ich es auch getan hätte. Ich wollte die ersten kleinen Zeichen von Vertrautheit nicht zerstören, ich wollte nichts Falsches sagen. Aber sie zwang mich aus meiner Deckung. Sie nötigte mich, mit mehr als Ja zu antworten. Und ich hatte keine Ahnung, was sie hören wollte.

»Also, eine Frau kann schon auch Rózsa heißen, natürlich«, sagte ich.

Ich fand, ich war nicht schlecht gewesen.

»Ach so: Rózsa ist ein Mädchen- *und* ein Jungenname?!« Sie lachte vor Freude.

Ich lachte vor Unverständnis.

Sie wartete nur auf eine Bestätigung von mir, dann würde alles gut sein. Aber ich war verdammt nervös. Ich hatte mich noch nicht mal umgeschaut im Wohnzimmer, schön warm war es, das spürte ich, aber vielleicht war mein Englisch einfach nicht gut genug, vielleicht verstand sie mich einfach nicht, vielleicht hatte ich meine Sprachkenntnisse überschätzt. Wie sollte ich auch wissen, wie gut mein Englisch war, ich hatte es noch nie außerhalb meiner Schule ausprobiert, außer dass ich einmal in Budapest zu einem russischen Touristen, der mich nach der Burg fragte, gesagt hatte: »Diesen Weg entlang, Sir, bitte schön, und dann über die Széchenyi Lánchíd hinüber zum Clark Adam ter, Sie sehen sie dann schon.« Er hatte es nicht kapiert, aber er war ja auch Russe.

»Ja, selbstverständlich. So wie Sie und Ihr Mann Mukherjee heißen, heißen mein Vater *und* meine Mutter Rózsa. Rózsa Károly und Rózsa Krisztina.«

Ihre Augen zogen sich zusammen.

»Rózsa ist Ihr Nachname«, sagte sie. Es klang wie eine Anklage. »Warum in aller Welt führen Sie Ihren Nachnamen vor dem Vornamen?«

Weil ich ein ordentlicher Mensch bin, der sich an Regeln hält, weil wir das in Ungarn so machen, vielleicht weil die meisten Leute mehr am Nachnamen als am Vornamen interessiert sind. Ich kam nicht dazu, irgendetwas davon zu sagen. Mir wurde das Wort von einem abrupten Aufheulen abgeschnitten. Es war Doktor Mukherjee. Er hatte sich, unbemerkt von uns, ins Wohnzimmer geschlichen, stand hinter einem der zwei exzessiv mit Blumenmalerei bedruckten weißen Sessel, jetzt bemerkte ich sie. Er hielt sich mit beiden Händen an der Lehne fest, als drohe er sonst umzufallen. Er lachte.

»Wir haben geglaubt, er ist ein Mädchen.« Er prustete. »Weil wir dachten, Rózsa sei ein Mädchenname.« Er strahlte. »Dabei ist es sein Nachname.« Seine Frau schaute ihn feindselig an. Sie verstand genau wie ich, was er wollte: jetzt einfach so tun, als ob er es lustig fände; als ob er über der Sache stünde – und somit Karen mit dem Problem allein lassen, dass sie sich einen Jungen als Au-pair-Mädchen ausgesucht hatten. Seine Hände krallten sich in die Sessellehne.

Seine Frau wollte sich nicht so einfach geschlagen geben.

Er habe doch meine Bewerbung genauso wie sie durchgelesen, im Gegenteil, er sei es doch gewesen, der auf einem osteuropäischen Mädchen bestanden hatte, warum, wolle sie gar nicht wissen, er habe doch eigentlich sogar eine Russin gewollt, gut, das tue jetzt nichts zur Sache, aber dass sie jetzt hier mit einem männlichen Au-pair-Mädchen stünden, sei ja schon deshalb eindeutig seine Schuld und nicht ihre, weil die Au-pair-Agenturen heutzutage genau wegen Typen wie ihm die Bewerbungen der Mädchen nur noch ohne Fotos rausschickten, aus *political correctness*, und er wisse ganz genau, was das bedeutete: Damit nicht alte, lüsterne Familienväter die Au-pair-Suche als Geliebtenmarkt missbrauchten, deshalb gebe es keine Fotos mehr, und wenn es ein Foto in meiner Bewerbung gegeben hätte, hätte sie natürlich sofort erkannt, dass ich ein Junge war.

Er lachte nur. Bei jedem Satz, den seine Frau ihm entgegenschleuderte, lachte Doktor Mukherjee heftiger. Ich wollte ihnen zu ihrer Besänftigung sagen, dass nicht nur sie, sondern jeder, der Rózsa für einen Vornamen hielt, hinter meiner Bewerbung keinen Jungen erwartet hätte. Doch ich existierte in diesem Augenblick gar nicht mehr. Ich stand mit ihnen im Wohnzimmer, sie stritten über mich, aber Doktor Mukherjee und Karen Mukherjee hatten mich vergessen. Tief versunken und hochkonzentriert widmeten sie sich ihrem Duell. Es war ohne Zweifel eine vertraute Routine. Karen war es gewöhnt zu verlieren.

Sie verstummte. Doktor Mukherjee beendete mit einem erzwungenen Husten seinen Lachanfall.

»Kinder!«, rief er.

»Kinder!«, brüllte er, weil es ihm nicht schnell genug ging.

Von oben kam ein Mädchen die Treppe hinunter. Noch bevor ich sie sah, konnte man am langsamen, unregelmäßigen Rhythmus der Schritte ihren Widerwillen heraushören. Sie war jung, wie alt, war nicht zu schätzen, weil die runde Drahtbrille ihrem Gesicht etwas unendlich Erwachsenes gab und der rosa Jogginganzug mit einem Elefanten auf der Brust, der Herzchen aus dem Rüssel blies, ihr jegliche Reife nahm. Sie hatte die glänzenden schwarzen Haare und die glatte braune Haut ihres Vaters.

»Kinder, das ist euer Au-pair-Mädchen!«, rief Doktor Mukherjee triumphierend – und ignorierte, dass nur ein einziges Kind im Wohnzimmer stand. »Sagt Hallo!«

»Hallo«, sagten wir gleichzeitig, weil wir uns beide angesprochen fühlten. Ich reichte ihr die Hand, und während sie sie pflichtbewusst schüttelte, kam ich mir blöd vor, mich einem acht-, vielleicht auch fünfzehnjährigen Mädchen – ich konnte ihr Alter wirklich schlecht einschätzen – per Handschlag vorzustellen. Während ich ihre Eltern nach einer Viertelstunde noch immer nicht richtig begrüßt hatte.

»Das ist Elizabeth!«, sagt Doktor Mukherjee, noch immer triumphierend. Elizabeth sagte nichts mehr, sondern war schon wieder auf dem Rückzug, die Treppe hinauf, den Kopf strikt gerade haltend, wie um zu zeigen, dass sie über den Dingen stehe.

Wir Erwachsenen starrten ihr hinterher, um etwas zu tun zu haben. Keiner wusste, was er als Nächstes sagen sollte.

»Schon mal die Queen gesehen?«, fragte Doktor Mukherjee.

»Äh, ja, in der Zeitung«, sagte ich.

»Das war sie.«

»Was?«

»Die Queen.«

»Wer?«

»Elizabeth III.« Doktor Mukherjee fiel nicht auf, dass er der Einzige war, der über seine eigene Antwort – und mein Unverständnis – lachte. Er war längst in einem Zustand, in dem man das Lachen nicht mehr kontrollieren kann, wenn es in einem ist und bei der kleinsten Gelegenheit herausbricht.

Mit der müden Routine von jemandem, der diese Erklärung schon viel zu oft hatte geben müssen, sagte seine Frau: »Elizabeth ist nach der Queen benannt.«

»Und Victoria nach Queen Victoria«, warf Doktor Mukherjee ein.

Eine meiner größten Schwächen ist, dass mein Gesichtsausdruck immer verrät, wie ich mich gerade fühle. In jenem Augenblick fühlte ich, dass ich ziemlich doof dreinschaute. Doktor Mukherjee sah mich an und strahlte schon wieder.

»Victoria ist unsere andere Tochter«, erklärte seine Frau.

»Okay«, sagte ich. Es muss fordernd geklungen haben, als ob ich eine nähere Erklärung wollte. Wollte ich gar nicht, Doktor Mukherjee gab sie mir aber schon.

»Als Victorias Liebster starb, zog sie sich zehn Jahre lang in die Isolation zurück, danach ging sie zwar regelmäßig einmal im Jahr auf Auslandsreise, aber zu Hause verkroch sie sich weiter in ihren vier Wänden. Viele haben das missverstanden.«

»Ja?«, sagte ich.

»Queen Victoria, nicht unsere Victoria«, sagte seine Frau. Sie hatte genug. »Ich zeige Ihnen jetzt erst einmal Ihr Zimmer, Sie sind sicher müde von der langen Reise. Wir können uns dann beim Abendessen weiter unterhalten.«

»Halt!«, rief Doktor Mukherjee, noch ehe ich mich hätte in Bewegung setzen können. Mein Instinkt sagte mir, es wäre besser, so schnell wie möglich in den Schutz des Zimmers zu gelangen, das für das nächste Jahr meines sein sollte. Aber etwas hielt mich. Obwohl ich ihn gerade erst kennen lernte, spürte ich schon: Er brauchte mich. Und wenn es nur als Zuhörer war.

»Okay, wir haben der Au-pair-Agentur zugesagt, dass wir dich nehmen, Bursche.« Er redete mich plötzlich jovial an, um herablassender zu klingen. Doch seine aufgekratzte Stimme betrog ihn. Er klang bloß überdreht. »Vertraglich steht uns allerdings das Recht zu, dich jederzeit zu feuern, wenn du uns nicht passt.« Er schaute mit diesem triumphierenden Blick, den ich jetzt schon kannte, in die Runde. Seine Frau schaute absichtlich drei Meter neben ihn. Ich war sein einziger Zuhörer. Noch nie in meiner nun fast schon eine halbe Stunde währenden Zeit im Ausland hatte ich mich so sicher gefühlt. »Wir sind uns noch nicht sicher, ob wir dich nehmen als Au-pair«, fuhr Doktor Mukherjee fort, »wir müssen dich erst testen.«

»Prahlad, jetzt ist gut.« Es war merkwürdig, seinen Vornamen zu hören.

Er ignorierte sie. »Warum willst du ein Au-pair-Mädchen sein?«

Da blickte auch seine Frau zuerst ihn und dann mich interessiert an.

Was sollte ich ihnen sagen? Es gab zu viele Antworten. Vor allem hatte ich mich wegen Timea entschlossen, Au-pair-Mädchen zu werden. Aber sie kannten meine, nun ehemalige, Freundin nicht, ich musste es also anders formulieren: Ich war 25 und wollte nur noch weg von zu Hause, fort von den Menschen dort – einem Menschen dort, der mich verzweifeln ließ. Bloß würden sie dann wissen wollen, was mit Timea und mir los war, und das wollte ich nicht erzählen. Ich konnte ihnen einen verständlicheren Grund nennen: Ich sah die Zukunft nicht in Ungarn. Nach Abschluss meines Studiums vor vier Monaten hatte ich einsehen müssen, dass die jahrelange Frage meines Vaters berechtigt war: »Und wie wirst du als Meeresbiologe einen Job kriegen in unserem Land ohne Meer?« Aber das klang, als käme ich nur aus Not zu ihnen. Sie würden sich missbraucht fühlen. Ich konnte es positiver formulieren: Ich wollte nach England, weil ich das Land liebte; gerade weil ich es nicht kannte, sondern es mir immer nur ausgemalt hatte, bewunderte ich es bedingungslos: die grellen Lichter Londons, den Großen Leierfisch an der Küste vor Sussex, die englische Fairness. Doch das würde ihre Frage nicht beantworten: Warum bist du als Au-pair nach England, würden sie nachfragen, und nicht als Meeresbiologe, wenn du das studiert hast und dich die Leierfische so jucken? Spätestens da müsste ich mit der Wahrheit herausrücken: Weil ich als Osteuropäer nur zwei Möglichkeiten hatte, eine Aufenthaltsgenehmigung für England zu bekommen, entweder als Sprachschüler oder als Au-pair. Für die Sprachschule musstest du zahlen, als Au-pair bekamst du Geld.

Das würde ich ihnen nie sagen.

»Weil ich gerne mit Kindern und Haustieren arbeite.« Ich hatte den Satz einstudiert.

»Unsere Kinder sind groß genug, auf sich selber aufzupassen«, sagte Doktor Mukherjee. Als ob das mein Fehler wäre. Warum hatten sie dann ein Au-pair-Mädchen gewollt? »Uns geht es mehr ums Putzen. Und die Haustiere natürlich.« Mir fiel auf, dass ich gar kein Tier gesehen oder zumindest gehört hatte. Also hatten sie keinen Hund. Umso besser, eine Katze war pflegeleichter. »Manche Leute kommen mit unseren Haustieren nicht zurecht, ich weiß nicht, ob du es kannst. Lass uns mal schauen.« Er marschierte in die Küche, und ohne dass er etwas gesagt oder ein Zeichen gemacht hatte, war klar, dass ich ihm folgen sollte. Es war unverkennbar: Ich begann, ihm Spaß zu machen. Seine Frau seufzte.

Die Küche glänzte. Weiße Kacheln überall, auf dem Boden wie an den Wänden. Auf dem Kühlschrank ein Aufkleber: »Diebe, wir beobachten euch: Diese Straße wird von der Nachbarschaftswache kontrolliert«, am rechten Eck war er etwas eingerissen. Haustiere sah ich keine.

Doktor Mukherjee ging vor mir auf die Knie, er ächzte dabei und musste langsam machen, vorsichtig streckte er zunächst die rechte Hand aus, bis er Boden unter ihr fühlte, und ließ sich dann einfach auf die Knie plumpsen. Ich schätzte ihn auf fünfzig.

»Kommt, kommt, kommt«, rief er und pfiff dann in derselben Melodie. Es dauerte, dann kam, wie bei seinen Töchtern, wenigstens eine.

Ratten.

Keine domestizierten, als Spielzeug abgerichteten und in der Zoohandlung gekauften Farbratten, Rattus domesticus, wie wir im Biologiestudium sagten. Sondern Rattus norvegicus. Wanderratten. Bewohner der Kanalisation, Herrscher über das Reich des Abfalls und Gestanks. Normalerweise 20 Zentimeter lang, behaarte Ohren und ein nackter Schwanz, länger als der Körper. Zuerst erkannte ich die Spezies gar nicht. Denn dieses Viech hier war gigantisch. Fett wie ein Schwein. Gemästet.

»Prinz William«, sagte Doktor Mukherjee.

Ich war damit beschäftigt, meine Füße von dem Monster fern zu halten.

»Ich erkenne ihn am weißen Fleck im Fell, direkt über der linken Hinterpfote. Siehst du?« Er hob den Prinzen in die Luft, mir unter die Nase. Er schnüffelte. Doktor Mukherjee rieb seine Nase an seinem Fell. Dort, wo der weiße Fleck war.

»Warum sich wohl Prinz Charles und Prinz Andrew nicht sehen lassen?«

Er erklärte mir alles. Wie er eines Tages hinter der Küchenleiste ein Rascheln gehört hatte, wie es ihn nicht mehr losließ und er unter der Spüle ein Loch in die Holzleiste sägte. Das Loch war noch heute da. »Die Tür zwischen ihren Leben«, sagte Doktor Mukherjee. »Denn sie haben, was wir uns alle wünschen: zwei Leben. Ein behütetes, hier in der Küche, wo sie von mir alles kriegen, was sie brauchen und wollen. Und ein geheimes, wildes, im Dunkeln des Küchenuntergrunds.«

Er stand da, den Hintern an den Herd gelehnt, Prinz William schnuppernd an der Brust, und tat, als gebe es zwischen uns eine jahrelange Vertrautheit. Ich tat nichts, außer abzuwarten, dass er weiterredete. Ich hörte ihm zu. Das war alles, was er von seinem Au-pair verlangte.

Schon als Kind hatten ihn Ratten fasziniert. Ihre Fähigkeit, Gefahr zu wittern, sich überall anzupassen, und – als Allgemeinmediziner, der sich in seiner Praxis tagtäglich mit schwächelnden Menschen herumschlagen musste, beeindruckte ihn das besonders – ihr Talent, Unglücke zu überleben, bei denen alle anderen Lebewesen starben. Als er dann eines Tages, lange nachdem er als Medizinstudent aus Neu-Delhi nach Großbritannien gekommen war, ausgerechnet hier in seinem bürgerlichen, sauberen Haus in der Doneraile Street das Rascheln hinter der Küchenleiste hörte, verstand er es als Zeichen. Die Ratten suchten ihn.

»Hier, du musst dieses Spezialshampoo nehmen.«

Er streckte mir mit der linken Hand eine Plastikflasche mit cremiger, goldfarbener Flüssigkeit entgegen. »Kamille-Shampoo für blondes und gesträhntes Haar« stand auf dem Etikett.

Mit der rechten Hand hielt er mir Prinz William entgegen. Dann ließ er Wasser in eine zirka zehn Zentimeter hohe, hellblaue Plastikwanne laufen.

»Nicht zu heiß das Wasser. Menschliche Badetemperatur, sage ich immer.« Er stellte die Wanne auf den Boden, ich sah ihm zu, beide Hände voll mit der Shampooflasche sowie dem in der Luft zappelnden Monster.

»Fang an«, sagte er.

Ich wusch den Prinzen, wie ich mir vorstellte, ein Baby zu waschen. Mit viel Vorsicht und Zuneigung, aber immer bereit, Strenge anzuwenden. Erst mal kitzelte ich ihn am Rücken, dann machte ich sein Fell nass und rieb das Shampoo für Blonde und Gesträhnte ein. Als er versuchte, mich zu beißen, drohte ich ihm mit der Shampooflasche; mit meinem warnenden Zeigefinger in Gebissnähe zu kommen schien mir zu gewagt. Ich schwitzte, oder bildete ich mir das nur ein? Immerhin ging es um meine Zukunft. Vermutlich war zwar noch kein Au-pair-Mädchen rausgeflogen, weil die semi-domestizierte Rattus norvegicus des Hauses sich weigerte, von ihm gewaschen zu werden. Aber es gab immer ein erstes Mal.

»Alle drei kastriert«, sagte Doktor Mukherjee, »zeugungsunfähig«, und er lachte, vermutlich weil er an die Vorbilder seiner Royalen Ratten dachte.

Das Badewasser spritzte über den Wannenrand. Der Prinz schlug mit den Hinterpfoten aus. »Vorsicht!«, brüllte Doktor Mukherjee. Ich war mir sicher, er meinte, die Ratte sollte sich vor mir in Acht nehmen, nicht umgekehrt. Doch ich hatte das Vieh jetzt im Griff. Genickgriff, würde ich sagen. Als ich ihn mit warmem Wasser aus der bereitgestellten Kaffeetasse abspülte, hielt er still. Fast schien er es zu genießen.

Doktor Mukherjee wickelte ihn in ein gelbes Kinderhandtuch, auf dem der Comic-Kater Tom die Maus Jerry jagte, und rieb ihn trocken. Ich sah ihm zu und fühlte, ich hatte gewonnen. Der Prinz fraß seinem Ziehvater noch ein riesiges Stück grässlich orangen Käse aus der Hand, und als er schließlich wieder in seinem zweiten, geheimen Leben hinter der Küchenleiste verschwunden war, streckte mir Doktor Mukherjee feierlich die Hand entgegen.

»Willkommen in London«, sagte er.

Vor mir lag ein ganzes Jahr, und auch wenn ich nicht genau wusste, was ich wollte, außer fort zu sein aus Ungarn, so fühlte ich doch, dass das Jahr so weitergehen könne, wie es gerade angefangen hatte.

»Wie heißt du denn jetzt, wo du ja offensichtlich nicht Rózsa heißt?«, fragte Doktor Mukherjee.

»Zoltán«, sagte ich. Doch ich wollte, dass wir Freunde wurden. »Aber meine Freunde nennen mich Zoli.«

»Karen!«

Doch er wartete nicht ab, bis seine Frau bei uns in der Küche war. Er murmelte und schien dabei noch nicht einmal den Mund zu bewegen: »Zoli. Auf seinen Vornamen wären wir auch reingefallen, so weibisch ist der.«

Zwei

Ich begann London von der Toilette aus zu erobern. Nach zwölf Tagen war ich allerdings noch immer nicht weit über die Kloschüssel hinausgekommen.

Jeder zweite Morgen fing damit an, dass ich das Bad im Obergeschoss putzte, jenes, das die Mädchen und ich benutzten, und in der kurzen Zeit hatte ich dabei schon eine Routine entwickelt: Ich arbeitete mich immer von der Toilette über das Waschbecken bis zur Badewanne vor. Schließlich saugte ich den beigen, von den Jahren dunkler gefärbten Teppich, schaute dabei nicht ohne Stolz auf das nun glänzende Porzellan von Klo und Wanne und überlegte, nicht ohne ein Schaudern, wie viele Leute wohl schon versehentlich daneben, also auf den Teppich gepinkelt hatten.

Mir gefiel das Badputzen, denn dabei kam jedes Mal in mir der Eroberungsgeist auf. Ich spürte, dies war der Anfang meines neuen Lebens, und jedes Mal, wenn das Bad sauber geschrubbt war, hatte ich das befriedigende Gefühl, die ersten Schritte in London hinter mir zu haben. Bloß ich ging nicht weiter in diesen Tagen. Die Selbstsicherheit und der Pioniergeist, die ich beim Hausputz in der Doneraile Street fühlte, verflogen mit einem Schlag, sobald ich meine Kloschüssel und den Staubsauger verließ.

Ich fühlte mich beobachtet, verwundbar, einfach elend, wenn ich durch Fulham lief, um die Mädchen von der Schule abzuholen oder bei Tesco einzukaufen. Weiter hinein in die Stadt traute ich mich gar nicht. Endlich war ich in England und all seinen Attraktionen, die ich mir in Ungarn ausgemalt hatte, so nah – Kew Gardens, das legendäre Wetland Centre, die Küste – doch schien mir das alles ferner denn je. Allein der

Gedanke, mich auf die Straße oder in die U-Bahn wagen zu müssen, ließ mich panisch werden. Und dann noch am Kassenhaus des Wetland Centre Englisch reden. Gott.

Ich fühlte mich nicht fremd, sondern ausländisch. Das war ein großer Unterschied. Zu Hause in Ungarn war ich immer am liebsten ein Fremder gewesen. Ich hatte die Rolle des Zuschauers perfektioniert, sah den anderen beim Leben zu, brachte sie zum Reden wie ein Interviewer und wurde auch noch dafür gelobt, gut zuhören zu können. Dass ich dabei nie etwas von mir preisgab, fiel niemandem auf. Es war ein großartiges Gefühl: Ich wusste mehr über Timea, meinen Vater oder die Kumpels, als sie über sich wussten – und sie wussten nichts über mich. Doch hier, wo mich kein Mensch kannte, wurde ich von der Furcht gepeinigt, dass alle Leute alles über mich wussten. Dass sie mich durchschauten. Wenn ich darüber nachdachte, sagte ich mir, es war ein lächerlicher Gedanke, und doch konnte ich ihn nicht abschütteln. Ich stieg in den Bus ein, Nummer 220 Richtung Hammersmith, um zu Tesco zu kommen, und, da war ich mir ganz sicher, der Busfahrer schaute auf meine Monatskarte länger als auf alle anderen, weil mein Passfoto noch in Ungarn gemacht war und er daran erkannte, dass ich hier nicht hergehörte. Ich holte die Mädchen um zwei von der Schule ab, und auf dem Nachhauseweg gingen wir immer schneller, immer schneller, irgendwann würden wir rennen, weil die Leute mich an- und durchschauten und die Mädchen sich meiner schämten.

»Hey, Zoli, renn nicht so.« Elizabeth blieb einfach stehen, ihren Mund trotzig zusammengepresst, das hatte sie sich von ihrer Mutter abgeschaut, die Arme fest in die Hüften gestemmt. Sie war drei Meter hinter mir. Victoria, die neben ihr gegangen war, blieb nun auch stehen. Mir blieb nichts anderes übrig, als mich zu ihnen umzudrehen. Sie sahen adrett und vor allem verdammt intelligent aus in ihren Schuluniformen; den grünen Baumwollpullovern mit V-Ausschnitt und weißen Blusen darunter und dazu den graugrün gemusterten Röcken, die sie heimlich kürzer gemacht hatten, ich wusste das, weil ich beim Aufräumen in Elizabeths Zimmer den abgetrennten Rockrest unter dem Bett gefunden hatte.

Erst dachte ich, sie wollten tatsächlich langsamer gehen, was mich gewundert hätte, denn warum sollten sie sich unnötig lange mit mir in den Straßen zeigen. Aber dann redete Elizabeth weiter, und es wurde klar: Sie hatten einen Plan. Sie hatten das lange vorbereitet, vermutlich schon zu Hause diskutiert und sich kichernd, bevor ich sie abholen kam, in der Schule noch einmal abgesprochen, dass heute der Tag wäre, es zu machen. Ich hörte Elizabeth zu, ohne etwas zu sagen. Sie war zehn, Victoria sieben, ich 25 und ihnen nicht gewachsen; nicht hier mitten auf der Fulham Palace Road zwischen all den Passanten, deren durchdringende Blicke ich auf mir spürte.

Schließlich sagte ich doch was: »Nein.«

»Wenn du nicht mitmachst, sagen wir Mama, dass du uns überanstrengst, indem du auf dem Nachhauseweg immer so rennst, als ob du auf der Flucht wärst«, entgegnete mir Elizabeth. Sie hatte die Hände noch immer in den Hüften und schob nun das kleine Kinn herausfordernd nach vorne.

Ich gab mich geschlagen. Nicht aus Angst, sie könnten bei Frau Mukherjee schlecht über mich reden, sondern weil sie mich durchschaut hatten; selbst sie, die Kinder, merkten, dass ich schwach war und deshalb gefallen wollte.

In Ungarn hatte ich mich immer für stark gehalten. Denn ich wusste immer ganz genau, was ich *nicht* wollte. Ich wollte nicht das halbe Leben mit Toten verbringen, deshalb weigerte ich mich, im Bestattungsinstitut meines Vaters mitzuarbeiten. Ich wollte nicht wie so viele Ungarn nach dem abgeschlossenen Studium eine vergebliche Bewerbung nach der anderen losschicken, deshalb studierte ich Meeresbiologie, denn ich wusste, mit dem Abschluss würde es in unserem Land ohne Meer überhaupt keine Jobs geben. Ich wollte Timea nicht mehr sehen, deshalb ging ich nach London. Mein ganzes Leben lang hatte ich solch konkrete Ziele gehabt, immer war ich wild entschlossen, irgendetwas nicht zu tun. Nun wusste ich noch immer, was ich nicht wollte: nämlich *nicht* Elizabeths und Victorias Plan ausführen. Aber ich hatte nicht mehr die Kraft für dieses Nicht-Tun. Das Gefühl, ausländisch zu sein, laugte mich aus, es raubte mir den Willen und, manchmal kam es mir so vor, auch den Verstand.

Ich ging also in den Laden hinein.

Der Geruch schlug einen jedes Mal in Bann, noch bevor die Eingangstür hinter einem zuschlug. Nach dem faulen Atem von gähnenden Katzen, gemischt mit dem milden Duft geheimnisvoller Gewürze, roch es in Captain Neptun's Shop. Es war Schwindel erregend warm. In den zwei Gängen war jeweils nur für eine Person Platz zum Durchgehen. Von den Regalen bedrängten mich viel zu hoch aufgestapelte Konservendosentürme, Thunfisch, Erbsen, Pilze, daneben Zahnpasta, Toilettenpapier in Rosa und Hellblau, Cadbury's Schokoladenkekse.

Victoria wartete draußen vor der Tür, das war meine Bedingung gewesen, um nicht sofort den Verdacht von Captain Neptun, oder wie der Besitzer auch immer hieß, auf uns zu ziehen. Wie in allen Kramerläden, die ich in London bislang gesehen hatte, klebte ein handgeschriebener Zettel an der Tür: »Zu keiner Zeit darf mehr als ein Kind in den Laden!« Ich hatte erst gar nicht verstanden, was das sollte, aber die Sache hatte sich von selbst erklärt, als ich an meinem vierten Tag im Ausland auf dem Schulnachhauseweg, zwei Meter vor ihnen herlaufend, Elizabeth und Victoria zuhörte.

»Rob aus meiner Klasse hat heute Morgen zwei Mars-Riegel beim Neptun geklaut.«

»Bei uns sind die Mädchen viel besser als die Jungen; Terese hat bei Aladin's sogar Gummibärchen aus der Schüssel auf der Theke mitgehen lassen.«

»Bei Aladin's geht es ja auch voll leicht.«

Captain Neptun war ein breiter, weißhaariger Mann, der nur aus Brust, Hals, Kopf und Armen zu bestehen schien. Den Rest von ihm sah man nie, weil er immer unbeweglich hinter seiner Theke saß. Er hatte extreme Pigmentstörungen, sein braunes Gesicht ging in eine knallig pinke Stirn über. Ich hatte ihn für einen Briten indischer Herkunft gehalten, aber Elizabeth belehrte mich eines Besseren: »Das ist ein blöder Pakistani.«

Dass Victoria vor der Tür wartete, hatte seinen Argwohn nicht wirklich besänftigt. Er behielt Elizabeth die ganze Zeit im Auge. Aber genau das hatten wir einkalkuliert. So konnte ich zur Tat schreiten. Es war gar nicht so schwer, obwohl mein Herz klopfte. Danach kaufte ich wie verabredet einen Schokoriegel, von meinem eigenen Geld, das war die ultimative Demütigung, weil ich doch gar keinen Schokoriegel wollte, aber ich war zu nervös, um mich daran zu stören.

»Gib's mir schnell«, sagte Elizabeth, als wir wieder auf der Straße waren und die Fulham Palace Road im gewohnten Tempo hinunterhasteten. In ihrem hübschen Mädchengesicht glänzten die dunklen Augen vor Beutegier.

»Ich kann's jetzt nicht rausholen, ich habe es doch in die Unterhose geschoben«, protestierte ich. Aber es half nichts, Elizabeth weigerte sich einfach weiterzugehen, falls ich es nicht sofort raushole und ihr gebe, und wir waren wegen der Aktion sowieso schon spät dran, ich wollte nicht Frau Mukherjees Zorn wecken.

Ich stellte mich vor Larry's Sunshine-Reinigung in die Ecke, zog den Bauch ein, sodass ich, ohne die Jeans aufzumachen, in meine Unterhose greifen konnte, zog die Dose heraus und gab sie ihr.

»Cool«, sagte Elizabeth und Victoria, wie immer, wenn Elizabeth bei ihr war, nichts.

»Warum sollte ich ausgerechnet Schuhcreme klauen?«, fragte ich.

»Schwarze Schuhcreme von Kiwi«, präzisierte Elizabeth.

»Weil das aus meiner Klasse noch keiner geschafft hat.«

An der Bushaltestelle, bevor wir in die Doneraile Street einbogen, warf sie die Schuhcreme in den Mülleimer.

Ich sehnte mich verzweifelt nach dem nächsten Morgen und der Geborgenheit meiner Toilette im oberen Stockwerk.

Niemand, der die Mädchen beim Abendessen im hellen, warmen Wohnzimmer in der Doneraile Street gesehen hätte, wäre auf die Idee gekommen, dass es ihr sehnlicher Wunsch war, als Erste in ihrer Klasse bei Captain Neptun schwarze Kiwi-Schuhcreme zu stehlen. Sie hatten die glänzend schwarzen Haare noch immer zu Pferdeschwänzen gebunden und runzelten bei jeder Gelegenheit die Stirn. Obwohl sie kindisch viel Ketchup auf ihre Pommes frites und Victoria sogar auf das Karotten-Erbsen-Gemüse schütteten, wirkten sie müde, ernst und alt. Es kam mir unglaublich vor, was wir am Nachmittag gemacht hatten – und ich kam mir lächerlich vor, dass ich mitgemacht hatte. Denn hier am Tisch fühlte auch ich mich sehr reif.

Es lag an Doktor Mukherjee.

»Mein Au-pair-Mädchen!«, hatte er gerufen, als er von der Arbeit nach Hause kam und mich den Tisch decken sah. Weil er zum Clown wurde, wurden wir anderen in seiner Umgebung automatisch zu Erwachsenen.

Es kam mir wie ein Spiel vor, das Doktor Mukherjee und seine Frau irgendwann einmal begonnen hatten, vielleicht weil sie sich nichts Vernünftiges mehr zu sagen hatten; und nun kamen sie nicht mehr heraus aus ihrem Rollenspiel. Doktor Mukherjee gab das Kind, Frau Mukherjee die längst resignierte Mutter, die Mädchen die abgeklärten, über allem stehenden Zuschauer. Was mich beängstigte, war, dass für mich offensichtlich die Rolle des Spielzeugs vorgesehen war.

»Und, mein Au-pair-Mädchen, hast du dich schon nach englischen Mädchen umgesehen in der Stadt?«

»Sie meinen nach Jungs?«

Er lachte über meine Antwort, Frau Mukherjee starrte mich feindselig an. Die Mädchen taten gleichgültig. Ich hatte keine Chance in diesem Spiel. Ich konnte auf seine Späße eingehen, dann hatte ich ihn auf meiner Seite und seine Frau gegen mich. Ich konnte zu seiner Frau überlaufen und seine Sprüche kühl kontern, dann hätte ich ihn zum Feind. Es gab keine Mitte für mich.

Doch ich wusste, wo ich stand. Vom ersten Tag an hatte mir Doktor Mukherjee zu verstehen gegeben, dass er mich brauchte, und wenn es manchmal auch nur als Zielscheibe für seine Witze war, so war das doch mehr, als die anderen Menschen in London für mich übrig hatten: Er schien wirklich froh, dass ich da war. Dafür war ich ihm dankbar, und ich glaubte, dass er das merkte. Nach dem Essen, wenn die Mädchen ihre mit dicken blutroten Spuren verschmutzten Teller in die Spüle gestellt, die Familien-Ketchupflasche in den Küchenschrank gepackt hatten und ohne ein überflüssiges Wort auf ihre Zimmer verschwunden waren, wenn Frau Mukherjee sich mit einem Buch in einen der Wohnzimmersessel setzte, ging ich mit Doktor Mukherjee zu den Ratten.

Die Ratten verwandelten ihn. Sie gaben ihm dasselbe Gefühl, das ihm, so nahm ich an, seine Patienten gaben: Sie brauchten ihn. Hier in der Küche war er immer noch humorvoll, aber nicht mehr kindisch, sondern erfahren, klug, kompetent; ein echter Engländer.

»Ich bin dein Untertan«, sagte Doktor Mukherjee zu Prinz William. Ich lächelte. Aber es war gar kein Witz gewesen.

»Ich habe seit zwanzig Jahren den britischen Pass«, sagte

Doktor Mukherjee, und ich nahm mal an, er redete nun zu mir und nicht mehr zu dem Royalen Herrscher, obwohl er immer noch den Käse fressenden und teilweise auch wieder ausspuckenden Prinzen auf seinem Arm anschaute.

Ich wollte ihn etwas fragen. »War es denn für Sie nicht schwierig, sich in London einzuleben, als Sie aus Indien hierher kamen?«

Die Frage interessierte mich wirklich.

»Nein. Ich hatte Frauen.«

Ich verstand ihn nicht.

»Vom ersten Tag an hatte ich englische Frauen. Viele.« Doktor Mukherjee sah mich zum ersten Mal während unseres Gesprächs an. Ich weiß nicht, was er in meinem Gesicht sah. Vermutlich Panik. Er würde doch nicht erwarten, dass ich jetzt etwas sagte?

»Und Freunde. Viele englische Freunde, vom ersten Tag an. Damals, vor dreißig Jahren, als ich zum Studieren nach Nottingham kam, war England noch England. Das Empire.« Er stockte, weil er selbst merkte, dass das keinen Sinn machte, was er gerade sagte. »Na klar, ich weiß, das Empire gab es 1971 schon lange nicht mehr, aber im Geiste existierte es weiter. Meine Freunde an der Universität in Nottingham und ich, wir wussten noch, was britisch ist.«

»Sie meinen, britisch wie Sir James Clark Ross?«

»Wer? Was redest du?«

Ich hatte ihn mit meiner Zwischenfrage aus seinem Gespräch mit sich selbst gerissen.

»Ich meine, Sie sagten, Sie und Ihre Freunde wussten noch, was britisch ist, und ich meinte nur, Sie waren dann wohl wie Sir James Clark Ross: ein echter britischer Gentleman?«

»Ja, genau«, antwortete er schnell. Und hielt inne. »Wer?«

»Sir James Clark Ross«, wiederholte ich verblüfft, dass er bei dem Namen nicht sofort in Begeisterung ausbrach. »Der berühmte Meeresforscher, der mit Dr. J. D. Hooker 1839 auf der

H.M.S. Erebus in die Antarktis fuhr und entdeckte, dass es auch in über 1000 Meter Tiefe Leben gibt. Von Hooker ist *Botany of the Antarctic*, ich habe es mit großer Faszination während des Studiums gelesen.«

»Ach ja. Ja, ja.«

Er kannte ihn nicht. Ich merkte es doch. Ich konnte meine Enttäuschung nicht verbergen: Sie hatten uns an der Universität in Budapest reingelegt, als sie uns England als das Land verkauften, in dem Forscher bewunderte Helden waren; anders als in Ungarn, wo sich keiner um Wissenschaftler scherte. *Die Londoner Schule.* Wie oft hatte ich das in Budapest gehört: Könige der Meereskunde. Fitzroy, Forbes, James Clark Ross. Und nun kannte man sie noch nicht mal in ihrem eigenen Land. Mir war schon klar, dass nicht jeder beliebige Freak auf der Straße über Robert Fitzroys große Reise auf der H.M.S. Beagle von 1826 bis 1836 – mit Charles Darwin an Bord – Bescheid wusste. Aber Sir James Clark Ross! Und Doktor Mukherjee hatte noch nie von ihm gehört. Ich hätte gerne Professor Kiss László gesehen, wie er versuchte, das zu rechtfertigen; Professor Kiss László, der Ross und Hooker immer als die englischen Heroen schlechthin dargestellt hatte.

Doch meine Enttäuschung änderte nichts daran, dass ich es mehr als alles andere genoss, Doktor Mukherjee über England reden zu hören. Zum ersten Mal in meinem Leben ging es mir nicht mehr nur darum, etwas *nicht* zu tun. Sondern ich wollte etwas erreichen: Seit ich Doktor Mukherjee kannte, wollte ich es ihm gleichtun und in London heimisch werden; vielleicht sogar wie die Engländer werden.

»Sagen Sie, ist es wahr, dass viele Engländer selbst in den emotionalsten und stressigsten Situationen höflich bleiben?«

Ein Lächeln ging unter seiner breiten Nase auf, er schob sich die Brille mit dem Zeigefinger sorgfältig von der Nasespitze zurück, als wolle er seiner Antwort so zusätzliche Bedeutung verleihen.

»Wir Engländer«, sagte er und ließ mich nicht aus den Augen, »weißt du, was wir Engländer sagen, wenn uns ein Ungar beim Holzhacken den Finger abhackt?«

Das wusste ich natürlich nicht.

»Wir sagen: Oh, Entschuldigung!« Er lachte. »Verstehst du?«, und ich muss wohl so ausgesehen haben, als ob ich es nicht verstand, »wir entschuldigen uns dafür, dass ihr uns den Finger abhackt.« Er lachte weiter – hörte dann aber abrupt auf, um mir keine Gelegenheit für eine neue Frage zu geben. Er wollte lieber über das reden, was ihm gefiel: seine Zeit als Student.

»Wir hatten in Nottingham diesen britischen *Blick fürs Große*«, er hauchte die letzten drei Worte. Dann wurde er ruppig und sprang in der Zeit, in einem Satz von 1971 auf 1981: »Margaret Thatcher hat als Premierministerin ihr Bestes getan, die britischen Werte zu erhalten. Die Straßen nach verdienten Generälen benennen. Das Bier mit den Kollegen nach der Arbeit. Aufstehen und ihm die Hand reichen, wenn der Gegner dich beim Fußball umtritt.« Das alles klang für mich nicht nach großen politischen Ideen und schon gar nicht nach solchen, mit denen ich Margaret Thatcher in Verbindung gebracht hätte, aber ich schwieg lieber. Der Politikunterricht, den ich in Ungarn gehabt hatte, galt als nicht sehr gut. Doktor Mukherjee war sowieso schon wieder zwanzig Jahre weiter und im Heute angekommen. »All die verdammten Pakistani, die hier herkommen, sich in ihren Kramerläden verziehen und sich nicht einfügen können ins britische Leben.« Er knurrte. »So wie Captain Neptun.« Bei dem Namen wurde es mir unbehaglich, aber Doktor Mukherjee merkte es nicht, sondern redete einfach weiter. »Manchmal hätte ich gute Lust, einfach was in seinem stinkenden Laden zu klauen.« Er lächelt. »Ja, das würde mir gefallen.« Ich blickte auf den Boden, was sich anbot, weil er gerade mit dem rechten seiner Badeschlappen Prinz William den Weg verstellte. Doch

der sprang einfach darüber und verschwand durch das Loch in der Küchenleiste in seinem geheimen Leben. »Das ist das London von heute: Pakistanis, die ihre Läden nicht mehr nach Churchill, sondern nach einem abgesoffenen griechischen Meeresgott benennen. Und ungarische Au-pair-Mädchen, die Jungen sind.«
Er mochte mich wirklich.

Drei

»Schau dir das an!«, schrie Frau Mukherjee schon wieder,
aber ich hatte es ja schon längst gesehen: Kiwi-Schuhcreme,
kastanienbraun. Auf dem Waschbecken, auf der Toilette, in
der Badewanne. Selbst der Spiegel war verschmiert. Dass es
keine Kacke war, konnte man auf den ersten Blick sehen, dafür war die Schuhcreme zu rötlich, aber eklig war es trotzdem
und für mich, für den das sauber blitzende Toilettenporzellan
zu den wenigen Triumphen des Alltags gehörte, ein Stich ins
Herz.
»Wenn du nicht putzen willst, dann sag's mir ins Gesicht«,
schrie Frau Mukherjee weiter, »anstatt hier wie ein pubertärer
Teenager eine Rebellion zu starten. So eine Schweinerei!«
Das sah ich selber – und plötzlich auch klar, worauf die Sache
hier hinauslief.
»Frau Mukherjee, Sie glauben doch nicht, dass ich …«
»Ja, wer denn sonst?«
Ich schwieg, weil ich keine Verteidigung sah. Denn natürlich
würde jeder, der diese beiden adretten Töchter und einen im-
mer noch ziemlich ausländischen Ungarn im Haus hatte, auf
denselben Verdächtigen kommen.

Ich hätte es kommen sehen müssen.
Von dem Sonntagmittag an, als mich Frau Mukherjee nach
meinem Zuhause fragte und die ganze Familie interessiert –
ich würde sogar sagen: verständnisvoll – meinen Erzählungen
lauschte, hätte ich es kommen sehen müssen. Es ging mir zu
gut an jenem Sonntag; das endet immer fatal.
Morgens hatte ich wie an allen Tagen, an denen ich nicht das
Bad im Obergeschoss putzte, die Wäsche im Garten aufge-

hängt, und wie an den meisten Tagen konnte ich schon die Regenwolken sehen, wegen derer ich die Wäsche eine halbe Stunde später wieder würde hereinbringen müssen. Ich hatte Frau Mukherjee einmal gefragt, höflich, ob es wirklich Sinn machte, die Wäsche in einem Land mit so viel Herbstregen im Garten aufzuhängen. Sie hatte mir im monotonen Ton einer abgehärteten Mutter, die zu oft das Offensichtliche hat erklären müssen, entgegnet, dass die Wäscheleine nun mal im Garten hänge. Gegen solche Argumente war ich machtlos. Und ich war mir auch ziemlich sicher, dass sie mich keineswegs mit dem Wäsche-auf-ab-auf-ab-aufhängen schikanieren wollte. Wie sie sagte: Die Wäscheleine hing halt einfach im Garten.

Als ich an jenem Sonntag zum dritten Mal in den Garten wollte, um die vermutlich dreiviertelstündige Regenpause zu nutzen, die Wäsche wieder aufzuhängen, sagte Frau Mukherjee zu mir, ich solle es doch lassen. Es regne doch gleich wieder. Da merkte ich: Sie hatte gute Laune.

Später gab es Roastbeef mit Backkartoffeln und Bohnen, zur Abwechslung mal ganz ohne Pommes frites. Doktor Mukherjee rief: »Mein Au-pair-Mädchen! Heute gibt es das Lieblingsgericht meiner Jugend!«, und obwohl vermutlich alle anderen am Tisch das diffuse Gefühl hatten, dass es in den fünfziger Jahren in Neu-Dehlier Mittelklassefamilien eher selten Roastbeef gab, lächelten wir zustimmend, sogar Elizabeth. So war die Stimmung. Dann fragte mich Frau Mukherjee, was mein Lieblingsgericht in Ungarn gewesen war, ich sagte »Langos«, und ehe ich mich versah, gab ich meine Deckung auf, meine jahrelang perfektionierte Zuschauerrolle. Ich redete.

»Und was macht dein Vater?«, fragte Frau Mukherjee.

»Sie macht … ach, ich weiß das Wort auf Englisch nicht. Sie macht Kartons, also nicht Kartons, sondern Kartons aus Holz«, sagte ich.

»Wer?«, fragte Frau Mukherjee.

Ich sah sie an. »Na, mein Vater.«

»Aber warum sagst du sie?«

»Was meinen Sie?«

»Warum sagst du *sie* und nicht *er*, wenn du von deinem Vater redest?«

»Oh!«

Ich erklärte ihnen auch das: dass ich im Englischen sehr oft *er* und *sie* verwechselte und woran das lag. Sie lachten sogar darüber. So gut war die Stimmung.

»Es gibt kein *er* und *sie* im Ungarischen?«, fragte Doktor Mukherjee und wollte es nochmal erklärt haben: dass es im Ungarischen für die dritte Person, egal ob weiblich, männlich oder gar sächlich, nur ein und dasselbe Personalpronomen gab. Nämlich: »ö«.

»Ich kann also sagen: *Ö liebt dich*, und niemand weiß, ob er oder sie, ob eine Frau oder ein Mann dich liebt, oder gar ein Hund?«, fragte Doktor Mukherjee, der sich die Sache offensichtlich überlegt hatte.

Das ist richtig, sagte ich. Sie lachten noch mehr.

»Ö liebt dich, Ö liebt Dich!«, rief Doktor Mukherjee, und dann fielen seiner Frau wieder die Kartons ein.

»Was für Kartons macht dein Vater?«

»Kartons aus Holz.«

»Kisten.«

»Ja, aber Kisten für Menschen.«

»Oh!«, sagte Frau Mukherjee.

»Ö!«, sagte Doktor Mukherjee. Er lachte sich tot.

»Särge!«, sagte Victoria.

Ich erzählte ihnen die ganze Geschichte.

Mein Vater freute sich immer, wenn im Fernsehen oder in der Zeitung von unserem Heimatort Miskolc als sterbender Stadt die Rede war. Das gab ihm das Gefühl, genau am richtigen Platz zu sein. Tatsächlich lebten die Menschen länger, weil sie nicht mehr so viel arbeiten mussten, seit in Miskolc nach der

Wende 1989 die Industriebetriebe und somit die Arbeitsplätze starben. Aber von solchen objektiven Einwänden ließ sich mein Vater nicht beirren.

»Ich bin der Leichenbestatter in einer sterbenden Stadt«, stellte er sich jedes Mal schwungvoll vor, wenn wir Oma Monica und Tante Annika in Debrecen besuchten. Diese Besuche machte er gerne. Sie bestätigten ihm, in einer Boombranche zu arbeiten. Denn Oma Monica und Tante Annika kannten nur ein Thema: Wie teuer der Tod war.

»400 000 Forint kostet heute eine Beerdigung im schwarz lackierten Eichensarg«, beklagte sich Tante Annika, und mein Vater rechnete ihr vor, warum es so teuer war und dass sie sich halt schon vor fünf Jahren das Grab hätte richten sollen, da wäre das ganze Paket noch für 220 000 Forint zu haben gewesen; bei ihm zumindest. Mein Vater hatte das Geschäft nämlich perfektioniert: Er baute die Särge selbst, gab meiner Mutter den Papierkram, hatte einen Freund an der Hand, der die Grabsteine meißelte, und brachte den Leichnam in unserem alten Passat Kombi zum Friedhof. »Rundumbetreuung« war sein Lieblingswort.

Es erstaunte Frau Mukherjee, dass die Leute in Ungarn spätestens wenn sie in Rente gingen, ihr Grab aussuchten, den Grabstein aufstellen ließen und anfingen, auf den Sarg zu sparen. »Ist das denn nicht normal?«, fragte ich verdutzt.

Doktor Mukherjee fand es zum Brüllen, dass die Jahrtausendwende ein Zusatzgeschäft für den Grabsteinmeißler-Geschäftspartner meines Vaters gewesen war, weil viele Leute nicht rechtzeitig starben. »Das ist nicht wahr?«, sagte Doktor Mukherjee, und ich erklärte es nochmal, weil es seine Frau auch nicht verstanden hatte.

Wenn die Leute mit 50 oder so ihren Grabstein aufstellen ließen, wurde in der Inschrift nur das Sterbedatum freigelassen. Doch weil Ungarn wie paranoid die Inflation und somit auch horrend steigende Grabsteinmeißel-Preise fürchteten (zu

Recht übrigens), ließen viele nicht das ganze Sterbedatum frei, sondern nur die letzten zwei Jahresziffern, damit sie das Nachmeißeln beim Tod so billig wie möglich käme. Ich erinnerte mich zum Beispiel an den Grabstein einer Nachbarin, der Anfang der Neunziger aufgestellt wurde: *Kovács Anna, 1922–19...* stand darauf; aber dann ging das Jahr 1999 vorüber und Frau Kovacs war immer noch lebendig, dass heißt, sie musste die *19...* in *2...* umwandeln lassen. Es kam sie also doppelt so teuer.

»Diese Stadt ist ein Paradies«, sagte mein Vater, wenn er sechs Bier getrunken hatte und es ihm egal war, ob jemand zuhörte oder nicht. Wenn meine Mutter sagte, er solle nicht so laut reden, entgegnete er, er werde sie reich machen, und zählte ihr auf, wie viele Arbeitsmöglichkeiten, also Friedhöfe, es in Miskolc gab. »Den in Zsarnaitelep, ganz oben im Norden, den kennt hier in der Innenstadt kaum jemand, an der Budaj Joszef utca, in Bodótetö, gleich zwei in Görömböly, am Avas-Berg vielleicht der schönste und natürlich der größte, direkt bei uns vor der Haustür, zwischen der Beke und Elöhegy utca.« Und überall ist noch Platz, vergaß er selten anzufügen. Trotzdem träumten er und sein Meißel-Partner schon davon, das Gelände der stillgelegten Papierfabrik hinter dem Fußballstadion in den siebten Friedhof von Miskolc zu verwandeln, »supermodern, mit unserem Geschäft direkt am Eingang«, sagte der Meißler. »Rundumbetreuung«, sagte mein Vater.

Sogar Victoria lachte öfters glücklich, während ich erzählte. Vermutlich nur, weil sie es ihren Eltern nachmachen wollte, doch das war egal.

Wenn ich mich heute an jenen Sonntag mit Roastbeef zurückerinnere, dann fällt mir natürlich ein, dass Elizabeth versuchte, nicht zu heftig zu lachen, nicht zu wohlwollend zu wirken. Sie wollte sich weiterhin hinter ihrer Gleichgültigkeitsmaske verstecken, um alle Optionen offen zu haben: Ob sie mich als Kumpel wollte oder doch lieber tyrannisieren, hatte sie da noch nicht entschieden. Aber auf solche Details hätte ich gar nicht achten müssen. Allein der Fakt, dass ich mich auf einmal so behaglich fühlte, hätte mich misstrauisch machen müssen: Irgendwo war der Haken. Irgendwo war doch immer der Haken.

Ich hatte mich zuvor noch nie in meinem Leben gefragt, ob ich Kinder mochte, und selbst jetzt als Au-pair-Mädchen stellte ich mir die Frage nicht, allenfalls: Mochte ich sie mehr oder weniger als Badputzen und Wäscheaufhängen?
Ich hatte versucht, Elizabeths und Victorias Freund zu werden. Ich hatte geglaubt, es würde uns allen helfen, und ich hatte ihnen meine Hand weit entgegengestreckt, bis in meine Unterhose hinein, als ich dort die Schuhcreme versteckte. Doch ich kam nicht näher an sie heran. Sie blieben mir gegenüber respektvoll, aufmerksam, aber kühl, distanziert; professionell. Geschäftspartner.
Sie gefielen mir, wenn sie mir aus der Schule entgegenliefen, besonders wenn sie ihre schulterlangen Haare zu zwei seitlich abstehenden Zöpfen zusammengebunden hatten und Victoria mich lächelnd begrüßte, was vorkam, wenn sie alleine, vor Elizabeth, aus der Schultür rannte. Aber ich hatte aufgegeben, mehr von ihnen zu erwarten. Sie waren nicht besser als das Wäscheaufhängen, und sie waren schlechter als das Toilettenputzen, denn das ließ wenigstens einen Glanz zurück, auf den ich blicken konnte. Sie waren Teil meiner Arbeit. Ich erledigte sie.
Schwer zu sagen, wann genau ich aufgab, um die Sympathie der Mädchen zu kämpfen, aber vielleicht hing es tatsächlich mit jenem Sonntag zusammen. Vielleicht war es tatsächlich jener schöne Tag, der mir genug Selbstsicherheit gab: Von da ab versuchte ich nicht mehr, krampfhaft das kleinste Zeichen von Zuneigung zu erhaschen. Ich hörte ihnen noch nicht ein-

mal mehr heimlich zu, wenn ich zwei, drei Meter vor ihnen von der Schule nach Hause ging.

Wir gingen nun jeden Dienstag von der Helligkeit in die Dunkelheit. Um 16.50 Uhr, wenn sie spätestens am Schultor waren – sie brauchten nie länger als fünf Minuten, um vom wöchentlichen Sportunterricht zu fliehen –, konnte ich noch bestens die einzelnen Grabsteine auf dem Fulham Cemetery, dem Friedhof neben ihrer Schule, erkennen. Doch noch ehe wir gegen 17.05 Uhr in die Doneraile Street einbogen, war es schon so schwarz, dass die Züge in den Gesichtern der Passanten erst fünf Meter vor uns zu sehen waren. »Verdammter November«, sagte Frau Mukherjee, »und der Dezember wird noch schlimmer.« Aber ich mochte es. Die Dunkelheit. Wenn der Regen in den Scheinwerfern der sich wieder mal stauenden Autos wie Glitzer auf die Fulham Palace Road fiel. Ich hatte nicht mehr das Gefühl, dass mich die Passanten anstarrten. Also, zumindest nicht mehr alle Leute.

Ich hörte Elizabeth erst beim zweiten Mal.

»Warte mal, Zoli, hab ich gesagt!«

Ich drehte mich um. Wir hatten ziemlich genau die Hälfte des Nachhausewegs hinter uns. Victoria stand neben ihr und schaute sie an. Elizabeth schien außer Atem, vielleicht vom Schreien. Sie holte Luft. »Wir machen es nochmal«, sagte sie.

Ich lehnte ab.

Es gab nichts zu überlegen, ich zögerte nicht einmal, als ich ihren Plan gehört hatte, es kam einfach so aus mir heraus: »Was soll der Unsinn. Nein, lasst uns gehen.«

Ich ging einfach weiter. Für einen Moment weigerte sich Elizabeth, mir zu folgen, sie rief mir hinterher: »Zoli, Verräter!« Aber aus einer halben Schulterdrehung heraus sah ich, dass sie sich instinktiv, ohne es zu wollen oder zu merken, schon wieder in Bewegung setzte. Als ich an der Ampel vor der Wardo Avenue auf Grün wartete, waren sie wieder hinter mir. Beim Überqueren der Straße drehte ich mich nochmal um und sagte ihnen, sie sollten sich nicht so haben, so schön wie beim ersten Mal sei es sowieso nie wieder. Sie schwiegen schmollend. Ich dachte über die Aktion schon nicht mehr nach, als uns Frau Mukherjee ins Haus ließ.

Selbst als ich nun, drei Tage später, ihre fürchterliche Rache im Bad sah, war ich weiterhin überzeugt, dass es richtig gewesen war, Elizabeths Befehl zu verweigern und die kastanienbraune Kiwi-Schuhcreme bei Captain Neptun nicht zu klauen. Denn, wie gesagt, es stand ja schon viel länger, seit jenem Roastbeef-Sonntag vor zwölf Tagen, fest, dass es böse enden würde. Ich hatte mich brutal überschätzt und war verdientermaßen auf dem Boden gelandet: Ich hatte mir eingebildet, ich könnte zum ersten Mal etwas erreichen, was ich wollte, nämlich heimisch zu werden. Und das hatte ich nun davon. Ich musste schnellstens zu dem zurückkehren, was ich wirklich konnte: Sachen *nicht* zu wollen. Dann würde es mir wieder besser ergehen.

»Warte, bis mein Mann nach Hause kommt!«, schrie Frau Mukherjee. »Ich würde dich ja am liebsten einfach gleich vor die Tür setzen.«

Ich war aus dem Bad gelaufen, um das Putzzeug zu holen, das schien mir das Naheliegendste: die Schuhcreme wegzuschrubben, bevor sie eintrocknete. Frau Mukherjee lief einfach hinter mir her, die Treppe hinunter. Sie musste sich sputen, meinen Rhythmus zu halten, und redete einfach weiter auf mich ein. Ich glaubte, sie wollte sich so selbst beruhigen.

»Wie konntest du das nur tun, Zoli, wie konntest du nur?«

Nächste Treppenstufe.

»Du bist 25, Zoli, mein Gott, 25. Wenn meine Töchter so etwas machen würden, aber du!«

Da brach es doch noch aus mir heraus: »Aber er hat es doch getan!«

»Wer?«

»Ö«, sagte ich, aber nicht weil ich selber merkte, dass ich mal wieder das englische *er* und *sie* verwechselt hatte. Sondern weil ich irgendetwas sagen wollte, irgendwas, um mich selbst am Weiterreden zu hindern. Ich war vielleicht eingeschüchtert, angreifbar und manchmal auf Englisch schwer zu verstehen. Aber ich war nicht doof. Ich wusste, Elizabeth zu beschuldigen würde nichts bringen außer Riesendiskussionen, an deren Ende ich auf die eine oder andere Art doch der Verlierer wäre.

»Ö«, sagte ich nochmal, »ich weiß nicht, ob er oder sie oder wer das Bad verschmiert hat, aber ich war es nicht.«

»Fang gar nicht damit an«, sagte Frau Mukherjee, und damit hörten wir auf. Ich nahm das Putzzeug aus dem Küchenschrank unter der Spüle, sie stand noch immer in meinem Rücken, wir sahen uns nicht an. Die Treppen hinauf ließ sie mich alleine gehen.

Aus den Zimmern der Mädchen hörte ich nichts. Ich konnte mir gut vorstellen, wie sie an ihren Schreibtischen saßen, ganz brav, die Mathehausaufgaben vor sich, und in ihrem Kopf hatten sie schon hundertmal die Gleichgültigkeit einstudiert, mit der sie sich umdrehen würden, falls nach diesem Lärm im Flur jemand zu ihnen hereinkäme.

Ich putzte das Bad mit dem angemessenen Ernst von jemandem, der ahnt, es wird das letzte Mal sein. Die Schuhcreme war noch nicht eingetrocknet und überhaupt sehr hektisch und deshalb schlampig aufgetragen. Kein Problem für mich. Dann wartete ich.

Um halb neun kam Doktor Mukherjee nach Hause, rief »Ah, mein Au-pair-Mädchen!«, küsste seine Frau übertrieben auf den Mund und merkte, dass etwas nicht in Ordnung war.

Um zehn vor zehn kam er aus dem Schlafzimmer heraus. Seine Frau blieb darin. Ich hatte die ganze Zeit in der Küche gewartet, aber die Ratten hatten sich nicht sehen lassen, nicht einmal Prinz William. Als ob sie spürten, dass sie sich an mei-

43

ner Seite besser nicht blicken ließen, weil das zu ihrem Nachteil ausgelegt werden könnte. Ich wusste aus dem Grundstudium, dass Rattus norvegicus solch ein Gespür nicht hatten, aber ich fand den Gedanken trotzdem gut.

Die lange Wartezeit hatte meine Unruhe gekillt. Ich war bereit hinzunehmen, was immer auch kommen würde.

»Zoli.«

Es war das erste Mal seit langem, vielleicht das erste Mal überhaupt, dass mich Doktor Mukherjee mit Vornamen anredete.

»Mein Au-pair-Mädchen!«, seufzte er.

Ich wartete weiter.

»Wir haben gesprochen«, sagte er.

Das hatte ich mir denken können.

»Karen ist sehr irritiert über das, was vorgefallen ist. Ich habe ihr gesagt, vielleicht hast du irgendwelche Drogen genommen, die jungen Leute heute, London ist eine wilde Stadt, anders als in den Siebzigern.« Ich wollte ihm ins Wort fallen, ihn daran erinnern, dass ich in den vier Wochen, die ich nun bei ihnen wohnte, kein einziges Mal privat ausgegangen war, noch nicht mal in den Bishop's Park, wo es nur Mütter mit Babys statt Drogen gab – aber er redete so schnell und harsch weiter, dass klar war, es wäre besser für mich zu schweigen.

»Ich habe ihr gesagt, dass ich gar nicht wissen will, was du in deiner freien Zeit so treibst, aber dass ich mir sicher bin, dass das, was passiert ist, eine Ausnahme war. Dass es nicht wieder vorkommen wird.«

Ich nickte, obwohl ich natürlich keine Ahnung hatte, was Elizabeth noch alles vorhatte.

»Wir haben uns geeinigt.«

Ich schaute ihn erwartungsvoll an.

»Du bleibst hier wohnen, selbe Bezahlung, Essen mit der Familie, Pipapo, wie immer. Bloß du arbeitest ab sofort nicht mehr im Haus, sondern bei mir in der Praxis.«

»Aber …«, begann ich, und Doktor Mukherjee schnitt mir

einfach das Wort ab, um selber den Satz zu vollenden, »... du weißt gar nicht, ob du das kannst? Keine Sorge, das weiß ich. Wer für meine Ratten gut ist, ist für meine Patienten schon lange gut genug.«

Ich sah ihn nur an und schwieg. Ich sagte ihm nicht, dass die Ratten mich neuerdings mieden. Denn ich wusste endlich wieder, was ich *nicht* wollte: die Dinge in einem großartigen Moment unnötig komplizieren.

Vier

Ich hatte also eine neue Arbeit und deshalb erst einmal einen freien Tag. Denn am Morgen danach war Samstag, die Arztpraxis geschlossen. »Mein Au-pair-Mädchen!«, rief mir Doktor Mukherjee vom Frühstückstisch entgegen, den ich nun nicht mehr decken musste. »Wohin des Weges?«

»In die Stadt«, sagte ich und fühlte die Größe der Worte. Selbst Frau Mukherjee und die Mädchen warfen mir keineswegs feindselige, sondern ermunternde Blicke zu. Nach über einem Monat wagte ich mich endlich raus. Wann, wenn nicht jetzt, sagte ich mir und nahm mir vor, die Kew Gardens und das Wetland Centre erst einmal *nicht* zu besuchen. Ich wollte mir das Beste aufheben, schließlich hatte ich noch elf Monate vor mir, und kalkulierte, dass ich noch mindestens 44-mal rausgehen wollte.

Als Erstes wollte ich mir die Bahnhöfe Waterloo und Victoria ansehen und die Fahrpläne dort lesen. Das war ein guter Anfang, fand ich: die Orte zu studieren, von denen die Züge ans Meer abfuhren. Irgendwann würde ich dann einen der Züge nehmen und am Bahnhof bereits genau wissen, was zu tun war.

Was für andere Leute Bücher sind, waren für mich Fahrpläne: Du fängst an zu lesen und kommst nicht mehr los davon. Wenn ich früher in Miskolc mit meinem Vater Tante Annika vom Bahnhof abholte, hoffte ich jedes Mal, der Zug aus Debrecen möge Verspätung und ich dadurch Zeit zum Fahrplanlesen haben. Zugegeben, die Lektüre war beschränkt, nur ein groß gedrucktes Plakat mit breiten Zwischenräumen, aber ich brauchte für eine Zeile sowieso immer lange Minuten, manchmal sogar eine halbe Stunde oder ganze Tage. Denn meine Phantasie trug mich hinweg, mit dem 6.43 Uhr über Kosice und durch die ganze Slowakei hindurch bis nach Kattowitz in Polen oder mit dem 22.18 Uhr aus Budapest über Debrecen und Valea lui Mihai nach Bukarest. Oft war ich noch lange, nachdem wir Tante Annika abgeholt und in unserem Leichenwagen-Passat zu uns in die Bartók Bela utca gebracht hatten, in Gedanken unterwegs. Auf dem Fahrplan erschien Miskolc wie das Zentrum der Welt. Ich vermutete, dass es keine Stadt auf der Erde gab, die man nicht von Miskolc aus erreichen konnte, entweder über Budapest, Kosice oder Debrecen, und das war ein atemberaubender Gedanke.

Ich nahm den 74er Bus zur Earl's Court Station und bereitete mich auf meine Exkursion vor: Ich kaufte mir eine Tageszeitung.
Ein jeder hat Bilder von Städten oder Ländern im Kopf, in denen er noch nie war. Manche denken an Rom und sehen Vespafahrer mit Gel in den Haaren statt Helmen auf dem Kopf, andere denken an Rio und sehen junge Strandgänger mit großen Sonnenbrillen und kleinsten Badehöschen. Ich dachte immer an London und sah Leute in der U-Bahn sitzen und Zeitung lesen.
Ich kaufte den *Daily Telegraph*, weil das die Zeitung war, die ich Doktor Mukherjee ständig lesen sah, und nahm die District Line Richtung Upminster. Ein bisschen was von meinem Weltbild wurde wiederhergestellt: Ein Wissenschaftler war auf Seite eins, Sir Walter Raleigh, der Entdecker der Kartoffel. Die Nachricht an sich war allerdings weniger erfreulich. *The British Potato Council*, der Britische Kartoffel-Rat, gab bekannt, dass die Briten zwar noch genauso viele Kartoffeln aßen wie vor zehn Jahren, nämlich im Jahr 110 Kilogramm pro Kopf. Doch nur noch 50 Prozent dieser Kartoffeln würden auch tatsächlich als Kartoffeln verspeist. Die anderen 50 Prozent seien *verarbeitete Kartoffeln*, also solche, die in Chips

oder Pommes frites vorkamen. Eine Besorgnis erregende Tendenz, sagte der *Telegraph*. Das nationale Gemüse sei in Gefahr. Zwei Seiten weiter hinten war noch etwas in Gefahr, nämlich der Friede in der Regierungspartei, weil viele Parlamentsabgeordnete der Labour Party dem Premierminister Tony Blair bei seinem harten Kurs gegen den Irak nicht folgen wollten. Doch noch ehe ich weiter darüber nachdenken konnte, was das für eine Nation sei, die in ihren Zeitungen der Kartoffel Vorrang vor der Weltpolitik einräumte (instinktiv gefiel mir das), wurde ich gegen meinen Sitznachbarn geschleudert, einen Mann in meinem Alter, der seine rote, tief in die Stirn gezogene Mütze auch in dem überheizten Wagon nicht abgesetzt hatte. Die U-Bahn hatte plötzlich gestoppt.

»Phantastisch!«, brüllte der Junge mit der Mütze. Er brüllte, weil er sich nicht selber hörte, sondern nur die Musik aus seinen Kopfhörern. Die hörten wir, trotz der Kopfhörer, übrigens auch. »Phantastisch!«, wiederholte er, »Signalfehler, wetten?!« Sonst sagte keiner was. Draußen war alles dunkel, wir waren im Tunnel, irgendwo zwischen South Kensington und Sloane Square. Ich war erleichtert. Denn jetzt, in meiner guten Laune, war ich endlich fähig zu erkennen, dass die Leute in London mich nicht durch-, noch nicht einmal anschauten. Sie starrten in ihre Zeitungen, auf ihre Schuhe oder ins Nirgendwo. Nur dem mit der Mütze war es zu leise.

Er trug eine ausgebeulte Armee-Tarnhose, einen schlabbrigen Sweater und eine riesige, quadratische Brille mit starken Gläsern, wie ich sie schon einmal bei irgendeinem britischen Popstar gesehen hatte, ich wusste nur nicht mehr, bei welchem.

»Signalfehler, wetten?!« Er wurde immer lauter und drohender. »Oder vielleicht liegt wieder Laub auf den Schienen.«

Ich sah ihn überrascht an. Das hätte ich nicht tun sollen. Denn jetzt sah er mich an.

»Ja, genau, Laub auf den Schienen. Das haben sie das letzte

Mal tatsächlich gesagt, als ein Kumpel von einem Kumpel dringend zum Flughafen nach Stansted musste, und der verdammte Zug blieb einfach eine halbe Stunde auf halber Strecke stehen.« Die Wucht seiner eigenen Worte riss ihn hoch, er sprang auf und ging hektisch im Gang hin und her. »Ein halbe Stunde, Kumpel. Wegen Laub auf den Schienen. Aber darüber schreibt deine verdammte Spießer-Zeitung wohl nicht, was?!« Ich hatte mich, es den anderen Fahrgästen nachmachend, hinter dem in der Spannbreite eines Adlers voll ausgebreiteten *Daily Telegraph* verschanzt. Aber er hatte das offenbar durchschaut, und es nun nicht nur auf mich, sondern auch auf meine Zeitung abgesehen. Ich tat so, als ignorierte ich ihn.

»Verehrte Fahrgäste, hier spricht Ihr Fahrer. Ich entschuldige mich für die Verzögerung. Die Ursache ist ein Signalfehler. Wir hoffen, dass wir in Kürze …«

»Ha! Habt ihr gehört: Signalfehler! Signalfehler! Und wir glauben das auch noch. Weil wir Briten sind. Weil wir uns nicht beschweren, weil das nicht britisch ist. Weil wir zu *fuckin' british* sind, um uns zu beschweren.« Er trat im Rhythmus seiner Worte gegen eine Tür. Ich sah mich verstohlen um und erkannte, soweit es mir der Blickwinkel hinter dem Telegraph erlaubte, dass die Leute, die Zeitungen hatten, ihren Kopf dahinter noch weiter duckten. Sie lasen gar nicht mehr, sondern benutzten die Blätter nur noch als Schutzschilder, während die Leute ohne Zeitungen mit den Zähnen ihre Lippen kneteten. Aber unser Schweigen war sein Treibstoff, es brachte ihn erst recht in Fahrt.

»Weil wir denken, es ist höflich, nichts zu sagen. Weil wir uns einbilden, es sei gute Erziehung zu schweigen. Dabei ist es nur *fuckin' british. Fuckin' british!* Signalfehler! Ein verdammter britischer Signalfehler!«

Irgendwann, ich hatte vor lauter Anspannung das Zeitgefühl verloren, gab es einen Ruck. Wir fuhren wieder los. An der nächsten Station, dem Sloane Square, gab es ein Gedränge an der Tür, weil alle außer dem Jungen mit der Mütze und den zusammengekniffenen Augen ganz schnell raus wollten aus dem Abteil. »Warum nur zieht die U-Bahn alle Verrückten dieser Stadt an?«, murmelte mir ein Mann im Laufen zu, eine Antwort wollte er nicht, sondern nur demonstrieren, dass wir nun zusammengehörten, gemeinsam gegen die Wahnsinnigen. Manche Passagiere stiegen einfach zwei Türen weiter in einen anderen Wagen ein, aber ich hatte genug. Ich war eine Station von Victoria entfernt und beschloss, die Bahnhöfe ein anderes Mal anzusehen.

Als ich aus dem U-Bahn-Schacht heraus an die frische Luft trat, fiel London mit aller Macht über mich her. Es roch, es lärmte, es wuselte, und zwar von allem zu viel. Um den Sloane Square herum kamen aus allen Himmelsrichtungen Autos, riesige Doppeldeckerbusse in Kolonnen, die, als ob es keine Regeln gebe, einfach in die nächste Spur einfädelten, schon bald lösten sich die Spuren ganz auf. Fußgänger rannten einfach zwischen den Autos über die Straße, es war nur noch ein Chaos, aber niemand schien sich daran zu stören. Vor mir lag die King's Road, Passanten schoben sich zu Hunderten aneinander und an den teuren Modegeschäften und Kaffeehäusern vorbei. Ich warf mich in die Masse, ließ mich treiben, und schon bald, nach gerade mal zehn Minuten, kam es mir. Hier inmitten von hunderten Einkäufern und Bummlern erkannte ich Londons größten Schatz: In dieser Stadt konnte man alleine sein. Wie falsch ich gelegen hatte, als ich zu Beginn meiner Zeit als Ausländer glaubte, ein jeder würde mich an- und durchschauen. Im Gegenteil, hier ignorierten sich die Leute einfach. Niemand störte sich daran, dass ich alleine war. Vor Freude über diese Erkenntnis lachte ich; ganz für mich alleine.
Ungarn dagegen war das Land der schrecklichen Zweisam-

keit. Dort durfte man nicht alleine sein. Ich hatte es einmal versucht, kurz nachdem ich zum Studieren nach Budapest gezogen war, als ich noch dachte, Budapest, die Hauptstadt, sei anders als Miskolc. War sie aber nicht.

Ich war alleine die Andrássy utca hinaufgegangen, Richtung Oktogon, dann in die Liszt Ferenc utca hinein, wo all die berühmten Cafés und Bars sein sollten, *das Leben*, wie sie immer geschwärmt hatten, wenn irgendjemand von einem Wochenende in Budapest nach Miskolc zurückkam. Die Straßencafés an der Liszt Ferenc utca sahen tatsächlich anders aus als zu Hause, schicker, mit riesigen Sonnenschirmen, obwohl die Sonne um 22 Uhr logischerweise nicht mehr schien, aber die Schirme machten Sinn. Sie gaben dem ganzen etwas Schmuckes, vielleicht auch Intimes – und somit waren die Cafés auch wieder nicht anders als in Miskolc: Man ging nur zu zweit oder in Gruppen dorthin. Ich ging schnell wieder nach Hause. Wer in Ungarn an einem öffentlichen Platz alleine war, fühlte sich sofort einsam. Es war die Art, wie die anderen, die Zweisamen, zusammenstanden oder -saßen, die einem verdeutlichte, dass man nicht normal war. In London taten die Passanten im Prinzip nichts anderes als in Ungarn: Sie ignorierten die Alleinsamen. Und doch war es etwas ganz anderes. Die Ignoranz der Londoner erschien mir vor allem wie Toleranz. Sollte doch jeder machen, was er wollte, und wenn es solch ein Wahnsinn war wie alleine herumzustreunen. Ich betrachtete mein Spiegelbild im Schaufenster eines Damenschuh-Geschäfts, sah den sauber zweifach gefalteten *Daily Telegraph* fest in meiner Hand und war zufrieden: Ich fand, ich sah allein und glücklich aus.

Ich wollte das Gefühl nicht zu schnell wieder verlieren, und so streifte ich zu Fuß durch die Straßen des Viertels von Chelsea, bis die frühe Dunkelheit hereinbrach und ich endlich den Ort gefunden hatte, den ich suchte: das Ende der Welt. *World's End*.

Das war eigentlich eine jener Attraktionen, die ich mir für spätere Ausflüge aufheben wollte, aber da ich mir Waterloo und Victoria Station aufgespart hatte und sowieso schon in der Nähe war, wollte ich jenen mysteriös benannten Platz finden, den ich zufällig beim Blättern in meinem Stadtplan auf Seite 76 nahe der Battersea Bridge entdeckt hatte. Ich hätte ihn nicht gefunden, vielleicht sogar den Glauben an seine Existenz verloren, wenn nicht einer der roten Stadtbusse vorbeigefahren wäre und den Namen ganz groß an seiner Frontseite als Ziel angeschlagen hatte: World's End. Ich hatte meinen Stadtplan nicht dabei, deshalb musste ich von Bus-Stopp zu Bus-Stopp den Weg des Busses rekonstruieren, und so kam ich tatsächlich hin. Einerseits war das Ende der Welt eine Enttäuschung, andererseits so, wie es ich mir vorgestellt hatte: trostlos. Eine Siedlung flacher, mickriger Backsteinbauten. Warum die Gegend World's End hieß, ob eine kuriose Laune der Stadtverwaltung verantwortlich war oder ob hier irgendwann mal die Welt für die Londoner tatsächlich zu Ende gewesen war, wusste ich nicht. Ich war in diesem Moment auch zu faul, mir irgendwelche Erklärungen auszudenken. Andererseits schien es mir, man hätte die Siedlung genauso gut auch *World's Centrepoint* nennen können. Mittelpunkt der Welt. Das wäre vielleicht sogar treffender und auf jeden Fall trostloser gewesen: anzuerkennen, dass für die meisten von uns irgendwelche mickrige Betonbauten der Mittelpunkt des Lebens sind. Im nächsten Moment schämte ich mich für den tristen Gedanken.

Es ging auf sieben zu, als ich die Fulham Palace Road wieder gefunden hatte und die Ecke zur Doneraile Street schon sehen konnte. Ich war den ganzen Weg nach Hause zu Fuß gegangen, und das, obwohl ich schon seit einiger Zeit wusste, dass ich noch gar nicht nach Hause wollte. Das ganze Glück des Tages machte mich enthusiastisch, vielleicht würde ich später, wenn ich auf diesen Tag zurückblicken würde, einmal sagen: übermütig. Ich ging nur nach Hause zurück, weil das die Mutprobe war, die ich mir selber stellte: Würde ich mein Vorhaben durchhalten, noch *nicht* nach Hause zu gehen, selbst wenn ich die Verlockung, einfach zu den Mukherjees zurückzukehren und in mein Zimmer zu verschwinden, direkt vor Augen hätte? Ich war an der Bishop's Park Road, dann käme noch eine Straße und ich wäre da, leicht zu merken, denn die Straßen waren alphabethisch geordnet, B für Bishop's Park Road, C für Cloncurry Street, D für Doneraile, E für Ellerby, F für Finlay Street, und so ging es weiter bis L für Langthorne Street. Nur J fehlte und ein A gab es nicht, warum wusste selbst Doktor Mukherjee nicht, der sagte, die Straßen seien alle nach erfolgreichen Generälen des Empire benannt worden, und das musste sogar schon vor Thatcher passiert sein.

Ich blieb bei C stehen. An der Cloncurry Street war die Bushaltestelle für den 220er und 74er, und ich wollte lieber auf Nummer sicher gehen. Ich war zwar fest entschlossen, nicht nach Hause zu gehen, wollte aber besser erst gar nicht in Versuchung geraten. Meine Mutprobe, beschloss ich, hatte ich trotzdem gewonnen, schließlich konnte jeder Mensch sehen, dass ich praktisch schon an der Doneraile Street gewesen war. Auf den einen Block, den ich mir sparte, kam es doch auch nicht mehr an.

Der 220er Richtung Shepherd's Bush kam, und ich wusste ganz genau, wo ich hinwollte.

Fünf

Ich hatte die Wahl zwischen einem aufgedunsenen Bleichgesicht, an dem alles gigantisch war, die Nase, der Hals, vor allem aber die Muskeln, und einem kahl geschorenen Schwarzen, dessen Kopfhaut nicht weniger glänzte als seine goldenen
Ohrringe und dessen langer schwarzer Mantel den athleti-
schen Körper nicht verbergen konnte. Das Bleichgesicht sah
aus, als könnte er mir den Kopf abreißen, wie andere Leute
eine Limonadendose aufreißen. Der Glatzkopf sah aus, als
könnte er mich mit seinem rechten Bein in den Schwitzkasten
nehmen. An einem der beiden musste ich vorbei.
Ich hatte sie eine Weile aus sicherer Distanz beobachtet, von
der Bushaltestelle, an der ich ausgestiegen war. Doch ich
wusste, je länger ich zögerte, desto misstrauischer würde ich
sie machen, also ging ich ohne weiteres Nachdenken auf die
beiden Türsteher zu und instinktiv in der Mitte zwischen ihnen hindurch – so weit weg wie möglich von beiden – in die
Bar hinein. Der Glatzkopf ignorierte mich, das war offenbar
das Zeichen für das Bleichgesicht, sich mich vorzuknöpfen.
»Alles klar, Sohn?«, sagte er.
Ich versuchte zu lächeln, nahm aber stark an, dass mir das
nicht gelang. Ich ging einfach weiter, ohne was zu sagen, und
wurde, mir schien es ein Wunder, von keinem der beiden auf-
gehalten. Doch ich hatte keine Zeit, darüber erleichtert zu
sein. Ich musste mich voll konzentrieren, um in der Bar nicht
unterzugehen. Ich hatte so etwas noch nie gesehen: ein riesiger, länglicher Saal, aber kein freier Meter. Alles, was ich sah,
waren Arme, Bierbecher in hochgehobenen Händen, Köpfe,
wenn ich den Blick etwas senkte, auch noch Brüste. So wenig
ich sehen konnte, umso mehr roch ich. Es gab keine Luft

mehr in der Bar, nur noch Schweiß. Von hinten rempelte mich einer zur Seite, von der Seite stupste mich einer nach vorne, von vorne, wo eine Bühne sein musste, warf mich Rockmusik zurück, die nur ein Ziel zu haben schien: laut zu sein. Für einen Moment stand ich unter Schockstarre, ich wusste nicht, was ich tun sollte, wohin ich gehen sollte, doch dann bemerkte ich, dass ich sowieso schon von selbst ging. Das Schubsen hatte System, es gab mehrere Schubsstraßen, und nun, da ich in einer dieser Bahnen war, wurde ich wie in einem Strudel automatisch weitergezogen, immer tiefer in die Bar hinein. Ich war mir sicher, dass mich am Ende des Strudels eine Überraschung erwartete; und unsicher, ob sie gut oder böse sein würde.

Meine Au-pair-Agentur hatte das Southern Star empfohlen. »Ein freundlicher Treffpunkt junger australischer Aussiedler und Backpackers im Viertel Shepherd's Bush, in dem sich auch jeder, der noch fremd ist in London, sofort willkommen fühlt«, stand in der Broschüre *What to do in London*, die mir die Agentur in Budapest mitgegeben hatte. Nach meinen ersten Eindrücken in der Bar vermutete ich, dass sie ihre Empfehlung nie von innen gesehen hatten. Vielleicht hatte ich aber auch einfach nur andere Vorstellungen von einem freundlichen Treffpunkt als die gesetzten Damen in der Au-pair-Agentur.

Nach zehn Minuten im Southern Star hatte ich jedenfalls genug: Ich wollte kein Bier mehr; zumindest nicht auf meinem Pullover. Gewaltsam brach ich aus der Schubsautobahn aus, denn ich hatte mich auf der Spur zur Toilette eingereiht. In zirka zehn Metern Entfernung sah ich den Tresen, wo ich Halt zu finden hoffte, und schätzte, dass ich es in 30 bis 40 Minuten dorthin schaffen konnte. Ich musste mir den Weg quer durch die Menge bahnen, die direkt vor der Bühne tanzte.

Die Menge: Die meisten waren in meinem Alter, zwischen 18

und 35. Alle waren betrunken, niemand war gut gekleidet, viele Mädchen dafür aber ziemlich knapp, in T-Shirts, die Arme und Bauch frei ließen; und davon hatten sie meistens reichlich: von Arm und Bauch. Ihr Fett schwappte im Rhythmus: in ihrem Rhythmus, nicht in dem der Musik; den zu finden tat sich selbst die Band schwer.

Als ich mich durch die Menge gekämpft hatte, sah ich aus wie alle: mit riesigen Flecken auf dem Pullover.

»Hey, du sollst dein Bier trinken, nicht auf den Pullover schütten«, rief der Mann im rotschwarz gestreiften Fußballtrikot, der dort an der Bar stand, wo ich hinwollte. Er sprach gutes Englisch, allerdings mit einem klappernden, abgehackten Akzent.

»Ich habe noch gar kein Bier getrunken«, wollte ich antworten, aber er hatte sich, schneller, als ich mir einen Satz auf Englisch zurechtlegen konnte, einfach von mir weggedreht.

»Hey, Kumpel!«, rief er und winkte nacheinander drei Barkellnern zu. Der zweite und dritte kamen. »Ein Bier für meinen Kumpel hier, der bislang nur sein T-Shirt trinken ließ. Haha!« Sein Lachen war laut und schrill. Er schob mir das Bier in die Hand, stupste mich vertraulich am rechten Arm an, zeigte auf das sommersprossige Mädchen neben ihm, flüsterte mir zu: »Willst du sie?«, und ehe ich wusste, was geschah, war ich in einer Geschichte drinnen, wie sie mein Vater und sein Grabsteinmeißel-Kumpel erzählten, wenn sie sechs Bier getrunken hatten.

»Direkt nach Ende des Kommunismus, als wir versuchten, uns als erstes Beerdigungsunternehmen Ungarns mit Rundumbetreuung zu etablieren, traf ich in geheimer Mission den Boss von der lokalen Parteizentrale in der Bar des Hotels Pannonia …«, fing mein Vater an, »o ja!«, brüllte der Grabsteinmeißler, und alle hörten zu, weil ihre Geschichten jedes Mal unglaublich begannen und wahnsinnig endeten. Das wahnsinnige Ende war noch nicht in Sicht, aber war es nicht schon unglaublich, wie ich Thomas Weingarten kennen gelernt hatte?

Er war ein von Natur aus schlanker Mann, was seinen kleinen Bierbauch größer erscheinen ließ, als er wirklich war, mit zurückgekämmten dünnen blonden Haaren, doch bevor er sich mit Namen vorstellte oder gar nach meinem fragte, sprach er von seinem rotschwarz gestreiften Fußballtrikot.

»Weißt du, warum ich hier bin, Kumpel?«, fragte er, und ich trank einen Schluck Bier, um ihm die Chance zu geben, seine Frage selbst zu beantworten.

»Weil das die einzige Bar in London ist, in die sie dich mit einem Fußballtrikot reinlassen.«

Ich trank weiter, weil ich spürte, dass das noch nicht alles war.

»In meinem Fußballtrikot fühle ich mich locker.« Er trank nun selbst einen Schluck. »Eintracht Frankfurt. Deutscher Meister 1959.« Ich schätzte, er war ungefähr 1972 geboren. »5:3 gegen Kickers Offenbach«, er unterbrach sich selbst, brüllte: »Hey!« und zeigte mit dem Zeigefinger auf ein kleines, indianisch aussehendes Mädchen, das ihn erschreckt ansah. Er sah mich an. »Oder willst du die?«

Ich grinste. Er schlug mir auf die Schulter und sagte, er sei Thomas, und ich sollte ihn nicht Tommy nennen. Engländer täten das zwar manchmal, aber wenn er sich Engländern mit vollem Namen vorstellte, fragten die auch immer, »Weingarten, mit einem Umlaut auf dem a?«, weil Engländer davon besessen waren, aus allen As, Us und Os in deutschen Namen Äs, Üs und Ös zu machen, weil sie dachten, das sei in Deutschland so. Deshalb war in englischen Zeitungen oft von Kanzler Köhl die Rede gewesen und noch immer alternativ von Völkswagen oder Volkswägen. Thomas Weingartens Spitzname war nicht Tommy, sondern *Chicken*, seine deutschen Freunde nannten ihn manchmal auch *Bein*, und an Samstagen aß er ab 13 Uhr nichts, damit er abends im Southern Star den Alkohol schneller spürte. Aber auch auf nüchternen Magen konnte er elf große Biere trinken. Sechs hatte er schon. Er sagte: »Die sehen wir später wieder, keine Angst.« Er meinte das indianisch aussehende Mädchen, das sich im Strudel der Körper hatte weitertreiben lassen.

Ich trank noch einen riesigen Schluck Bier, um das elende Gefühl zu kontrollieren, das wie in den ersten Tagen in London wieder in mir hochkam; die Angst, nicht gewollt zu werden: Mit Unbehagen dachte ich daran, dass Deutsche Ungarn nicht leiden konnten. Ich hatte zwar an solche Verallgemeinerungen nie geglaubt; ich hatte allerdings auch noch nie vor einem Deutschen gestanden.

Doch ich hätte mir keine Sorgen machen müssen. Thomas Weingarten liebte oder hasste keine Nationalitäten, sondern nur Fußballclubs. Er fragte: »Was ist dein Team?«

Ich hatte keines. Fußball interessierte mich nicht, deshalb sagte ich, was ich immer sagte, wenn ich nicht unhöflich sein wollte: »Honvéd.«

»Was?!«, sagte Thomas, und mir fiel ein, wie doof ich war zu vergessen, dass in England natürlich niemand den Kispest-Honvéd FC aus Budapest kannte.

»Honvéd! Lajos Detari!!!«, brüllte Thomas und ballte eine Siegerfaust. Ich wusste nicht, was er wollte. »Deutsches Pokalfinale 1989. Lajos Detari. Freistoß. 1:0. Gegen Bochum. Sieg!« Er riss mich an sich und hielt mich fest umschlossen. Ich spürte zum einen, dass Lajos Detari, wer immer er auch war, etwas Großes erreicht haben musste, und zum anderen, wie eingeklemmt zwischen seiner und meiner Brust mein Plastikbecher zerbrach und das Bier meinen Pullover durchtränkte. Ich hielt still. Was hätte ich auch sonst tun sollen?

»Dein Bier!«, rief Thomas. »Du brauchst ein neues!«

Ich spürte den Alkohol schnell, und wir begannen zu reden, das heißt, nun sagten ich und das blonde Mädchen mit den Sommersprossen auch ab und an etwas. Bettina kannte Thomas schon aus Deutschland, sie aß auch nie etwas, bevor sie ins Southern Star ging, aber nicht um schneller betrunken zu sein, sondern um abzunehmen. Hinterher, wenn sie es nicht mehr aushielt, schlang sie dann meistens fettige Chicken Wings in sich hinein. Thomas bestand immer darauf, zu Kentucky Fried Chicken schräg gegenüber an der nördlichen Seite des Shepherd's Bush Green zu gehen. Sie war Einkäuferin für Bademode im Luxus-Kaufhaus *Byers*, vier Jahre älter als ich und sah auch so aus, einfach reifer. »Willst du sie jetzt haben?«, rief Thomas und lachte. Ich lachte auch, Bettina ebenso. Sie sagte, »Nenn mich Tina«, und alles klärte sich auf: Lajos Detari spielte einmal bei Honvéd Budapest, dann bei Eintracht Frankfurt, »Pokalfinale 1989. Freistoß. 1:0. Sieg!«, Thomas lachte, ich auch, Tina schaute zur Bühne. Thomas nannte sich manchmal Bein, weil Uwe Bein Lajos Detaris Nachfolger als Spielmacher bei Eintracht Frankfurt und noch sensationeller als dieser gewesen war. Er arbeitete seit vier Jahren als Investmentbanker in der City und sagte, er könne mir Geschichten erzählen, die ich nicht glauben würde. Ich sagte, ich sei aus Budapest, weil sie Miskolc sowieso nicht gekannt hätten, und begänne am Montag, also in zwei Tagen, als Assistenzarzt bei einem indischen Hausarzt, Doktor Mukherjee. Assistenzarzt, weil ich nicht wusste, wie ich meine Stelle sonst hätte beschreiben sollen.

»Ich kannte einen Assistenzarzt«, sagte Thomas, »Lutz Mühlmann. Er ging mit 26 nach Südafrika, weil es dort richtig viele Verbrechensopfer gab und Not am Mann war im Krankenhaus. Deshalb ließen sie Lutz Mühlmann trotz seiner geringen Berufserfahrung operieren, auch die richtig schweren Fälle, aber nach einer Weile waren die ihm nicht mehr schwer genug und er brach vor der Operation den Typen noch das rechte Bein, wenn sie nach einem Verkehrsunfall bewusstlos mit gebrochenem Arm ins Krankenhaus kamen. Doch auch das langweilte ihn bald, und er begann, sich selbst zu verstümmeln und zu operieren: Fuß abgehackt und wieder drangenäht, in die linke Hand geschossen und mit rechts die Kugel rausgeholt, ein Ohr mit der bloßen Hand abgerissen und dran verblutet. Keiner konnte ihm mehr zu Hilfe eilen, weil er die Tür abgeschlossen hatte, damit ihn keiner bei seinen Verstümmelungen überraschte.«

»Glaub ihm kein Wort«, sagte Tina, »ich kannte Lutz auch. Er ist nach Südafrika gegangen und in Wirklichkeit mit einer Einheimischen durchgebrannt, in den Busch.«

Wir grinsten, weil wir noch nicht wussten, was als Nächstes sagen, und schauten schweigend in die Menge hinein.

Die Band spielte *Tubthumping* von Chumbawamba, und die Menge wippte, sprang, warf sich übereinander. Einiges fiel zu Boden, Bierbecher, umgeschnürte Pullover, ganze Kerle, und wenn sie wieder aufstanden, waren ihre T-Shirts, soweit man sie sehen konnte, schwarz vor Dreck. Es knatschte, wenn man seine Füße bewegte. Man schlitterte durch den Schleim aus Schuhdreck und verschütteten Getränken. Die Rockmusik wurde härter, blieb aber in der Hauptsache laut, damit nicht so auffiel, wenn ein Gitarrist in die falsche Saite griff oder der andere kurz ganz aussetzte, um ein Bier zu kippen. Mir kam es vor, als kannte ich alle Lieder schon seit Jahren.

»Das liegt daran, dass sie hier Lieder erst spielen, wenn sie schon wieder völlig uncool sind«, sagte Tina, »das machen sie, damit keine Engländer herkommen.«

Wir waren mitten in London, in einer voll gestopften Bar mit vielleicht 500 oder 1000 Leuten, ich war schlecht darin, so etwas zu schätzen, und ohne einen einzigen Engländer. Ich fand den Gedanken genauso irritierend wie faszinierend: »Und wie sind die Engländer beim Ausgehen?«, würden sie mich in Ungarn fragen. »Es gibt sie nicht«, würde ich antworten müssen. Hier waren Australier, Südafrikaner, Italiener, Griechen, Deutsche, Spanierinnen, Brasilianerinnen, Neuseeländerinnen, Tschechinnen, Polinnen, und das Einzige, was sie verband, war, nicht Engländer zu sein. War es, weil sie die Engländer nicht leiden konnten? Aber warum waren sie dann in England? War es, weil die Engländer nichts mit ihnen zu tun haben wollten? Aber warum blieben sie dann in England?

»Die Engländer fangen immer sofort mit Hitler an«, sagte Tina, »und solange sie mit Hitler anfangen, weigere ich mich, hier meine Fernsehgebühren zu zahlen. Da können sie die Polizei vorbeischicken, drei Mahnbriefe haben sie mir schon geschickt, aber ich habe sie einfach weggeworfen, und wenn sie die Polizei schicken, werde ich es denen ins Gesicht sagen: Keine Tag eher zahle ich die Fernsehgebühren, ehe ihr nicht mit Hitler aufhört.« Es zischte, wenn sie das *th* von *the police* oder *three reminders* aussprach.

»Die Engländer haben sie nicht alle«, sagte Thomas. Ob er damit schon alles gesagt hatte oder ob er das noch präzisieren wollte, konnte ich nicht herausfinden, denn Teile der Menge strömten an die Bar, ich wich zurück und wurde von Thomas und Tina weggerissen, hinein in den Strudel.

Ich tanzte, ich hatte keine andere Chance. Um den Ellenbogen, Schultern und Bierbechern um mich herum auszuweichen, musste ich mich bewegen. Doch es kam auch so, geradezu natürlich, über mich. Die Musik, das Bier, die Glückseligkeit, die die Menge ausstrahlte, setzte mich in Bewegung. Thomas streckte mir aus fünf Metern, fünf angesichts der Menge zwischen uns unüberbrückbar scheinenden Metern, den erhobenen Daumen entgegen. Und plötzlich war Tina bei mir. Sie lächelte wissend. Ich strahlte zurück. »Willst du's?«, fragte sie und griff sich, ehe ich etwas hätte sagen können, mit der rechten Hand meinen Hinterkopf und zog ihn zu sich herunter. Ihr Kuss schmeckte nach Tabak und Pfefferminze, sicher besser als meiner, bloß ihre Zunge erstickte mich fast. Sie war überall in meinem Rachen und fast in meiner Luftröhre. Ich begann zu husten, aber Tina ließ nicht locker. Ich hustete, so gut das geht, wenn einem eine fremde, riesige Zunge wild durch den Mund huscht. Mein Kopf drehte sich, Sauerstoffmangel, dachte ich panisch und begann zu vergessen, wo ich war und was ich tat.

»Wir gehen alle zu mir!«, rief Thomas, und das klang weniger wie ein Vorschlag als ein Befehl. Er hatte die kleine Indianerin im Arm. Sie hatte mir beim Rausgehen aus dem Southern Star ihren Namen gesagt, und ich ihn gleich wieder vergessen. Man kannte sich hier sowieso nach Herkunftsländern statt mit Namen. »Wo kommst du her? Aus Ungarn? Aus Ungarn?«, fragte die Bolivianerin in Thomas' Arm schon wieder. »Ja«, sagte ich, ohne richtig zuzuhören. Wir standen am Rande des Bürgersteigs, und vor uns breitete sich das Spektakel aus: Die Menge wurde regelrecht aus der Bar auf die Straße gespült, wie Kinder auf einer Wasserrutsche im Schwimmbad, lärmend, fuchtelnd, und dann rissen sie, wo sie gerade standen, ihre Hosen auf. So hatte ich noch nie Leute pinkeln gesehen. Sie pissten alles voll, die Wände der Konzerthalle nebenan, den Bürgersteig, sogar die wartenden Minicabs.
»Hey, weg von meinem Auto, du Pisser!«, rief einer der Taxifahrer.
»Was denn, wo soll ich denn sonst hinpissen, etwa in dein Taxi rein?!«
»Dich fahr ich nicht, vergiss es, Kumpel.«
»Meine Freundin sitzt aber schon in deinem Cab, Kumpel.«
»Dann hör auf, gegen meine Fensterscheibe zu pissen!«
Es floss von allen Seiten heran, ich war fassungslos, konnte aber meinen Blick nicht von der Urinsintflut lösen, die da auf einmal den Bürgersteig überschwemmte.
»Die Engländer haben sie nicht alle, die pissen jedes Wochenende ihr ganzes Land zu, wenn sie aus den Kneipen kommen. Irgendwann werden sie drin ertrinken«, rief Thomas von der Konzerthallenwand herüber, ignorierend, dass er ausschließlich von Australiern, Südafrikanern und einem dem Aussehen

nach vielleicht spanischen Mädchen umpinkelt wurde. Er machte sich den Hosenlatz im Gehen zu.

Tina und ich standen händchenhaltend und schweigend da und waren froh, dass es was zu sehen gab. Das lieferte uns einen Vorwand, nicht zu reden. Die laute Musik, der Tanz, die Menge, der Alkohol und die Glückseligkeit hatten uns ein Alibi gegeben, so zu tun, als ob wir wild verliebt wären. Nun war das mit einem Schlag alles weg, und ich fragte mich: Wie und vor allem was sollte ich jetzt tun? Tina ging es nicht viel anders, was die Situation allerdings keineswegs erleichterte. Hier draußen sah sie anders aus, nicht mehr ganz so dünn und hübsch, jetzt, wo auf den nächsten drei Quadratmetern nicht mehr zehn dickere und hässlichere Mädchen um sie herumstanden. Das schlechte Laternenlicht gab ihrem Gesicht einen Gelbstich, nur die Sommersprossen, es waren Tausende, blieben braun. Verschämt blickten wir den Pissbächen nach und warteten, dass Thomas eine Entscheidung für uns treffen würde.

»Chicken!«, rief er und setzte sich schon in Bewegung, gar nicht schüchtern seine Bolivianerin im Arm haltend. Sie reichte ihm kaum über die Schulter. Es sah aus, als würde er sie abführen. Wir gingen quer über das Shepherd's Bush Green, Thomas und die Bolivianerin vorneweg, in ein ernsthaftes Gespräch vertieft.

»Wo kommst du her? Aus Deutschland, ja? Aus Deutschland?!«, hörte ich sie fragen.

»Jaja. Wie heißt du eigentlich?«, fragte er zurück.

»Patricia. Aber das habe ich dir doch schon gesagt, als wir uns an der Bar kennen lernten.«

»Ich kann mir doch nicht alles merken, oder?!«

Tina und ich sagten noch immer nichts, sondern packten uns ein wenig fester an den Händen, um uns gegenseitig unserer Anwesenheit zu versichern. Ich spürte, sie fühlte dasselbe Unbehagen wie ich.

So hatte ich mir New York vorgestellt, aber nicht London. Das Green wurde von diesen funzligen Laternen beleuchtet, die kein Licht gaben, selbst wenn sie nicht von Vandalen zerstört waren und brannten. In der Dunkelheit um uns herum konnte ich das Glühen und Glimmen von Zigaretten erkennen und ab und an, wenn sie direkt unter einer Laterne saßen, ein paar düstere Gestalten. Ich konnte ihre Gesichtszüge nicht ausmachen, aber mir zu gut vorstellen. Rund um das quadratische Grün wogte der hektische Londoner Nachtverkehr, man hörte noch immer die Betrunkenen vor dem Southern Star laut lachen und grölen, es war ein vertrauter und in diesem Moment vertrauenerweckender Lärm, nur vierzig Meter, aber doch eine Welt entfernt. Ich wollte dort schnellstens wieder hin.

»Chicken!«, rief Thomas. Es war ein Triumphschrei. Wir hatten das Green hinter uns gelassen und traten in den grell beleuchteten Kentucky Fried Chicken Shop ein.

Dort ging es genauso zu wie vor dem Southern Star, außer dass niemand auf den Boden pinkelte. Aber das konnte ja noch kommen. Es schienen sogar haargenau dieselben Leute zu sein. Ein Kommilitone von mir war einmal für ein Semester in China gewesen, und als wir ihn nach seiner Rückkehr fragten, wie die Chinesen seien, sagte er: »Alle gleich.« Die Gäste des Southern Star waren meine Chinesen: Sie trugen weiße oder schwarze T-Shirts, grüne oder schwarze Combat-Hosen, aber schienen trotzdem alle gleich. Dieselben fleischigen, behaarten Unterarme, dieselben zu langen Haare, in denen die Frisur nur noch zu erahnen war, dieselbe Art, sich ständig auf die Arme oder Schultern zu schlagen; als wollten sie sich so ihrer Nähe versichern, weil sie das mit Worten nie könnten. Sie waren laut und freundlich, vulgär und harmlos. Ich fühlte mich anders als sie und ihnen zugehörig.

»Alle nehmen ein Zwei-Stück-Menü?«, fragte Thomas, ließ keinen von uns antworten und bestellte »drei Zwei-Stück-Menüs und ein Drei-Stück-Menü«. Er zahlte, wie bereits den ganzen Abend, für alle. Ich fühlte mich schuldig, dass ich ihn nicht endlich einlud. Aber ich bekam nur 70 Pfund die Woche von den Mukherjees und wollte davon mindestens 40 sparen. Von daher war ich froh, dass ich nichts zahlen musste – und fühlte mich sofort noch schuldiger, dass ich so dachte.

»Schlimmer Junge!«, sagte Patricia, »schlimmer Junge!«

Es musste etwas sein, das Thomas ihr mit seiner linken Hand unter dem Tisch angetan hatte. Wo genau er seine Hand hatte, konnte ich nicht sehen, da ich ihm gegenüber an der anderen Seite des Tischs saß und mich so unauffällig wie möglich benehmen wollte, also nicht unter den Tisch beugen. Er aß ungerührt weiter nur mit der rechten und behielt seine linke unter dem Tisch. So schlimm schien Patricia es schon nicht mehr zu finden, jedenfalls sagte sie nichts mehr.

»Chicken!«, sagte Thomas und strahlte. »So gut.«

Ihn juckte es nicht, was die Bolivianerin von ihm hielt. Er war sich seiner sicher. Während des Studiums in Budapest hatte ich jeden Montag von den anderen Geschichten gehört, wie sie am Wochenende Mädchen schwach gemacht hatten. Ich hatte ihnen praktisch nie geglaubt. Thomas würde an Montagen in seiner Bank keine Geschichten erzählen. Da war ich mir sicher. Für Thomas war es selbstverständlich, dass er am Samstag Frauen schwach kriegte, da brauchte er nicht am Montag drüber zu quatschen.

Ich überlegte, was es war, das ihnen an ihm gefiel. Er war nicht hübsch, auch nicht hässlich, aber keinesfalls attraktiv. Seine Großzügigkeit war zu großkotzig, seine Gerede zu absurd, sein Lachen zu fratzenhaft. Aber man konnte leicht spüren, wie glücklich er im Southern Star war. Er strahlte sein Glück regelrecht aus, und es zog sie an, in der Hoffnung, es möge ein wenig auf sie abstrahlen.

»Du hast das Gesicht eines guten Menschen«, sagte Patricia.

»Ja?«, fragte Thomas überrascht und stupste mich an: »Hey, sie meint dich.«

Tina legte instinktiv ihren Arm um mich, wie um ihr Territorium abzustecken. Ich biss in mein zweites Stück Huhn, damit ich nichts Falsches sagte.

»Wie ist das Medizinstudium in Ungarn?«, fragte Tina. Sie glaubte wohl, sie könnte unsere Beziehung noch zu einer ganz normalen machen, wenn wir ganz schnell das Kennenlernengespräch nachholten, das man gewöhnlich lange vor dem ersten Kuss führte.

»Hart«, sagte ich, weil mir gerade noch einfiel, dass ich ja Assistenzarzt war und sie deshalb annahm, ich hätte Medizin studiert. »Wir arbeiten aber am Anfang mehr mit Ratten als mit Menschen.«

»Mit Ratten!« Das gefiel Thomas. »In Londoner Krankenhäusern füttern die Krankenschwestern neuerdings die Ratten besser als die Patienten. Damit sich die Ratten vermehren, in Massen durch die Zimmer rennen und sich die Patienten so ekeln, dass sie nur noch weg wollen. Das hilft, die Überbelegung der Hospitale zu reduzieren.«

»Igitt«, sagte Patricia und sah ihr Huhn an, als wäre es eine Ratte.

Ich war froh, dass sie und Thomas mit am Tisch saßen, fürchtete aber, dass dies nur den Moment herauszögerte, in dem ich mit Tina allein wäre und ein normales Gespräch führen musste. Ich hatte keine Ahnung, ob ich das konnte.

Wir mussten lange suchen, um Thomas' Auto zu finden. Er wusste nicht mehr, in welcher Straße er es abgestellt hatte.

»Die sehen doch alle gleich aus!«, fluchte er, aber dann standen wir in der Warbeck Road plötzlich davor.

»Du willst doch jetzt nicht noch fahren!«, empörte sich Tina. Thomas nahm ihren Einwand nicht ernst, und er hatte Recht, denn wenn sie wirklich wollte, dass er nicht mehr fuhr, hätte sie es schon sagen sollen, als wir aus dem KFC herauskamen, dann hätten wir am Shepherd's Bush Green ein Minicab neh-

men können. Sie sagte es nur, damit sie später, falls was passieren würde, behaupten konnte: »Ich hab's ja gleich gesagt.«
Es war ein schnelles Auto, ein BMW mit Schiebedach. Patricia saß auf dem Beifahrersitz, Tina und ich alleine hinten. Leider waren die Designer wie bei allen flotten Autos davon ausgegangen, dass nur Selbstverliebte sie kaufen würden, deshalb war auf der Hinterbank nicht wirklich Platz für ein Liebespaar.

»Was machst du eigentlich?«, fragte Tina, die aus Platznot ihre Beine angezogen hatte, die Knie mit den Armen umschlungen hielt und an die Brust presste.

»Ich bin Kindermädchen«, sagte Patricia, ohne sich umdrehen. Fast hätte ich gesagt: »Ich auch!«

Wir waren nun schätzungsweise bereits vier Stunden zusammen, aber wussten noch immer nicht mal die grundlegendsten Sachen über uns. Ob wir Geschwister oder Haustiere hatten, unsere Eltern uns vermissten, ob wir wieder in unsere Heimatländer wollten, schon mal einen Adlerfisch oder sogar einen Hundshai gesehen hatten; was wir noch miteinander vorhatten. Und es schien ein stillschweigendes Einverständnis zu herrschen, dass solche Fragen hier und heute auch nichts zu suchen hätten. Vielleicht würden wir irgendwann einmal all das erfahren, vielleicht würden wir uns irgendwann einmal sogar richtig mögen. Schön. Aber das war jetzt nicht das Thema.

Das war, auch wenn wir alle vier keine Engländer waren, für mich London: Sogar in dem Moment, in dem man mit drei Menschen sehr intim in einem flotten, kleinen Auto saß, scherzte und glücklich war – sogar in dem Augenblick, in dem man küsste –, konnte man hier allein sein. In Ungarn hatte ich, um in Gesellschaft zu sein, um glücklich zu sein, erst recht um zärtlich zu sein, immer einen hohen Preis zahlen müssen; nämlich etwas von meinem Innenleben preisgeben. Hier bekam man das alles, ohne etwas zu geben. Quasi umsonst. Der Gedanke machte mich umso glücklicher. Ich wusste, was ich bis zum Morgen wollte: *nicht* nüchtern werden.

Thomas fuhr schnell und machte abwechselnd das Motorengeräusch nach oder sang zur Musik aus seinem CD-Spieler, jedenfalls dachte ich das, bis Tina sagte: »Hör auf, deine bescheuerten Fußball-Lieder zu singen!« Sie wirkten wie Geschwister, auch wenn ich den Verdacht hatte, dass ihre Beziehung nicht in allen Nächten geschwisterlich gewesen war. Thomas drehte die CD lauter, es war Van Morrison. Ich sah aus dem Fenster, schaute mir London an und dachte an einen Teich mitten in Budapest, den Feneketlen-tó. In meiner Erinnerung gehören die meisten Lieder zu einem bestimmten Moment, zu einem bestimmten Ort, zu einem gewissen Geruch, und jedes Mal, wenn ich sie wieder höre, bringen sie mich dorthin zurück. *And it stoned me* von Van Morrison würde für mich für immer mit Timea am Feneketlen-tó sein.

»Woran denkst du?«, fragte Tina.

»An nichts«, sagte ich. Diese Frage hatte ich noch nie beantwortet, und es machte mich wütend, dass sie mir noch immer jemand stellen konnte und eine Antwort erwartete.

»Natürlich denkst du an etwas«, sagte Tina.

»Nein, ich schaue mir nur London an.« Wir fuhren auf der A4 Richtung Osten, einer Schnellstraße auf Stelzen, mit Schallmauern aus blankem Beton, die jede Sicht versperrten.

»Ich hasse London«, sagte Tina. Ich drehte mich ihr überrascht zu.

»London ist phantastisch«, sagte ich, »hier kann man alleine sein.« Praktisch noch im selben Moment ärgerte ich mich über mich, weil meine Erklärung in dieser Kurzfassung schwachsinnig klang und weil es vermutlich auch nicht das war, was Tina jetzt sein wollte: alleine.

»Du hast also eine Freundin!«, sagte sie schroff. Wo kam diese Stimme her? Diese Brutalität?

»Nein, ich habe keine ...«, sagte ich und fühlte mich wie ein

Verräter gegenüber Timea, auch wenn ich mich ja tatsächlich von ihr getrennt hatte. Aber so einfach war das nicht.

»Natürlich hast du eine Freundin!«, giftete Tina. »Oder warum sagst du dann, dass du alleine sein willst?« Sie war sehr betrunken, und sie war nicht nur älter, sondern auch reifer als ich, erfahrener. Ich hätte ihr sogar zugetraut, mich zu ohrfeigen.

»Nein, ich habe wirklich keine Freundin … das mit Timea …«

Sie unterbrach mich schrill. »Hör auf damit!«, und damit fingen wir an: Sie stürzte sich auf mich und packte mich mit ihrem nun schon bekannten, um nicht zu sagen legendären Hinterkopfgriff. Ich versuchte mit meiner Zunge die ihre diesmal zumindest von meiner Luftröhre fern zu halten. Meine linke Hand war unter meinem Rücken eingeklemmt und schlief ein. Aber das machte mir gar nichts.

Am nächsten Morgen wachte ich auf und wusste für einen Moment nicht, wo ich war. Im nächsten fiel es mir wieder ein, und ich wollte augenblicklich woanders sein. Ich überschlug meine Fluchtmöglichkeiten. Sie gingen gegen null: Ich lag eingeklemmt zwischen der blanken Wand und einem nackten Rücken; beide schienen unüberwindbare Hindernisse. Ich hielt still, aber trotzdem verschwand der Rücken aus meiner Sicht, sie musste gemerkt haben, dass ich aufgewacht war, und dreht sich zu mir um. Sie lächelte. Ich versuchte es.

»Guten Morgen.«

»Ich muss aufs Klo«, antwortete ich und sprang schon über sie hinweg. Es war nicht, dass ich sie nicht mochte. Sie war, soweit ich das beurteilen konnte, nett, vielleicht sogar mehr. Ich wusste nur nicht, was jetzt passieren sollte; was nun von mir erwartet wurde. Ich fand das Klo nicht.

Es gab zu viele Türen, und ich traute mich nicht, eine aufzumachen, weil hinter einer Thomas und Patricia liegen würden. Ich ging wieder zurück ins Wohnzimmer, wo Tina aufrecht, aber immer noch nackt auf dem Schlafsofa saß.

»Warst du auf dem Klo?«

»Ja.«

»Gelogen«, sagte sie und lächelte, nicht triumphierend, sondern mit kindischer Freude.

»Wieso?«

»Weil das Bad nur durch Thomas' Schlafzimmer zu erreichen ist«, sagte sie.

»Du kennst dich hier wohl aus, was?!«

»Allerdings.« Sie zog mich brüsk zu sich herunter, und wir liebten uns nochmal, worüber ich erst mal froh war, denn es schob die Frage auf, was nun passieren würde.

Auch ohne das Feuer des Alkohols liebte sie mich sehr selbstsicher, was vermutlich auch daran lag, dass sie merkte, wie unsicher ich war. Ich hätte rufen wollen: »In Ungarn war ich nicht so verkrampft«, aber natürlich machte ich mich nicht lächerlich. Schließlich ließ sie sich theatralisch aus dem Bett fallen und blieb rücklings auf dem Parkettboden liegen. Ich blieb im Bett, drehte ihr den Kopf seitlich zu und wartete, dass sie was sagte.

»Sehen wir uns nochmal?«, fragte sie.

»Aber natürlich!«, rief ich verblüfft; erstaunt nicht über die Frage, denn die war sehr berechtigt, sondern verblüfft, dass sie sie ausgesprochen hatte – und mit solcher Angst in der Stimme. Ich war mir nicht sicher, ob ich sie wiedersehen wollte, aber die Plötzlichkeit und die Panik, mit der sie die Frage stellte, hatten mich überrumpelt; ich konnte gar nichts anderes antworten.

Ich sagte, ich müsste jetzt aber los. Sie fragte, was ich denn an einem Sonntag so Wichtiges vorhätte, aber an der Sanftheit, mit der sie fragte, merkte ich, dass sie mich verstand und nicht aufhalten würde.

»Ich gehe ins Wetland Centre«, log ich.

»Was ist denn das?«

Es machte sie mir nicht direkt unsympathisch, aber den einen von vielen konfusen Gedanken, nämlich dass sie vielleicht doch eventuell meine Freundin werden könnte, wischte ich weg. Wir passten nicht zusammen. Sie kannte noch nicht mal das Wetland Centre.

»Das ist ein Feuchtbiotop in Barnes. Mit sechs Klimazonen, Wildwuchs, seltenen Tieren.« Mehr Informationen verdiente sie nicht.

Es genügte. Das Gespräch hatte mir genug Zeit gegeben, mich nebenbei anzuziehen. Ich würde später überlegen, was ich von der Nacht und diesem Morgen halten sollte. Jetzt wollte ich erst einmal weg.

Aber die Wohnungstür war abgeschlossen.

Wir mussten Thomas wecken.

»Ich bin noch nackt«, sagte Tina.

Sie sagte es so, als wäre Anziehen keinesfalls eine Option. Also nahm ich den Zettel, auf den sie mir ihre Telefonnummer geschrieben hatte, verabschiedete mich von ihr und ging zu der Zimmertür, die sie mir gezeigt hatte.

Ich hasste sie dafür, dass sie mich das alleine machen ließ.

Es dauerte zwei Minuten, ehe nach meinem Anklopfen etwas geschah. Thomas öffnete die Tür. Auf seiner Brust stand in Großbuchstaben *BEIN*, auf seinem Bauch war eine riesige weiße 10. Er hatte sein schwarzrot gestreiftes Fußballtrikot falsch herum angezogen. Ob er sonst noch was anhatte, konnte ich nicht sagen. Das Trikot war jedenfalls so lang, dass es auch sein Geschlecht bedeckte.

»Hey«, sagte ich.

»Was?«, sagte er.

Ich war mir nicht sicher, ob er mich wiedererkannte. Aber ich wusste, was er wollte: dass ich schnellstens gehe.

Sechs

Ich liebte die Momente, in denen ich mich verliebte. Es konnte sein, dass das Gefühl in der nächsten Sekunde schon wieder verschwand, aber das spielte keine Rolle. Es ging um den Augenblick, die *Moment-Liebe* nannte ich es. Ich hatte Timea in Budapest im Universitätslabor über einen Höhlenstein gebeugt gesehen und *es* sofort gespürt. Danach schlich ich wochenlang in Geologieseminaren herum, ich beobachtete sie – angestarrt ist schon das richtige Wort – und bemerkte, wie sich dabei meine Liebe veränderte. Sie wurde zur Endlos-Liebe.

Doch die unbegrenzte Liebe zu Timea raubte mir nicht meine Fähigkeit, mich für den Augenblick zu verlieben. Darin war ich noch immer besser als die meisten, an manchen Tagen konnte ich mich in drei oder vier Frauen verlieben, manchmal genügte ein Augenkontakt, ein intelligenter Satz oder dass ich drei Bier getrunken hatte, und es überkam mich, die Hitze, die Euphorie, das Glück. Bloß mit Tina war es merkwürdig. Die Sache mit ihr war so schnell passiert, dass ich noch nicht einmal einen Moment Zeit gehabt hatte, mich zu verlieben.

Als ich am Sonntag um zwei Uhr mittags in die Doneraile Street zurückkam, fragte mich niemand, was ich gemacht hatte. Deshalb fühlte ich mich erst recht zu einer Antwort verpflichtet. Die gespielte Beiläufigkeit, mit der die Mukherjees so taten, als hätten sie gar nicht bemerkt, dass ich in der Nacht zuvor nicht zu Hause gewesen war, machte mich nervös. Ich fühlte mich schweigend angeklagt und sofort schuldig.

»Ähm«, sagte ich.

Frau Mukherjee spült das Geschirr vom Mittagessen ab und tat, als sei das fließende Spülwasser so laut, dass sie nichts hörte. Elizabeth saß am schon wieder blank gewischten Esstisch und machte ihre Mathehausaufgaben, die sie zum ersten Mal, seit ich in London war, offenbar so brennend interessierten, dass sie mich gar nicht wahrnahm. Victoria war nicht zu sehen, das hieß, ganz sicher war sie dort, wo sie immer war, in Elizabeths Zimmer vor dem Fernseher. Doktor Mukherjee versuchte sich im Wohnzimmersessel hinter dem *Sunday Telegraph* zu verstecken und ärgerte sich vermutlich, dass er ausgerechnet jetzt die Magazinbeilage in den Händen hielt, die nur DIN A4 groß war und ihm deshalb anders als der Hauptteil der Zeitung nicht genügend Schutz bot. Er erkannte, dass es unglaubwürdig war weiterzulesen, als hätte er nichts bemerkt.

»Oh, hallo«, sagte er.

»Hallo«, sagte ich. »Ich habe bei einem Freund übernachtet.«

»Jaja«, sagte Doktor Mukherjee und senkte sofort wieder hektisch den Blick in sein Magazin.

Ich hätte mich ohrfeigen können: Was für Freunde konnte ich haben, wenn ich in London zuvor noch überhaupt nie aus gewesen war?

»Es ist ein Freund aus Ungarn. Ich wusste schon länger, dass er auch in London ist, und gestern dachte ich, ich …«

»Jaja«, sagte Doktor Mukherjee. Es klang mehr wie ein Wimmern, als schmerze ihn jedes Wort, das ich sagte.

»Ich … ich gehe jetzt mal auf mein Zimmer«, sagte ich.

»Wunderbar!«, rief Doktor Mukherjee. So deutlich hatte er das eigentlich nicht sagen wollen. Hektisch schlug er das Magazin zu, als könne er darin seine Verlegenheit verschwinden lassen, und griff sich den Hauptteil des *Telegraph*.

So hatte ich ihn noch nie erlebt. Ich hatte gedacht, ihm sei nichts peinlich; ich hatte geglaubt, seine Frau könne nichts mehr schocken, seine Tochter sowieso nichts schrecken – und hier saßen, standen, hockten sie, regelrecht paralysiert vor Angst.

Sie bangten, dass ich bloß nicht anfangen würde, von persönlichen Gefühlen zu erzählen.

Ihre Furcht vor Intimitäten machte mir Doktor Mukherjee noch sympathischer und seine Frau und Tochter etwas sympathisch. Einerseits. Andererseits spürte ich, dass sie nichts von mir über gestern Nacht hören wollten, weil sie sowieso schon Bescheid wussten. Sie konnten sich leicht ausmalen, was passiert war, natürlich nicht in dem Detail, denn niemand konnte sich vorstellen, wie es im Southern Star zuging, aber grundsätzlich wussten sie, was los gewesen war. Es ärgerte mich, und vor allem ärgerte ich mich über mich, weil ich keine glaubwürdige Ausrede zustande gebracht hatte.

Ich hielt es nicht aus in meinem Zimmer. Ich lag auf dem Bett und wollte zufrieden sein mit meinem ersten Tag draußen in London, vielleicht ein bisschen nachdenken über Timea, Tina und Thomas. Aber alles, woran ich dachte, war, dass einen Stock tiefer die Mukherjees waren und über mich nachdachten, vielleicht sogar redeten. Ich wollte raus, allerdings ohne nochmal an der Familie vorbeizumüssen. Und das ging nicht. Ich stand vom Bett auf, ging an mein Fenster, sah hinaus in die Gärten; von vorne waren die Häuser in London alle ordentlich herausgeputzt, mit frisch und schön gestrichenen Türen, geraden Steinwegen, Blumenkörbchen neben dem Eingang – und hinten war das Chaos, wild wuchernde Gärten mit ungebändigten Brombeerhecken, im Regen vor sich hin faulenden Gartenmöbeln und ausrangierten Motorrollern. Ich wandte mich sofort wieder ab, setzte mich an den Schreibtisch, den ich als Ablage für meine Biologiebücher, T-Shirts und Hosen benutzte, ging zur Tür und legte mich wieder aufs Bett. Draußen könnte es sowieso jeden Moment anfangen zu regnen. Und dunkel würde es ja auch schon bald, also zumindest ziemlich bald, sagte ich mir.

Ich nahm das Lehrbuch *Betreibende Kräfte in der Tiefsee* von Sztani Zsolt, schlug das Kapitel »Die Tiefenzirkulation der Nebenmeere« auf, las über den Zirkulationstyp A1 mit zeitweise tief reichenden thermischen Konvektionen und begann, an Timea zu denken. Es funktionierte meistens. Sobald ich etwas zu lesen vor Augen hatte, konnte ich abschalten. Die Buchstaben beruhigten mich, ich las immer weiter und nahm immer weniger wahr, was geschrieben stand, bis ich nach ein, zwei Buchseiten ganz in meinen Gedanken verschwunden war.

Ich hatte Timea verlassen, weil ich sie zu sehr liebte. Ich wusste genau, wenn ich sie nicht verließe, würde ich sie bis zum Ende meines Lebens lieben und das fatal enden. Sie war zu jung. 21. Sie sagte, sie liebe mich auch, aber ich wusste, für sie war es eine andere Liebe, die Liebe der Jugend, ein Spiel. Irgendwann würde sie mich verlassen und für immer zerbrochen zurücklassen. Das musste ich verhindern, deshalb verließ ich sie. Es war natürlich nicht so einfach. Ich hatte schon seit mindestens acht Monaten gewusst, dass ich sie verlassen müsste, es aber nicht fertig gebracht. Wir waren im Bükk-Gebirge gewesen, in einer ihrer Höhlen, die sie sich jedes Wochenende anschauen wollte, als mir zum ersten Mal der Gedanke kam, mich von ihr trennen zu müssen. Ich war hinter ihr gewesen, das Höhlenwasser bis zu den Knöcheln, und sah sie in ihren grünen Gummistiefeln. Die leicht gewellten braunen Haare, die sie nie abschnitt – das war ein Beispiel, wie jung sie noch war –, fielen ihr bis zur Hüfte. Dann drehte sie sich um und fragte mich neugierig lächelnd: »Woran denkst du, Zoli?«

»An nichts«, antwortete ich, und meine Gedanken wechselten abrupt: Als ich sie von hinten beobachtet hatte, wie sie an dem Höhlengestein herumschabte, das ihr so viel bedeutete, hatte ich daran gedacht, wie jung und schön sie war; nun, da sie sich umgedreht hatte, Hammer und Meißel in einer Hand, und ich sie von vorne sah, wusste ich, dass sie zu jung und zu schön für mich war.

Sie war die fanatischste Höhlenfrau ihres Geologie-Jahrgangs. Die anderen machten sehr wohl auch an manchen Wochenenden Exkursionen, aber Timea wollte jeden Freitag los, in die Berge. Mir machte es nichts aus, ich wollte nur bei ihr sein. Ihr Fanatismus machte mich stolz; er verstärkte mein Gefühl, dass sie einzigartig war. Wir schliefen sogar oft in Höhlen, was zwar bedeutete, dass Timea dann keinen Sex wollte, weil ihr das in der Höhle zu eklig war, aber auch das machte mir nichts aus. Ich erinnerte mich daran, dass ich schließlich in den ersten drei Wochen, als ich sie erstmals gesehen und heimlich verfolgt hatte, auch nie daran gedacht hatte, wie es wäre, mit ihr zu schlafen.

Ich blätterte eine Seite in meinem Lehrbuch um.

Timea wusste noch nicht, dass ich mich von ihr getrennt hatte. Für mich war der Umzug nach England die Trennung gewesen, nur deshalb war ich fortgegangen, um mich von ihr zu trennen. Aber ich musste ihr das noch sagen. Sie hatte mich zwar gefragt: »Warum gehst du?«, aber ich hatte geantwortet: »Weil ich zum Meer muss.« Ich wollte damals die Sachen nicht komplizieren. Ich würde ihr aus England schreiben, einen langen Brief. Solche komplizierten Sachen regelte ich am besten immer schriftlich. Da konnte ich mich besser ausdrücken, niemand konnte mich mit Zwischenfragen aus dem Konzept bringen. Nach ungefähr drei Monaten in England, hatte ich mir vorgenommen, wäre ein guter Zeitpunkt gekommen, ihr zu schreiben. Erst mal musste ich mich doch einleben; ich war ja noch ganz damit beschäftigt, mich in London zurechtzufinden.

Ich wollte gerne Tina wiedersehen und mit ihr über Timea reden.

Ich wusste nicht viel über Tina, aber sie schien mir eine Frau, die zu solchen Problemen etwas zu sagen hatte. Sie war am Samstag aus unserer Gruppe herausgestochen: Sie war erfahren und ernst. Sie verstand etwas von der Liebe, nicht nur wie man sie macht, sondern, so hatte ich den Eindruck, auch wie sehr sie wehtun kann.

Im Moment hatte sie keinen Freund, das wusste ich, ohne dass sie es gesagt hätte. Das spürte ich. Bei Thomas dagegen konnte ich mir nicht sicher sein. Er lebte viele getrennte Leben, das hatte ich am Morgen danach gespürt, als er mit mürrischem Gesicht in seiner Zimmertür vor mir stand. In jenem Moment störte ich ihn gehörig, denn ich gehörte zu seinem Leben der Nacht, und nun, am Morgen, nüchtern in seiner Wohnung, begann für ihn schon wieder ein anderes Leben, vermutlich ein sehr seriöses, in dem er in verschiedenen Blautönen abgestufte Krawatten trug, mit anderen Bankern irgendwelche Zahlen diskutierte, von denen ich nichts verstand; ein Leben, in dem er vielleicht mit seiner Freundin, die er seit vier Jahren hatte und wirklich liebte, Pizza essen ging und mit seiner Mutter in Deutschland am Telefon über das Winterwetter in London sprach. Tina trennte ihre Leben nicht so strikt. »Sehen wir uns nochmal?«, hatte sie angstvoll gefragt; das würde Thomas nie fragen. Sie wollte, dass ich Teil aller ihrer Leben würde. Aber dann wollte sie sicher nicht, dass ich ihr von Timea erzählte. Wie war ich nur auf diese Idee gekommen? Ich fragte mich wieder mal, wie naiv ich eigentlich war, und beschloss, Tina nicht mehr wiederzusehen. Ich wollte keine Frau, vor der ich Timea nicht erwähnen durfte, sogar so tun musste, als liebte ich sie wie Timea. Wenn ich Tina noch einmal zufällig im Southern Star treffen würde, konnte ich dagegen natürlich nichts machen, doch ich würde sie ganz sicher nicht anrufen und mich mit ihr verabreden. Ich befahl mir aufzuhören, über solches Zeug nachzudenken, schließlich wollte ich doch lesen. Mit einem Ruck brachte ich mich zurück zu den Zirkulationsverhältnissen im Europäischen Mittelmeer.

»Zoli!«
Victorias Ruf wurde begleitet von einem unrhythmischen Gepolter. Sie lief die Treppe hoch, und wie meistens fiel sie mehr hinauf. Sie keuchte, als sie meine Tür, ohne Anklopfen, aufgerissen hatte. »Telefon, Zoli.«
Ich war geschockt: Ich hatte ihr doch gar nicht meine Nummer gegeben, ich hatte ihr noch nicht einmal gesagt, dass ich bei den Mukherjees wohnte. Woher in aller Welt ...?
Das Telefon stand im Wohnzimmer, auf der Kommode neben dem Fernseher, das heißt, in diesem Moment fünf Meter von Doktor Mukherjee und sechs von seiner Frau entfernt. Sie waren wieder ganz die Alten, auf der Couch, beschäftigt mit ihren Büchern, wie jeden Sonntag mit miesem Wetter (und ich hatte noch keinen anderen erlebt), keineswegs angespannt, weil ich in ihrer Gegenwart mit Tina telefonieren würde. Ich war verloren. Sie würden alles mithören.
Ich schloss die Augen, als ich den Hörer nahm.
»Hallo?«, sagte ich tapfer.
»Szia!«, rief mein Vater euphorisch zurück.
Ich hätte lachen wollen und weinen können, oder umgekehrt. Mein Vater. Natürlich. Ich hatte ihm einen Brief schreiben wollen und vor zehn Tagen eine Postkarte geschickt, mit meiner Telefonnummer hier.
»Wie gut, dich zu hören, Papa«, sagte ich. Was ich eigentlich sagen wollte: Wie gut, *nicht* Tina zu hören.
»Junge, ich habe englisch geredet!« Er war betrunken. Natürlich. Es war Sonntag.
Es gab in Miskolc zwei Gruppen von Trinkern. Die altmodischen, die sich wie seit Jahrzehnten jeden Sonntag nach der Kirche am *Büfé Két Korsó* in Diósgyör an der Endhaltestelle der Tram Nummer 1 und 2 trafen, manchmal bis zum Mit-

tagessen tranken und noch öfters das Mittagessen vergaßen und weitertranken. Zu dieser Gruppe gehörte mein Vater, mehr noch, er war ihr unersetzlicher Teil, denn er war es, der die Geschichten zum Bier erzählte. Doch es war nicht mehr wie früher, klagte mein Vater, die Gruppe war kleiner geworden, seit sich eine Gegenbewegung gebildet hatte. Seit die Stahlwerke und Papierfabriken nach Ende des Kommunismus geschlossen hatten, trafen sich jetzt viele von der alten Sonntagsgarde, die keine Arbeit mehr hatten, von montags bis freitags jeden Tag pünktlich von neun bis 17 Uhr bei *Két Korsó*. Was früher Arbeitstage gewesen waren, waren nur Trinktage; manchmal, genau wie früher in der Fabrik, auch mit Überstunden. Sonntags jedoch kamen sie nicht mehr. Da hatten sie Wochenende.

»Wo hast du englisch geredet, Papa?«

»Na, am Telefon mit dem Mädchen, das bei dir ist: *Please, Sir, can I speak to Zoli?*, habe ich gesagt, genau wie du es mir aufgeschrieben hast. Wer ist das Mädchen, Zoli, neue Freundin?«
Ich sah Victoria an, die mit mir wieder die Treppe heruntergelaufen war und mit ihren unbeweglichen dunklen Kugelaugen und offenem Mund schaute, wie ich ungarisch redete.

»Nein, Papa, nur eine Mitbewohnerin. Es wohnen hier mehrere Leute, es ist so ähnlich wie in dem Wohnheim von *Oppermann* in Budapest, wo Onkel Attila arbeitete. Erinnerst du dich? Ein Wohnheim für Berufsanfänger.«

»Dann hast du schon Arbeit gefunden? Am Meer? Bist du endlich am Meer angekommen?«

»Ja, Papa. Ich …«, ich hustete, um einen Moment Zeit zu gewinnen. »Ich bin jetzt in so einer Klinik.«

»Klinik, Zoli?«

»Ja, eine Tierklinik. Für Fische, kranke Fische. Du weißt doch, dass mich die Fische immer so fasziniert haben. Der Große Leierfisch oder auch der Schweinsdrückerfisch. Obwohl wir hier auch Ratten aufnehmen.«

»Ratten, Zoli?«

Aus dem Stand schuf ich mir ein neues Leben.

Ich war in der Tierrettungsstation Bognor Regis an der Küste von West Sussex für eine neue Abteilung zuständig, die bei Tierversuchen schwer verletzte Wasserratten pflegte. Die Leitung der Seeklinik wollte das Spektrum erweitern. Es war erst einmal ein Versuch, deshalb war mein Vertrag auch zunächst einmal auf ein Jahr beschränkt. Aber ich hatte einen erfahrenen Arzt, einen Tierarzt natürlich, zur Seite, der in Indien zum Thema »Das geheime Leben der Flussratten« promoviert hatte. Das Wohnheim war sehr sauber, es roch noch neu, nach unbetatschtem Kunststoff und ein wenig abgestandener Zimmerluft. Die Einrichtung war natürlich sehr britisch, Teppich in den Toiletten, schwere cremefarbene Vorhänge, die Bettwäsche mit verspielten Spitzenverzierungen; ja doch, sogar die Bettwäsche wurde gestellt. England gefiel mir sehr gut, die Höflichkeit der Leute, ihre Zurückhaltung, sie ließen einen wirklich in Frieden.

»Das ist schön, Zoli.«

Das fand ich auch. Ich hatte mich in Ungarn mit den vagen Worten verabschiedet, ich ginge ans Meer – nun, da ich erst fünf Wochen fort war, konnte ich doch nicht auf einmal als Au-pair-Mädchen in London arbeiten. Das hätte mir niemand geglaubt.

»Timea lässt dich grüßen, Zoli. Sie hat mit deiner Mutter telefoniert und gefragt, ob du sie einmal im Studentenwohnheim in Budapest anrufen könntest.«

»Sagt ihr bitte, dass ich ihr einen Brief schreiben werde, Papa.«

»Und lass die Finger von den Mädchen dort, Zoli. Nicht dass du dich verliebst und nicht mehr zurückkommst. Wir brauchen dich hier auf dem Friedhof.«

»Ja, Papa.«

»Du weißt doch, wir arbeiten an der Rundumbetreuung. Ein,

zwei Jahre können wir noch ohne dich durchhalten, aber wir zählen auf dich als Grabausschaufler. Du darfst dann von mir aus auch in den Gräbern nach deinen geliebten Viechern wühlen, von mir aus auch nach Fischen. Fische in den Gräbern, Zoli!« Er lachte so sehr, dass er sich verschluckte und husten musste, als würde er nie mehr aufhören.

»Zoli!«, keuchte er.

»Ja, Papa.«

»Gestorben wird weiter fleißig in Miskolc. Wo sonst, wenn nicht hier: in einer sterbenden Stadt?!« Sein Husten wurde so schlimm, dass er das Gespräch beenden musste.

Sieben

Sie lasen gar nicht Zeitung in der U-Bahn.

Mein Bild von London, von elegant dahingleitenden Zügen mit gesitteten Passagieren, die auf dem Weg in die Arbeit aufmerksam den *Telegraph* studierten, war falsch gewesen. Sie versuchten allenfalls, Zeitung zu lesen. Aber die wenigsten hatten den Platz und die Nerven dafür.

Die Piccadilly Line, die uns zu Doktor Mukherjees Praxis nach Hounslow bringen sollte, war heillos überfüllt. Es war ein frischer Montagmorgen, den Fahrgästen, die sich an jeder Station neu in den Wagon quetschten, hatte die kalte Bahnsteigluft rote Flecken auf die Wangen gemalt. Doch innerhalb von Minuten im stickigen Waggon verschwanden diese Zeichen von Lebhaftigkeit aus den Gesichtern. Die meisten standen einfach nur schicksalsergeben da, die Zeitung, die sie ursprünglich lesen wollten, unter eine Achsel geklemmt, die Hand des anderen Arms krampfhaft an eine der Festhaltestangen geklammert. Sie waren schon zufrieden, wenn sie in der wild wackelnden Bahn das Gleichgewicht halten konnten. Ich war enttäuscht. Ich hatte mich auf die Fahrt gefreut, umso mehr, als Doktor Mukherjee vor dem Einsteigen an der Hammersmith Station den *Daily Telegraph* kaufte. Ich malte mir aus, wie wir in der U-Bahn Platz nehmen und er mir ein Stück Zeitung anbieten würde. Stattdessen standen wir anderthalb Meter auseinander und hatten, soweit ich sah, drei vehement an die Deckenstange greifende Arme, eine Golduhr an einem behaarten Handgelenk, vier Köpfe, darunter einen mit auffallend roten Haaren, sowie drei Nacken zwischen uns. Der rasselnde Atem eines Allergikers hing mir im Kreuz.

Die Woche ging los, aber die Gesichter sahen schon bleich

und abgekämpft aus, die Augen auf den Boden oder ins Nichts gerichtet. Vielleicht war es das schlechte Licht, doch ich war mir da nicht so sicher. Im Waggon herrschte ein stilles Einverständnis, still zu bleiben, was nur angebracht war. Wenn man sich mit siebzig Fremden auf dreißig Quadratmetern drängt, ist jedes Wort das falsche. Entweder ist es zu belanglos, und alle anderen gruselt es, solch banalem Zeug ausgesetzt zu sein – oder es ist zu intim, und es tut den anderen körperlich weh, zuhören zu müssen.

Ich blickte mich um, an einer Achselhöhle vorbei und zwischen der Golduhr und dem rothaarigen Kopf hindurch sah ich Doktor Mukherjee. Er war in Gedanken woanders und dabei sehr würdevoll. Der blaue Anzug mit der bordeauxrot-dunkelblau gemusterten Krawatte stand ihm, er brauchte trotz des unablässig schunkelnden Zuges nur die linke Hand, um sich an der Deckenstange festzuhalten. In der rechten hielt er, sauber in der Mitte gefaltet, den *Telegraph* und seine Ledertasche. Die Brille saß diesmal fest auf der Nase, die dunkelschwarzen Haare hatten Fülle. Er strahlte die Routine von jemandem aus, der fest verwurzelt war in diesem Leben. Die meisten Fahrgäste wären überrascht gewesen, wenn sie gewusst hätten, dass er erst mit 22 nach England gekommen war. Er war Teil der Masse. Einer von ihnen.

Die meisten Fahrgäste wären überrascht gewesen, wenn sie gewusst hätten, dass ich zu ihm gehörte.

Ich hatte mein hellblaues Hemd angezogen und statt den Jeans meine graue Stoffhose für besondere Anlässe, fragte mich aber schon, ob die Kleidung bis Freitag nicht stinken würde. Ich hatte nichts anderes, was einem Assistenzarzt würdig war, und hoffte, dass der weiße Kittel, den ich bekommen würde, das meiste verdeckte. Wir hatten kein Wort darüber geredet, was ich in der Praxis genau machen würde. Meine Arbeit war seit meinem Ende als Au-pair-Mädchen vor drei Tagen ein Tabuthema. Ich hatte die kastanienbraune Schuhcreme aus dem Bad gewischt, und seitdem wurde nicht mehr darüber geredet; noch nicht einmal, als Doktor Mukherjee sich am Sonntagabend die Schuhe putzte. »Wo ist denn die … die Sache, mit denen man seine Schuhe poliert?«, fragte er. Ein Schlussstrich war gezogen, man brauchte die alten Wunden nicht wieder aufzureißen. Ich freute mich auf meine neue Arbeit, auch wenn ich nicht wusste, was es genau sein würde. Vom Au-pair-Mädchen zum Assistenzarzt, aus dem Haus in der Doneraile Street in die Praxis in Hounslow war es ein Fortschritt. Ich fühlte mich befördert.

Als Doktor Mukherjee die Tür aufdrückte und wir in seine Praxis traten, schien es, als kämen wir als Letzte. Es war 8.30 Uhr, um neun begann die Sprechstunde, und das Wartezimmer war voll mit überwiegend älteren, mehrheitlich übergewichtigen Menschen. Doktor Mukherjee würdigte die stumm und ergeben wartende Masse mit einem Nicken im Vorbeigehen. Am Ende des Gangs begrüßte er eine dürre indische Frau mit faltigem Gesicht und mädchenhaften Kuhaugen ohne Handschlag oder Küsschen, aber nichtsdestotrotz euphorisch.

»Guten Morgen, Frau Chaudhary, ich sehe, Sie sind auch diese Woche wieder krank genug, hierher zu kommen, sehr schön.«

Sie hatte das bereits oft genug gehört, um zu wissen, welche Antwort von ihr erwartet wurde: ein Lachen.

Sie war die Sprechstundenhilfe.

»Wir haben einen neuen Mitarbeiter, Frau Chaudhary: mein Au-pair-Mädchen!« Doktor Mukherjee schlug mir gönnerhaft auf die Schulter.

»Sehr schön, Doktor Mukherjee«, sagte Frau Chaudhary, denn das war offenbar, was sie in der Regel antwortete. Sie interessierte sich nicht weiter dafür, warum das Au-pair-Mädchen so jungenhaft aussah oder überhaupt in der Arztpraxis war; sich zu interessieren gehörte nicht zu ihrer Arbeit. Sie drückte Doktor Mukherjee einen Stapel Karteikarten in die Hände.

»Irgendwas Auffälliges dabei, Frau Chaudhary?«

Sie war vielleicht vierzig, zu lange schon in dem Job, als dass ihr noch irgendetwas auffällig erschien.

»Ein neuer Patient mit Nachnamen Farooq, Doktor Mukherjee.« Sie flüsterte es.

»Was?!«, rief Doktor Mukherjee und konzentrierte sich sofort. »Vorname?«

»Sifat Amin, Doktor Mukherjee.«

»Das kann doch nicht wahr sein. Die werden immer dreister! An einem Montagmorgen.« Doktor Mukherjees gute Laune litt.

Ich hoffte, die ersten zwei, drei Patienten heute Morgen würden richtig schwer krank sein, vielleicht würde ihn das wieder fröhlich stimmen: dass er was zu tun hatte.

Schweigend trottete ich hinter ihm in ein Zimmer. Die Praxis war nur schwer als solche zu erkennen. Es war eigentlich ein ganz normales Reihenhaus. Ein Schlafzimmer, ein Wohnzimmer, ein Kinderzimmer. Im kleinsten Raum, dem Kinderzimmer, warteten die Patienten auf ursprünglich weißen, von den vielen Hintern aber geschwärzten Plastikstühlen. Wer hier mit dem Verdacht herkam, er sei vielleicht krank, war es hinterher ganz sicher; der Heizungsknopf war abgebrochen, die Heizung lief entweder gar nicht oder, wie jetzt, auf vollen Touren und schuf ein ideales Brutklima für die Krankheitserreger, die die Patienten ausatmeten und rausschwitzten. Frau Chaudhary residierte im Gang, in einer Nische, die in der Konzeption des Wohnhauses einmal die Garderobe hätte sein sollen. Doktor Mukherjee hatte das Schlaf- und Wohnzimmer für sich. Das waren seine zwei Behandlungszimmer, zwischen denen er immer hin und her ging. In das größere, also das Wohnzimmer, ließ er sich die Patienten schicken, von denen er vermutete, sie müssten sich ausziehen. Im Schlafzimmer residierte und repräsentierte er, hinter einem riesigen, schweren Eichentisch, auf einem schwarzen Ledersessel mit beweglicher Lehne. Er wippte permanent vor und zurück, während er mit den Patienten redete. Er wirkte dann mehr wie ein Unternehmer als wie ein Arzt. Denn wir zogen auch keine weißen Kittel an.

»Willst du den Leuten Angst machen, Zoli? Weiße Kittel! Junge, sollen die Leute denn glauben, sie seien in der Psychiatrie gelandet?!«

Meine Aufgabe war, wie ich erwartet hatte, ihm zu assistieren. Ich stand neben ihm und bestätigte ihn.

»Kein Bandscheibenvorfall, wie der Patient befürchtet hat, sondern nur muskuläre Verspannungen im unteren Rückenbereich, hervorgerufen durch deutliche Schwächen der Nackenmuskulatur. Sie sitzen zu viel herum, Herr Uddin, wir verschreiben Diclofenac, Zoli.«

»Ja, Doktor«, sagte ich, und Herr Uddin, der mit nacktem Oberkörper und über die Hose hängendem Bauch vor uns auf der Pritsche saß, strahlte mich glücklich an.

In der Regel fertigten wir die Leute schleunigst ab. Doktor Mukherjee hörte ihnen schweigend zu, gab knapp seine Befehle, »mal das Hemd ausziehen«, und trug präzise seine Diagnosen vor. Er war seriös, engagiert, hochkonzentriert, und ich wunderte mich überhaupt nicht mehr, dass er abends in der Doneraile Street so kindisch war. Jeder hätte einen Ausgleich gebraucht nach all diesen anstrengenden, fordernden Patienten, die alle für sich die schlimmsten Fälle reklamierten.

»Herr Doktor, ich kriege seit Tagen keine Luft mehr!«

»Herr Doktor, ich habe aus dem Nichts ein riesiges, eitriges Ekzem am Fuß bekommen.«

»Herr Doktor, mich hat die Strafe Gottes getroffen.«

Und Doktor Mukherjee verschrieb, ohne die Miene zu verziehen, Sekretolytika gegen eine gewöhnliche Bronchitis, zog einen winzigen Splitter aus der Fußsohle und gab Doxyhexal gegen Tripper.

Manchmal merkte ich, dass er einen Patienten mochte. Dann nahm er sich mehr Zeit. Er stellte mich sogar vor.

»Das ist mein neuer Assistent, Doktor Zoli. Eigentlich auf Ratten spezialisiert, aber Menschen sind ja auch nichts anderes.«

Alle Patienten, die das hörten, lachten. Keiner von ihnen wusste, ob er es als Scherz oder ernst verstehen sollte.

Frau Chaudhary klopfte manchmal energisch an und huschte ins Zimmer, legte Karteikarten auf den Tisch, meldete, wenn wir im Behandlungszimmer 1, dem Wohnzimmer, waren, »Frau Chandrasekar wartet jetzt im Behandlungszimmer 2«, und flüsterte: »Länger kann ich Herrn Farooq nicht mehr warten lassen. Er hat längst gemerkt, dass Patienten, die viel später als er kamen, links und rechts an ihm vorbeiziehen.«

»In Gottes Namen«, seufzte Doktor Mukherjee.

Als wir auch noch Frau Chandrasekar im Behandlungszimmer 2 geschafft hatten – eine ordinäre Sehnenscheidenentzündung –, ging Doktor Mukherjee an die Verbindungstür zum Behandlungszimmer 1, drückte seinen Kopf gegen die Tür und hielt so eine halbe Minute still, ohne etwas zu sagen. Dann meldete er mir, ohne den Kopf von der Tür wegzunehmen: »Er sitzt da und spielt nervös mit den Fingern. Immerhin wühlt er nicht in meinen Unterlagen.«

Ich konnte mit diesen Informationen nichts anfangen und wartete deshalb, dass weitere kämen.

»Okay«, sagte Doktor Mukherjee schließlich und nahm den Kopf von der Tür. Ich erkannte, dass er durch einen Türspion geschaut hatte. »Wir lassen ihn warten«, ordnete er an.

Ich assistierte ihm. »In Ordnung«, sagte ich.

Wir warteten. Doktor Mukherjee wippte in seinem Ledersessel, und wenn ihn der Schwung nach vorne, zum Schreibtisch hin brachte, trommelte er mit den einzelnen Fingern auf den Tisch. Ich sah ihm zu. So vergingen zehn Minuten. Dann gingen wir hinüber.

Die Wartezeit hatte Sifat Farooq gebrochen. Er bewegte kaum den Kopf, sondern rollte nur kurz die Augen nach oben, als wir eintraten. Ich sah auf die Uhr über der gegenüberliegenden Tür, durch die die Patienten aus dem Wartezimmer eintraten. Er hatte dort viereinhalb Stunden verbracht. Er mochte in den Vierzigern sein, jemand hätte ihm sagen sollen, dass er sich besser die wenigen verbliebenen Haupthaare abschneiden ließ, anstatt sie im verzweifelten Versuch, eine Frisur anzutäuschen, quer über den Kopf zu legen. Sein Hemd hatte er bis zum dritten Knopf aufgeknöpft, um mehr Luft zu bekommen. So bekam ich ein Phänomen zu Gesicht, das ich bereits in Ungarn bemerkt hatte, aber mir nie erklären konnte: Warum hatten schwarzhaarige Männer mit Voll- oder Fastglatze eine unnatürlich dichte, geradezu tierische Brustbehaarung?

Ich konnte an Sifat Farooq nichts Verdächtiges erkennen. Er sah wie alle Patienten aus – nämlich indisch. Ich wollte mir auf keinen Fall anmerken lassen, dass ich deswegen unzufrieden war. Doch die Wahrheit war, dass ich mir etwas anderes erhofft hatte: Patienten, die so waren wie Doktor Mukherjee selbst. Kenner und Verfechter der britischen Werte. Kriegsveteranen, Forscher, Geschäftsleute, die in die Klinik kamen, um mit Doktor Mukherjee über die Themen des Tages zu diskutieren, Blairs Irak-Politik, das Verbot der Fuchsjagd, den Rückgang der Speisekartoffeln, und nebenbei, als wollte sie gar nicht viele Worte darüber verlieren, ihre Krankheiten behandeln ließen. Stattdessen kamen nur Patienten, die hysterisch ihre eingebildeten Schmerzen wie Weltsensationen anpriesen. Ich sah Sifat Farooq an, seine ungebändigten Brusthaare, und dachte: Was soll an diesem Inder schon gefährlich sein?

»Sie sind Pakistani?!« Doktor Mukherjee sagte es Farooq geradeheraus ins Gesicht, mehr wie eine Anklage denn wie eine Frage. Seine ersten Fragen waren noch taktisch gewesen: Ob Herr Farooq erst jüngst nach Hounslow gezogen sei, bei welchem Arzt er vorher gewesen sei, ob er die Karteikarte mit seiner Adresse ausgefüllt habe. Farooq war immer gereizter geworden, die Falte, die von seiner Nase gerade nach oben in die Stirn lief, immer tiefer. Als sie eine Rinne bildete, griff Doktor Mukherjee direkt an.

»Ich habe den britischen Pass!«, schrie Farooq und griff in die Hemdtasche, wo er aber nur seine Geldbörse fand. Nichts destotrotz hielt er diese so in die Luft, als sei es ein Pass.

»Das tut nichts zur Sache. Sind Sie Pakistani oder nicht?« Doktor Mukherjee brüllte jetzt auch.

»Ich bin britischer Staatsbürger!« Farooq war nicht mehr ein Patient, der etwas von seinem Arzt will; er war einfach nur wütend.

»Das bin ich auch!«, schrie Doktor Mukherjee. Ich sah instinktiv auf die Tür, weil ich nicht wollte, dass jemand hereinkam.

»Und deshalb bin ich hier! Weil ich mich als britischer Staatsbürger von einem britischen Arzt wegen meiner Magenschmerzen behandeln lassen wollte. Aber offenbar ist das nicht möglich: Sie machen mir nur noch mehr Magenschmerzen.«

»Sie mir auch! Sie mir auch!«, rief Doktor Mukherjee, aber Herr Farooq war schon unterwegs zur Tür, die er mit einem Knall hinter sich zuschlug.

Er hatte in dem Streit eindeutig einen besseren Eindruck als Doktor Mukherjee gemacht. Das merkte Doktor Mukherjee wohl selbst. Er redete noch fünf Minuten auf mich ein, als wolle er die Auseinandersetzung noch nachträglich gewinnen. Er erwähnte pakistanische Terroristen im Punjab, pakistanische Truppenaufmärsche an der indischen Grenze, pakis tanische Raketen, die aufs indische Parlament gerichtet seien, pakistanische Frauen, die zu viele pakistanische Kinder gebären.

»Aber wir sind doch in England«, sagte ich.

Er sah mich erstaunt an.

»Du hast Recht, Zoli. Pakistan, Indien: Alles viel zu weit weg, als dass wir uns aufregen sollten.« Er verstummte. Dann überlegte er es sich anders. »Mein Au-pair-Mädchen! Das ist doch das Problem: Heute sind schon Pakistanis Briten. Schau dir doch diese Praxis an: Kein Engländer kommt hier mehr hin, aber ein Pakistani.«

Damit beruhigte sich Doktor Mukherjee wieder, und wir arbeiteten konzentriert weiter, mit all den indischstämmigen Patienten, die über ihre schlimmen Infektionen reden wollten und ab und an auch über den Konflikt mit Pakistan.

Um Viertel nach acht schloss Doktor Mukherjee die Praxis ab. Draußen war es schon nicht mehr dunkel; es war bereits pechschwarz. Londoner Winternächte gaben einem das Gefühl, sich den kurzen Sommer, der irgendwann folgen würde, wirklich hart zu erarbeiten. In der U-Bahn war der Berufsverkehr schon vorüber, einige braun gebrannte Touristen, die vom Flughafen Heathrow kamen, saßen mit großen Koffern im Wagen, es war leicht zu erkennen, dass sie aus dem Urlaub zurückkamen und nicht dorthin fuhren: Sie trugen den leicht zermatschten Ausdruck von Leuten im Gesicht, die nur körperlich, aber noch nicht wieder komplett geistig in der Heimat angekommen sind. Die meisten Sitze waren jedoch leer. Wir nahmen Platz, und Doktor Mukherjee packte den *Telegraph* aus.

»Willst du einen Teil?«, fragte er, und die Heimfahrt wurde zum Triumph.

Es gab nur zwei Teile. Doktor Mukherjee wollte im ersten die Sonderseiten über die Demonstration gegen das Verbot der Fuchsjagd lesen. 400 000 Leute waren gen London marschiert.

»Selbst in dem dunkelsten Moment macht einem dieses Land immer wieder Hoffnung«, sagte Doktor Mukherjee. Er schien unter dem Eindruck zu stehen, die 400 000 hätten auch gegen britische Pakistani demonstriert, die einfach in indischstämmige Arztpraxen kommen.

Mir blieb nur der andere Zeitungsteil. Sport. Ich las ihn, auch wenn er mich nicht interessierte. Vielleicht würde ich etwas aufschnappen, mit dem ich Thomas das nächste Mal im Southern Star beeindrucken konnte. Wir hatten uns zwar nicht verabredet, aber das wäre mir auch komisch vorgekommen. Ich war erst einmal dort gewesen, wusste aber bereits, dass man sich für das Southern Star nicht verabredete. Man traf sich einfach. Es war eine der Bars, in der alle einfach und immer da waren.

Ich erzählte Doktor Mukherjee, dass ich am Samstag einen Jungen kennen gelernt hatte, der zu meiner Verblüffung einen ungarischen Fußballer kannte.

»Wembley, mein Au-pair-Mädchen«, antwortete Doktor Mukherjee.

»Entschuldigung?«

»Die erste Niederlage der englischen Nationalelf im eigenen Land. 3:6 gegen Ungarn. Puskas war in bestechender Form, Hidegkuti erzielte zwei Tore. Die haben uns richtig eins hinter die Ohren gegeben. Wembley, 25. November 1953.« Doktor Mukherjee war Anfang 1970 nach England gekommen.

Vielleicht war es nur Zufall, dass sowohl Thomas als auch Doktor Mukherjee über ungarische Sternstunden rezensieren konnten, von denen ich nie gehört hatte. Vielleicht gehörte es in Großbritannien aber auch zur Allgemeinbildung, über Fußball reden zu können. Ich studierte den Sportteil intensiv und suchte nach etwas, was sich zu behalten lohnte. *10 000 Pfund Strafe für Robbie Savage* fand ich schließlich. Ein Fußballprofi von Leicester City musste 10 000 Pfund zahlen, weil er ohne Erlaubnis vor dem Spiel die Toilette des Schiedsrichters benutzt hatte. Nähere Details gab es nicht, aber das fand ich umso besser: Wenn sich die Gelegenheit ergab, meinen neu erworbenen Fußballverstand auszuweisen, konnte ich die Geschichte selber ausbauen.

Ich probierte es sofort aus.

»Was?« Doktor Mukherjee sah mich an. Es klappte also, ich konnte auch die Leute mit meinem Fußballwissen beeindrucken.

»Was hast du da gesagt?«, fragte Doktor Mukherjee noch einmal, und ich wiederholte: »10 000 Pfund Strafe für einen Fußballer, der Durchfall hatte.«

Als Doktor Mukherjee in der Doneraile Street die Tür aufschloss, war es schon nach neun, und ich spürte zum ersten Mal in meinem Leben, wie es ist, von der Arbeit nach Hause zu kommen. Ich hatte lange auf diesen Moment gewartet. Wenn ich meinen Vater die Tür aufschließen hörte, dachte ich oft, wie es wohl sein würde, wenn ich eines Tages so nach Hause käme. Das war für mich mehr als alles andere ein Akt des Erwachsenseins: von der Arbeit zu seiner Familie nach Hause kommen. Wenn man ganz bewusst die Verantwortung spürt, weil die Laune, das Geld und die Nachrichten, die man von der Arbeit mitbringt, die Stimmung in der Wohnung bestimmen werden. Am Kratzen des Schlüssels im Schloss konnte ich schon immer erkennen, ob es ein erfolgreicher Tag für meinen Vater gewesen war. Machte es nur einmal schwungvoll klack, waren wieder mal genügend Menschen gestorben und Särge bestellt worden. Rumpelte er klack-klack-knack-knack im Schloss herum, ahnte ich sofort, ein verlorener Tag, an dem er nur vergebens auf den Tod gewartet hatte. Machte es klack-klack-knack-knack-klack-klack und ich musste schließlich zur Tür gehen, um sie aufzumachen, wusste ich ganz genau: Er war betrunken. Wie erfolgreich der Arbeitstag gewesen war, erfuhr man dann immer erst am nächsten Morgen.

»Hallo!«, rief Doktor Mukherjee in das Haus hinein, und ich fühlte mich richtig gut dabei. Die Kraft in seiner Stimme verriet mir, dass es ein guter Arbeitstag gewesen war.

Später lag ich auf meinem Bett und konnte nicht schlafen, so berauscht war ich noch immer vom Erfolg des Tages. Ich dachte an die vielen Rezepte, die wir verschrieben hatten, die vielen Patienten, die wir mit unseren Diagnosen erleichtert hatten, den Pakistani, dem wir es gegeben hatten. Ich hätte platzen können vor Freude und Energie. Ich beschloss, meine feierliche Stimmung auszunutzen. Es war noch vor elf, ich war nur so früh ins Bett gegangen, um morgen wieder in Form zu sein, doch wenn ich eh nicht schlafen konnte … Ich zog mich an und ging vor die Haustür. Ich wollte dabei ganz alleine sein, deshalb machte ich es nicht im Wohnzimmer der Mukherjees. An der Fulham Palace Road war eine Telefonzelle.

Ihre Stimme klang schwach. Sie hatte schon geschlafen. Ich überging das einfach, indem ich sagte, die Leitung sei so schlecht, deshalb höre ich ihre Stimme nur so matt. Es war mir ganz recht, dass sie schon schlief, dann würde es keine Diskussionen geben. Ich kam ziemlich schnell zur Sache.

»Tina«, fragte ich, »willst du am nächsten Samstag mit mir ins Wetland Centre gehen?«

Acht

Ich betete, dass Tina nicht da sein würde. Ich hatte große Lust, mit ihr über England, über das Meer, vielleicht sogar über Timea zu reden und noch einiges mehr zu machen, doch erst am nächsten Tag. Es war Freitagabend, und ich wusste, wir würden über nichts von diesen Dingen sprechen, falls ich ihr heute begegnen würde. Sie würde allenfalls anfangen zu streiten: Warum ich ihr nicht Bescheid gegeben hatte, dass ich ins Southern Star ging. Ich hätte natürlich das Recht gehabt, dasselbe zu fragen, falls ich sie zufällig in der Bar treffen würde. Bloß fürchtete ich, dass sie zuerst mit der Frage ankäme und mich somit in der Defensive hatte.

Wir waren für Samstag verabredet, um ins Wetland Centre zu gehen. Ich fand, ein Treffen pro Wochenende genügte erst einmal, immerhin hatte ich vor sechs Tagen noch beschlossen, sie nie mehr treffen zu wollen. Dass ich meine Meinung so schnell geändert hatte, ärgerte mich. Zum Glück fand ich etliche Gründe, um meine Wendung zu rechtfertigen: Es war gut, Leute zu treffen, ich konnte doch nicht die ganze Zeit alleine sein. Es war wichtig, dass ich mein Englisch praktizierte. Tina wirkte etwas einsam, vielleicht konnte ich sie aufmuntern. Doch all das galt nur für den Samstag. Jetzt war es erst einmal Freitag.

Wir hatten in der Praxis schon um 17 Uhr Schluss gemacht. »Kommt sowieso keiner mehr. Freitags um halb fünf gehen wir in England mit unseren Arbeitskollegen in das Pub«, sagte Doktor Mukherjee. Ich hoffte, das hieße, er würde mit mir ein Bier trinken gehen. Aber auf die Idee kam er nicht. Er bestellte nur für die ganze Familie Pizza, als wir zu Hause waren. »Freitag!«, sagte er zur Erklärung.

Ich machte die Tür auf, als die Ladung geliefert wurde. »Pisa-Sörviz« oder so ähnlich, sagte der Pizzajunge, er war gar nicht so einfach zu verstehen, weil er seinen Motorradhelm nicht abgenommen hatte. »Ich hab kein Geld«, sagte ich. Durch den Schlitz in seinem Helm sah ich, wie sich seine Augen weiteten. »Pisa-Sörviz«, wiederholte er reflexartig. Der Stapel mit den fünf Pizzakartons in seiner Hand schwankte.

»Ich meine, ich wollte sagen: Ich muss das Geld erst holen.« Er fixierte mich plötzlich so stark, dass mir unwohl wurde.

»Maischö?«, fragte er, für mich klang es wie »*Magyar?*« Und das hatte er tatsächlich sagen wollen: »*Magyar?*« Ungar?

Er hatte mich am Akzent erkannt. Er lebte schon dreizehn Monate in London und erkannte die meisten Akzente. Der ungarische war weicher als alle anderen, sagte er: »Selbst wir Männer klingen sanft und bescheiden im Vergleich zu den Deutschen oder Russen.« Er kam aus dem Westen, aus der Nähe von Györ, ich merkte ihm die Verachtung an, obwohl er sie verbergen wollte, als ich sagte, ich sei aus Miskolc. Wir redeten fünf Minuten, dann fürchteten wir beide gleichzeitig, die Pizza werde kalt, und verabschiedeten uns. Wir sagten uns nicht, wie wir hießen, wie es so oft passiert, wenn man anfängt, mit Fremden zu reden und nicht sofort zu Beginn nach dem Namen fragt. Doch wir trugen uns unsere Lebensläufe vor. Er hatte Sport und Mathe studiert, um Lehrer zu werden, ich erst Biologie, dann Humanmedizin. Er war hier, weil er in Ungarn keine Stelle fand, ich, weil es in England einen Ärztemangel gab. Er hatte ein Studentenvisum, weil er in einer Sprachschule eingeschrieben war, und arbeitete illegal, ich hatte wegen des Ärztemangels ausnahmsweise ein Arbeitsvisum bekommen.

Ich wusste nicht, ob ich ihm glauben konnte. Das ist das Problem, wenn man ständig seine Biographie neu erfindet; man denkt automatisch, alle machen das.

»Der Pizzaservice ist komplett in ungarischer Hand«, sagte er.

Was er meinte, war: Die Pizza-Auslieferer, die mit den Mofas mit den roten *L*-Schildern für *Learner* durch West-London kreuzten, waren fast alle Ungarn.

Es waren nur fünf Minuten, aber als wir Ungarisch redeten, war ich glücklich. Es fühlte sich so vertraut an. Als er gegangen war, war ich wütend. Was mussten die Engländer von uns denken: ein Volk von Pizzaauslieferern. Es tat weh. Die Pizza schmeckte aber trotzdem gut.

Um halb neun war ich im Southern Star. Ich sah das rotschwarzgestreifte Fußballtrikot sofort. Die Bar war noch nicht zum Bersten voll, so konnte ich relativ schnell zwischen den Trinkern hindurch ans entgegengesetzte Ende der Bar flüchten. Ich hatte gehofft, Thomas zu treffen. Aber ich war mir nicht sicher, ob er auch mich sehen wollte. Der Abschied am Morgen nach der Nacht in seiner Wohnung war kühl gewesen. Ich musste so tun, als würde ich ihn nicht sehen, aber mich gleichzeitig so positionieren, dass er mich sehen würde. Dann würde ich schon merken, ob er mich zu sich winkte oder nicht. Vorsichtig schielte ich zu ihm hinüber. Er stand in einer Gruppe junger Mädchen, die südamerikanisch, aber nicht indianisch aussahen. Ich war erleichtert: Tina war nicht zu sehen.

Ich kaufte ein Bier, lehnte mich mit dem Rücken an die Bar und wollte mich in der Musik verlieren, als sie die Musik abdrehten. Ein Angestellter, leicht zu erkennen an dem blauen T-Shirt mit dem goldenen Stern auf dem Rücken und der Aufschrift darunter: *Southern Star – where stars start shinning*, trat auf die Bühne, wo ab zehn die Band spielte. Ich sagte mir, dass mein Englisch wirklich besser werden musste. Ich verstand nur die Hälfte von jedem Satz und deshalb nichts richtig, was der Mann ins Mikrophon bellte. Vielleicht lag es auch an der Akustik. Als er fertig war, hob die Menge ihre Bierbecher in die Luft und grölte.

»Das wird eine Schau, Kumpel«, sagte der Junge neben mir.

»Allerdings«, sagte ich und hatte keine Ahnung, was er meinte.

Dann ging es los.

In Pärchen kamen Gäste auf die Bühne. Der Goldene Stern bellte weiter ins Mikrophon, um sie anzufeuern, und die Menge tat dasselbe ohne Mikro. Es war, was man im Fußball ein Länderspiel nennen würde: Verschiedene Länder kämpften gegeneinander. Und das Publikum tat, als gehe es um Leben oder Tod.

Auf der Bühne kämpfte Pärchen Australien gegen Pärchen Simbabwe, dann Pärchen Südafrika gegen Pärchen Schweden. Der Mann aus Südafrika hatte sich in den Ärmeln seines Hemdes verfangen und kam nicht mehr vorwärts oder zurück, sodass Frau Südafrika ihn einfach so stecken ließ und ihm stattdessen erst mal die Unterhosen auszog. So stand er mit nacktem Unterkörper und verknotetem Oberkörper auf der Bühne. Die Menge jubelte.

Schnelligkeit war alles, ich hatte es raus: Die Aufgabe war, sich komplett auszuziehen und dann schnellstens wieder an – der Mann die Klamotten der Frau, die Frau die vom Mann. Am besten gefiel dem Publikum der Augenblick, wenn der Mann die Unterhose seiner Partnerin anzog. Der Junge neben mir an der Bar hüpfte vor Aufregung. »Die Hose reißt! Die Hose reißt!«, schrie er. Doch noch hielt der seidene Tanga der Frau, in den der Mann vom Pärchen Schweden bereits geschlüpft war, der Extremdehnung stand.

Pärchen Schweden gewann, Pärchen Neuseeland kam und wurde wüst ausgepfiffen. »Australien, gebt ihnen eine Chance«, schrie der Goldene Stern, aber die Australier in der Menge wurden nur noch wüster in ihren Beschimpfungen, und Pärchen Neuseeland fand keinen Gegner. Deshalb wurden sie kampflos ins Finale mit Schweden und Simbabwe vorgelassen. Die absolute australische Mehrheit in der Menge tobte.

»*Fuckin' kiwis!*«, brüllte der Junge neben mir. Als er sah, dass ich ihn ernst anschaute, lachte er. »Keine Sorge, Kumpel. Falls du ein Kiwi bist, weißt du ja: Ich mach nur Spaß. Falls du kein Kiwi bist: Brüll mit!«

Ich sagte, ich sei Ungar, würde aber trotzdem nicht mitschreien.

»Ungar? Wo verdammt nochmal ist das denn?«

Ich traute ihm durchaus zu, dass er es wirklich nicht wusste.

Es war üblich im Southern Star, dass man die Leute, die die Strudel der Massenbewegung zufällig neben einen gespült hatten, anquatschte. Man redete, als sei man der beste Freund von jedem; dass man in Wirklichkeit der Freund von niemanden hier war, machte die Sache so viel angenehmer und lockerer: Man brauchte keine Rücksicht zu nehmen und sich schon gar nicht um einen guten Eindruck zu bemühen.

Ich fragte mich, wie betrunken man sein musste, um sich für so ein Spiel auf die Bühne zu stellen, und entschied, dass ich noch nicht betrunken genug war. Ich kaufte ein zweites Bier. Die ganze Bar buhte und pfiff. Pärchen Neuseeland hatte das Finale gewonnen, vermutete ich.

Noch in die Pfiffe hinein drehte der Discjockey sofort wieder die Musik auf volles Volumen. Als wollte er um jeden Preis verhindern, dass irgendjemand nachdachte über das, was hier gerade passiert war und sonst noch so hier jedes Wochenende passierte. *Thunderstruck* von AC/DC spielte er, und es wirkte: Das Publikum ließ sich vom Gitarrenlärm davontragen, die Pärchen konnten, ohne dass sie jemand hänselte, in der Menge untertauchen.

»Lajos Detari!«, rief jemand hinter mir, ich wusste natürlich sofort, wer es war, und tat deshalb so, als merke ich nicht, dass der Ruf mir galt. Jemand schlug mir auf die Schulter. Ich drehte mich um, blickte in ein Glas Bier und nahm es an. So hatte ich den Blick frei auf Thomas' strahlendes Gesicht.

»Den Täter zieht's zum Tatort zurück.«

»Ich bin zufällig vorbeigekommen«, behauptete ich.

Es spielte keine Rolle, was ich sagte. Auch die harsche Verab-schiedung am vergangenen Wochenende sagte gar nichts aus; denn sie war aus einem anderen Leben. Dies war sein Nacht-leben – und Thomas hatte offenbar entschieden, dass ich nun dazugehörte. »Tina ist nicht da«, sagte er in einem bestim-menden Ton, was so viel heißen sollte wie: Du kannst sowieso nichts anderes machen als mit mir zu kommen. Er schleppte mich zu der Gruppe südamerikanischer Mädchen. Sie kicher-ten, als sie mich sahen.

»Hey, das hier ist …«, Thomas überlegte, vermutlich wie ich hieße, »… ein Ungar!«

»Hallo«, sagte ich und streckte der Südamerikanerin, die mir am nächsten stand, die Hand hin. Sie gab mir auf jede Wange ein Küsschen und fragte: »Wo kommst du her?«

»Aus Ungarn.« Vielleicht hatte sie gedacht, Ungar sei mein Name, als mich Thomas vorstellte.

Ungarn löste keine Reaktion bei ihr aus.

Ich stellte mich auch den drei anderen Mädchen vor, beant-wortete also noch dreimal die Frage nach meiner Herkunft, aber nicht nach meinem Namen. Alles an ihnen war klein und fein, die Finger: winzig, die Köpfe: zart, die T-Shirts: knapp. Sie waren aus Brasilien.

»Ungarn ist in Osteuropa«, sagte eine, die einen jungen Kör-per hatte, aber ein altes, krötenhaftes Gesicht, das ahnen lies, dass sie schon sehr bald noch älter aussehen würde. Sie schien sehr nett, aber ihr Gesicht erschreckte mich, und unter einem Anfall von Schaudern stellte ich mir vor, wie sie mich packen und so zum Küssen zwingen würde wie beim ersten Mal in der Bar Tina. Ich kannte mich und mein Glück: Falls es eine von den Brasilianerinnen auf mich abgesehen hatte, dann sie.

»Er operiert Menschen und Ratten!«, rief Thomas. Ich war überrascht, dass er das behalten hatte, vage zumindest. Ich fragte mich allerdings auch, wie lange er wohl durchhielt, über mich zu reden, ohne zuzugeben, dass er meinen Namen vergessen hatte.

Er war unbekümmert und betrunken, mit anderen Worten: glücklich. Obwohl ich ihn erst das zweite Mal sah, schien er mir sehr vertraut – und in diesem Leben, unserem Nachtleben, war er es auch. Wir wussten alles über einander. Denn wir hatten eine Nacht miteinander durchlebt. Viel anders würden die anderen Abende, die im Southern Star begannen, auch nicht werden, vermutete ich.

Die anderen drei Brasilianerinnen – außer der mit dem Krötengesicht – gefielen mir alle. Sie sagten, sie seien in London, um Englisch zu lernen.

»Hey, lernt besser Japanisch!«, rief Thomas.

Sie kicherten.

»Die Japaner beherrschen dieses Land, ohne dass die Engländer es merken.«

Er arbeitete für eine japanische Bank; der ganze Laden: nur Japaner, sagte er. »Morgens im Büro musst du dir die Schuhe ausziehen, und es gibt eine Testmaschine, da stellst du dich nur in Schrumpfsocken drauf, und die Maschine misst, ob deine Füße zu sehr nach Käse stinken. Käsefüße! Davon kriegen die Japaner Schweißausbrüche. Käsefüße! Da reißen die sich die Kleider vom Leib, alle, völlig außer Kontrolle, wie vorhin auf der Bühne. Das wäre eine Schau: Meine Japaner hier auf der Bühne.«

In dem Moment wünschte ich mir, Tina wäre da und würde sagen: »Glaub ihm kein Wort.« Die Brasilianerinnen kicherten nur. So weit waren sie mit dem Englischunterricht noch nicht, dass sie Thomas verstanden hätten.

»Hier ist es schön«, sagte eine der Brasilianerinnen – als wir drei Stunden später auf der Goldhawk Road im Hinterzimmer eines zypriotisch-türkischen Kebabrestaurants tanzten. Die Tapeten an den Wänden hatten sich vor Feuchtigkeit gewellt, die billigen Holztische und Plastikstühle waren zur Seite geräumt, und ich musste aufpassen, nicht auf Knoblauch-soßenspuren auszurutschen. Sie hieß Kaluembi. Jetzt wo ich mich auf eine von den Brasilianerinnen konzentrierte, konnte ich mir ihren Namen merken.

»Warum ist es hier schön?«

»Es ist schön. Deine Haare sind auch schön.«

Vielleicht hatte sie heute in der Sprachschule *Anwendungsmöglichkeiten des Adverbs* »schön« durchgenommen?

»Blond«, sagte Kaluembi. »Schön.«

Thomas tanzte mit einer der Brasilianerinnen, die ich noch schöner fand. Aber ich war nicht eifersüchtig. Ich wollte nur das eine: *nicht* mit der Kröte enden. Alles andere sollte sich einfach so ergeben.

Als das Southern Star zugemacht hatte und Thomas uns in den Kebabladen führte, hatte ich mich noch gewundert. Wollte er heute kein Chicken im KFC? Aber schnell kapierte ich, dass es nur noch nicht Zeit für Hühnchen war. Wir gingen schnurstracks durch den Kebabladen hindurch. Wie eine gute Bekannte grüßte Thomas die junge Frau, die – die Haare zusammengebunden, um besser arbeiten zu können, und hochschwanger – alleine an der Theke nachts um halb eins den Betrunkenen aus dem Southern Star Kebabs verkaufte. Mit dem Fastfood saugten sie den Alkohol auf, der ihren Magen überschwemmte. Zwei nervöse Türken, einer vielleicht der Mann der Schwangeren, standen vor der Tür ins Hinterzimmer. Thomas begrüßte sie mit Handschlag. Sie fragten ihn: »Wo sind Sie her?«

Es war ganz offensichtlich der Sprachcode in West-London. So wie Amerikaner in den Filmen immer Fremde enthusiastisch und sehr persönlich mit *How're you doin'?* willkommen hießen, fragte man hier zur Begrüßung *Where're you from?*

»Brasilien und Ungarn«, sagte Thomas.

Die Türken nickten, wir zahlten jeder ein Pfund Eintritt und gingen hinein.

Es waren nur zwanzig, dreißig Leute dort, doch genug, um Thomas vorsichtig zu machen. Er tanzte mit der schönsten der Brasilianerinnen, deren tiefe wasserblaue Augen einen Kontrast zu den schwarzen gelockten Haaren bildeten. Aber gleichzeitig, sie immer eng an sich gedrückt, hechelte er um uns herum, wie ein Schäferhund, der die Herde bewacht.

Er zischte mir ins Ohr. »Wir müssen aufpassen, dass uns niemand die Mädchen wegnimmt.«

So arbeiteten wir regelrecht gegeneinander: Thomas wollte, dass sich kein anderer Junge in unsere Angelegenheiten einmischte. Ich dagegen entblößte die Deckung absichtlich, denn ich wünschte, jemand käme und entführte das Krötengesicht.

Es wurde Thomas zu heiß, die Temperatur im Raum und die Situation mit den anderen Jungen dort, einigen Australiern und Südafrikanern aus dem Southern Star, aber hauptsächlich jungen Zypern-Türken. Er wollte noch nicht einmal zu Kentucky Fried Chicken oder nach Acton, in eine andere Australier-Bar, die noch offen hatte, wie das Krötengesicht vorschlug. Er wollte nur noch seine Herde in Sicherheit bringen. Aber das hatte er davon: Weil sie vier waren und wir nur zwei und das ganz offensichtlich keine gute Aufteilung für den weiteren Verlauf der Nacht darstellte, stritten die Mädchen nun auf Portugiesisch. Wir standen auf einer Verkehrsinsel, mitten auf der Goldhawk Road, und spiegelten uns in der Fensterscheibe eines polnischen Restaurants. Darin sahen wir wie Marionettenpuppen aus. Wenn eine der Brasilianerinnen mit dem Arm gestikulierte, und das taten sie oft, wirkte es in der Fensterscheibe so steif, als ziehe ein Puppenspieler an seinen Fäden.

»Ich zahle auch das Taxi!«, rief Thomas nach einer Weile einfach dazwischen. Es wirkte auf die Brasilianerinnen wie ein Machtwort.

Wir konnten das Haus, in dem die Brasilianerinnen wohnten, schon von zehn Metern hören. Eine Alarmanlage schrillte unaufhörlich.

»Was ist da los?«, fragte Thomas.

»Wo?«, fragte Raquel. So hieß die schönste der vier.

»In eurem Haus.«

»Warum?«, fragte Raquel. Sie brauchte eine Zeit, bis sie verstand, was uns irritierte. »Das Geräusch, ja? Das ist immer an. Die Alarmanlage. Falls Einbrecher kommen, geht das Geräusch aus. Dann weiß die Polizei, etwas ist passiert.«

Das Haus sah schon von außen so aus, wie man sich Häuser vorstellt, in denen permanent die Alarmanlage schellt. Die Tür war schlecht gestrichen, jemand hatte lieblos und viel zu groß mit weißer Farbe die Hausnummer darauf gemalt: 257. Die Fensterrahmen waren aus morschem Holz mit abgesplittertem Lack, die Scheiben, das war selbst im matten Laternenlicht nicht zu übersehen, waren blind. Vor der Tür stand eine Mülltonne, und daneben lagen vier oder fünf einfach hingeworfene, bis zum Rand gefüllte und deshalb teilweise aufgeplatzte Plastikmüllsäcke. Ich konnte es kaum noch erwarten, in das Haus hineinzukommen.

Denn Kaluembi war schon drinnen.

Sie war mit den anderen zwei mit einem Taxi vorgefahren, Raquel, Thomas und ich waren im zweiten Taxi direkt hintendran gewesen, aber dann hatte Thomas in Hammersmith, auf dem oberen Stück der Fulham Palace Road, ein Chicken-Fastfood-Restaurant entdeckt. Wir mussten anhalten. Raquel und ich schauten ihm schweigend beim Essen zu, was ihn dazu anspornte, noch langsamer zu essen. Ich konnte nichts essen, ich war zu angespannt. Die Trennung von Kaluembi machte mich nervös. Was wenn sie schon im Bett lag und schlief, bis wir bei ihr ankamen? Was, wenn Thomas einfach entschied, doch zu ihm zu fahren? Er hatte ja Raquel bei sich. Ich dachte *nicht* daran, mit Kaluembi zu schlafen. Das versetzte mich in solche Hochstimmung. Denn wenn mir ein Mädchen so gut gefiel, dass ich überhaupt nicht an Sex dachte, konnte das nur eines bedeuten: Ich war verliebt. Sie trug die Haare zu einem kleinen Pferdschwanz, hatte sie links an der Schläfe mit einer kleinen Spange fixiert, und sah so wie 16 aus. Das heißt, sie war schätzungsweise 22. Die Leute sehen heutzutage alle fünf, sechs Jahre jünger aus. Sie wirkte weniger hübsch als zärtlich; lieb. Und ich dachte überhaupt nicht an Sex. Das Hochgefühl füllte mich aus, nichts passte mehr in mich rein, schon gar kein Chicken. Im Chicken-Restaurant sah ich Thomas mit den Zähnen die fettige Kruste von seinem Hühnchen zerren und stellte mir vor, wie es wäre, Kaluembi zum ersten Mal zu küssen. Bei dem Gedanken sah ich sie auf einmal nackt vor mir, und dann sah ich uns … ich konzentrierte meinen Blick scharf auf die Ketchup-Pfütze, die Thomas auf dem blanken Tisch gebildet hatte, um sein nun krustenloses Hühnchen einzutunken. So konnte ich verhindern, dass ich daran dachte, woran ich *nicht* denken wollte.

Eine Glühbirne ohne Lampe hing im Hausflur der Lillie Road 257 von der Decke. Sie brannte sogar.
Ich kannte die Gegend vage, Elizabeths und Victorias Schule war nur 200 Meter südlich, in der Munster Road. Die Kreuzung Munster/Lillie Road war der Punkt, an dem Fulham aufhörte, so zu sein, wie es sein sollte. Fulham war ein Dorf in der Stadt, mit seinen kleinen, putzigen Reihenhäusern, nahe genug an Chelsea und Kensington, den besseren Adressen West-Londons. Hier wohnten Leute, die gerne in Chelsea oder Kensington leben wollten, es sich aber nicht leisten konnten. Es war das Viertel der Assistant Bank Managers, Assistant Newspaper Editors und, dank mir, auch der Assistant Doctors. Der Stadtteil der ewigen Nummer zwei. Doch hier oben an der Lillie Road war Fulham plötzlich rau und, ganz besonders um diese Uhrzeit, trostlos. An der einen Straßen-

seite duckten sich flache Sozialwohnungen, an der anderen schrillte die Alarmanlage der Brasilianerinnen.

Der Teppich im schmalen Treppenhaus war durchgewetzt. Unsere Schritte hallten, als ob unter uns nur dünne Holzbretter wären, die jederzeit einbrechen konnten. Wir gingen in den zweiten Stock.

»Wie viele Zimmer gibt es hier?«, fragte ich, als wir uns ins Wohnzimmer gesetzt hatten, oder war es die Küche? Sofa und Fernseher standen in der einen Ecke, Tisch und Stühle in der Mitte, die Spüle in der anderen.

»Außer dem Zimmer hier noch zwei«, sagte Raquel.

»Aber …«, sagte ich und zählte, außer Thomas und mir, sieben weitere Leute im Raum. Einer, ein brauner Junge mit wachen Augen und vorstehendem Kinn, saß so nahe an Kaluembi, dass er mir sofort unsympathisch war. Außerdem hockten ein anderer Junge sowie ein weiteres Mädchen auf dem Fußboden, die ich noch nicht kannte.

Thomas kam derselbe Gedanken wie mir. »Ihr schlaft zu siebt in zwei Zimmern?«

»Nein«, sagte Rita, ich glaubte zumindest, sie hieß Rita; die Kröte. »Wir sind zu acht. Aber Sveti ist schon im Bett. Sie ist nicht aus Brasilien.« Das war natürlich ein Grund, schon im Bett zu sein. Sveti war Svetlana und aus Mazedonien. Viel mehr wussten sie nicht von ihrer Mitbewohnerin. Sie war schon da gewesen, übrig geblieben aus der vorherigen Wohngemeinschaft, als die Brasilianer nach und nach einzogen.

»Sie hat keine Bettwäsche«, sagte Raquel. »Sie schläft mit der blanken Bettdecke, auf einem blanken Kopfkissen in einem unbezogenen Bett.«

Kaluembi wollte Sveti verteidigen. »Sie hat uns vor Gericht gerettet. Es war schön.« Ich wollte gar nicht nachfragen, um was es da gegangen war. Mich interessierte viel mehr, dass der Kerl neben Kaluembi endlich von ihr abrückte. Aber Thomas wollte es natürlich wissen.

Sie hatten eine Anzeige von der Stadtverwaltung bekommen, dem Hammersmith & Fulham Council, weil sie von 1999 bis 2001 nicht ihre *council tax* bezahlt hätten. Das war eine Steuer, die Doktor Mukherjee sicher gefiel. Margaret Thatcher hatte sie eingeführt. Kurz gefasst, so erklärte es zumindest Thomas, musste man in London diese Steuer dafür bezahlen, dass man hier wohnte. Sveti konnte dem Gericht aber beweisen, dass niemand von ihnen länger als ein dreiviertel Jahr in der Lillie Road 257 wohnte, demnach es auch niemand von ihnen in den zwei Jahren davor versäumt haben konnte, die *council tax* zu zahlen. Der Triumph vor Gericht war etwas Einzigartiges für Kaluembi gewesen. Man brauchte sie nur anzusehen, während sie uns die Geschichte erzählte. Sie leuchtete. Es war ihr Beweis, dass sie sich im Ausland zurechtfand. Sie hatte vor Gericht gegen London gewonnen und somit England erobert. Sie hatte es hier geschafft. Ich war noch stärker verliebt.

Ich spürte, dass ich die Liebe auch brauchen würde, um mich zu retten. Rita, die Kröte, hatte sich neben mich gesetzt und sich gegen meine Schulter gelehnt, wofür sie auch noch eine gute Ausrede hatte. Es gab sonst keine Anlehne.

Das Wohnzimmer war sauber geputzt und wirkte schmierig. Die Möbel, das Sofa, der Holztisch, die Klappstühle waren zu abgenutzt, die Spüle zu unheilbar verbeult und verdreckt, der Raum zu leer, um jemals wieder Reinlichkeit auszustrahlen.

»Wir hatten auch Bettkäfer«, sagte Raquel und zeigte auf ihre Wangen. Ich war zu weit weg, um etwas zu erkennen. »Auf einmal hatte ich lauter rote Punkte im Gesicht.«

»Ich auch. Das war nicht schön«, sagte Kaluembi. Der Junge neben ihr wich nicht von ihrer Seite und bot noch nicht einmal Angriffsflächen: Er blieb einfach stumm.

Als Erste hatte damals die Kröte die roten Pünktchen überall auf dem Körper gemerkt und sich gedacht, dass irgendetwas nicht stimmte. Ich spürte ihren Arm an mir und schauderte.

Sie war wirklich nett und auf den ersten Eindruck intelligenter und gebildeter als Kaluembi. Aber bei diesem Gedanken schauderte es mich noch mehr: Ich wollte nicht so denken; es klang, als finde ich mich damit ab, mit der Kröte im Bett zu landen statt Kaluembi in den Armen zu halten.

Die Bettkäfer: Diesmal hatte Rita und nicht Sveti die Initiative ergriffen und das *council* angerufen – in der Höhle des Löwen, bei jener Stadtverwaltung, die sie kurz zuvor wegen der *council tax* vor Gericht gezerrt hatte. Rita die Kröte hatte die Chuzpe, trotzdem anzurufen. Und es ging alles ganz unproblematisch. Ein Kammerjäger kam und erlegte die Viecher, die sich in den Matratzen eingenistet hatten und nachts zubissen. Vielleicht könnte man auch einfach einmal die Matratzen wechseln, nach schätzungsweise acht oder neun Jahren, schlug der Kammerjäger dem Vermieter vor, aber der fand das Wahnsinn. Die Matratzen hätte er bezahlen müssen, die Käferjagd übernahm das *council*.

Sie wurden richtig gesprächig, als sie von ihren Alltagssiegen in London erzählten. Ich fürchtete, sie würden gar nicht mehr zu reden aufhören und ich am Morgen ohne eine Minute Schlaf nach Hause wanken. Thomas schien dieselbe Angst zu plagen. Er fragte nicht mehr nach, er warf nichts mehr ein; er schwieg einfach, in der Hoffnung, sein Desinteresse würde die Brasilianerinnen aus der Bahn werfen. Doch sie waren es schlicht gewohnt, dass die Jungen in der Wohngemeinschaft schwiegen, und so plapperten sie aufgedreht weiter.

Dass die Engländer merkwürdig seien.

So kalt.

Dass London so dunkel sei.

So teuer.

Es waren dieselben Themen, über die wir – über die alle – im Southern Star jeden Freitag und Samstag wieder redeten.

Selbst Thomas konnte sich nun nicht mehr zurückhalten. »Die Engländer haben sie nicht mehr alle.«

»Ungarn ist auch teuer«, sagte ich. In Budapest gab es Cafés, zum Beispiel das *Gerbeaud* am Vörösmarty tér, in denen eine Tasse Kaffee so viel kostete wie in London. Ich war zwar nie dort gewesen, weil es mir *zu* teuer war, aber in diesem Moment trotzdem stolz darauf: dass wir auch teure Plätze hatten. Die Brasilianerinnen mochten es allerdings lieber billig, merkte ich schnell.

»Letzten Monat haben wir hier zu zehnt gewohnt«, sagte Kaluembi. »Das war schön, weil wir es eigentlich nicht dürfen, aber es drückte die Miete für den Einzelnen.«

Ich ging aufs Klo. Ich tat, als müsste ich mal, um näher an Kaluembi heranzukommen. Wenn ich zurückkam, so meine Hoffnung, würde ich schon einen Grund finden, mich zwischen sie und ihren aufdringlichen Mitbewohner zu quetschen. Ich schaute auf die Uhr und blieb sieben Minuten auf dem Klo; je länger ich wegblieb, desto größer die Chance, dass sich im Wohnzimmer was verändert, etwas zu meinen Gunsten getan hatte.

Dann hörte ich Stimmen.

Ich lauschte an der Badtür, erkannte Thomas' kantiges Englisch und schloss schnell die Tür auf. Ich wollte nichts verpassen, schon gar nicht seinen Abgang. Ohne ihn wollte ich in dieser Wohnung nicht bleiben. Er hatte Raquel bei sich.

»Wir gehen mal schlafen«, sagte er.

»Und ich?«

Sie lachten. Ich meinte es ernst.

»Mitkommen kannst du wohl schlecht, was?!«, sagte Thomas. Er lächelte, fast väterlich. »Aber Kaluembi ist doch sehr nett.« Da lächelte Raquel nicht mehr. »Es ist nur so, dass ...«, fing sie an, und ich fürchtete schon das Ende. »Ich glaube, Kaluembi mag dich wirklich. Aber Fausto mag auch Kaluembi.« Ich ahnte, wer Fausto war. »Oh, bitte versteh mich nicht falsch. Es ist nur so, dass wir keine schlechte Stimmung in der Wohnung wollen. Ein andermal, wenn wir vielleicht zu euch gehen, kannst du eventuell mit Kaluembi bleiben. Doch heute wäre es besser, wenn du mit Rita bleibst. Sie mag dich wirklich.«

Sie hieß tatsächlich Rita, und sie hatten sich abgesprochen. Sie hatten uns heimlich aufgeteilt, wie eine Beute, wahrscheinlich schon im Southern Star.

»Er hat das Gesicht von einer …« Ich wusste nicht, was Kröte auf Englisch hieß.

»Wer hat was für ein Gesicht?«, fragte Thomas.

»Er. Ich meine: Sie. Rita.« Kröte fiel mir immer noch nicht ein.

»Von einem Engel?« Er neckte mich.

»Nein, von einer *bufo bufo*.«

»Bufo Bufo?!«

»Das ist der wissenschaftliche Ausdruck, lateinisch. Den englischen kenne ich nicht.« Ich ahnte, dass das auch besser war.

»Okay, wir gehen ins Bett«, sagte Thomas.

Ich ging zurück ins Wohnzimmer. Das Licht war aus, eine Kerze brannte auf dem Tisch, mir raubte es die Luft. Es war nur noch eine Person im Zimmer.

Ich bestand darauf, dass wir in ihr Schlafzimmer gingen.

»Aber da sind doch all die anderen«, sagte sie.

»Eben drum«, dachte ich. Die Anwesenheit der anderen würde mein Schutz, meine Rettung sein. »Ich kann nicht auf einem Sofa schlafen, ich brauche ein richtiges Bett«, sagte ich, »mein Rücken.« Sie seufzte. Sie war wirklich sehr nett. Und ihr bufo-bufo-Gesicht war doch nur eine belanglose Äußerlichkeit – aber ich schaffte es nicht, mir das einzureden.

Das Schlafzimmer bestand nur aus Betten und einem schmalen Spalt freie Bahn, um in die Betten zu kommen. In der Dunkelheit sah ich die Schatten der anderen in ihren Betten. Ich hatte keine Ahnung, ob Kaluembi auch in dem Zimmer wohnte oder in dem anderen. Rita war noch auf die Toilette gegangen; als sie hereinkam, fiel Licht durch den Türspalt. Ich erkannte eine rassige nackte Blondine. An der Wand, auf einem Poster. Das hieß, die zwei Jungen wohnten auch in dem Zimmer. Ich sah in drei Betten gleichmäßige dunkle Hügel; es lag jeweils nur eine Person darin. Ich war zufrieden. Kaluembi war also, in welchem Bett auch immer, zumindest nicht mit Fausto. Ich schlüpfte in das einzige noch leere Bett, hob die Decke, um *bufo bufo* neben mich zu lassen, spürte ihren zarten Körper und dachte: Was passiert, passiert. Am nächsten Morgen stöhnte Rita im Schlaf, als ich vorsichtig aus dem Bett stieg. Innerhalb von zwei Minuten war ich angezogen und aus der Wohnung. Ich schaute mich nicht mehr um.

Neun

Als Kind hatten mir meine Eltern eingeschärft, niemals zu spät zu kommen. Seitdem war ich meistens zu früh.

Ich schaute auf die große blaue Kirchturmuhr. Es war sieben vor zwei, um zwei waren wir verabredet, also, schätzte ich, war ich ungefähr 27 Minuten zu früh. In London kamen außer mir immer alle zu spät; richtig zu spät, 20 Minuten oder mehr. Die Stadt war zu groß, die Busse warteten im Stau, oder die U-Bahn kapitulierte vor einem Signalfehler.

Ich sah mich nach einem Versteck um. Wir waren an der Ecke Putney Bridge/Richmond Road verabredet, weder ein Baum noch eine Häuserecke bot mir Schutz. Aber ich konnte mich auf der anderen Straßenseite in den Eingang des verrammelten China-Restaurants drücken, von dort hatte ich im Blick, mit welcher Laune sie kam.

Sie kam zwölf Minuten später, fünf zu spät. Ich war erleichtert: Sie trug keinerlei Anspannung im Gesicht; es war keineswegs die angestrengte und nervöse Miene eines Menschen, der sich für den Nachmittag ernste Gespräche und lebensprägende Entscheidungen vorgenommen hatte. Sie sah zufrieden und gelöst aus, wie sie da stand und auf mich wartete. Sie hatte sich einen Pferdeschwanz gebunden und gab dem Wind so kaum eine Chance, mit ihren Haaren zu spielen. Zwei Jungen, die vorbeigingen, sahen sie herausfordernd an, sie ignorierte die Blicke selbstbewusst, obwohl sie die Jungen eindeutig wahrgenommen hatte. Sie sah aus, als freue sie sich auf einen entspannten Nachmittag. Das war genau das, was ich mir erhoffte: ein paar schöne Stunden und *nicht* mehr.

Ich traute mich aus meinem Versteck und wünschte mich

gleich darauf wieder dorthin zurück. Wir standen voreinander, ohne zu wissen, wie wir uns begrüßen sollten. Heftig wie Liebende mit einem Kuss, souverän wie gute Freunde mit zwei Küsschen auf die Wangen, herzlich mit einer Umarmung, formal mit einem Händedruck?

Linkisch warteten wir, dass der jeweils andere die Initiative ergriff. Aber da konnten wir lange warten.

Also begrüßten wir uns gar nicht.

»Ich hoffe, du hast nicht allzu lange warten müssen«, sagte ich schnell.

»O nein. Ich bin seit kurz vor zwei da. Aber ich bin immer zu früh. Meine Eltern haben mich so erzogen.« Ich lächelte, und sie dachte wohl, ich schmunzle über ihre Eltern. Die verpasste Begrüßung und die Anspannung, die sie mit sich gebracht hatte, lagen hinter uns.

Es tat gut, Tina zu sehen; es war viel besser, als ich noch am Morgen gedacht hatte.

Ich war so weit gewesen, dass ich sie anrufen und absagen wollte. Dann wäre die Sache ein für alle Mal geregelt, sagte ich mir. An meiner Haut klebte noch der Geruch von Rita beziehungsweise von dem Pfirsich-Duschbad, das sie offensichtlich benutzte, ich war zu aufgewühlt, um Tina zu treffen. Ich fühlte mich weitergereicht. Doch ich erinnerte mich, dass ich auch in Ungarn nie zu ausgemachten Treffen gehen wollte – und wenn ich dann doch ging, war es meistens schön gewesen. Ich duschte, benutzte viel Seife und zwang mich, zur Putney Bridge zu gehen. Nun war ich froh darüber.

»Leider hat das Wetland Centre zu«, log ich. »Sie machen die Teiche gerade winterfest; es ist kein Wasser in den Becken und nichts zu sehen.« So froh war ich dann auch wieder nicht, dass ich in diesem Punkt meine Meinung geändert hätte: Ich wollte nicht mit Tina ins Wetland Centre. Ihr die Feuchtgebiete zu zeigen war, als würde ich ihr mein Inneres zeigen; sie ins Wetland Centre einzuladen wäre ein Liebesbeweis – wie ich letzten Sonntag, als ich sie anrief, überhaupt auf die Idee gekommen war.

»Macht doch nichts. Wir können ein bisschen an der Themse spazieren gehen.« Sie bedauerte es überhaupt nicht, dass wir die Feuchtgebiete »Hawaiische Lavaflut« oder »nördliche Tundra« verpassten, was mich bestätigte, dass ich nur Recht hatte, mich nicht in sie zu verlieben. Sie hatte kein Gespür für das, was ich liebte.

»Hmm, du riechst aber nach Seife«, sagte sie. Sie hatte sich bei mir untergehakt und schnüffelte an meinem Hals herum. Wir gingen in der ewigen Halbdunkelheit des Londoner Winters auf einem Trampelpfad an der Themse entlang und konnten nichts von dem breiten Fluss sehen, weil eine dichte Reihe Bäume den Blick versperrte. Dafür sahen wir jede Menge Typen in den grellsten Pullovern und einer Art Nylonstrumpfhosen; Jogger und Mountainbike-Fahrer, die nicht die leiseste Ahnung davon hatten, wie lächerlich sie aussahen.

»Als Assistenzarzt musst du immer absolut sauber sein«, sagte ich. »Klinisch rein. Ich seife mich dreimal am Tag komplett ab, aus der Routine komme ich auch am Wochenende nur schwer raus.«

»Du musst deinen Beruf lieben«, sagte sie.

»Und die Gewässer«, sagte ich.

»Das Meer?«

»Auch.«

Die Jogger schauten uns feindselig an. Ich hatte zwar das Gefühl, dass wir nichts anderes taten als ihnen auszuweichen, aber das war ihnen offenbar noch nicht genug. Ihre grimmigen Blicke forderten Bewunderung von uns ein oder zumindest Dankbarkeit, dass sie uns nicht umrannten. Ich wusste nicht, wie wir das hätten ausdrücken sollen.

»Erzähl mir vom Meer«, sagte Tina.

»Man unterscheidet grundsätzlich zwischen zwei Lebensräumen im Meer: dem *Pelagial*, das sind die Wassermassen, und dem *Benthal*, das ist der Meeresboden, wobei auf den mobilen Sedimentböden deutlich mehr Organismen leben als auf den stabilen primären Hartböden. Die ...« Ihr überraschter Blick ließ mich innehalten. Sie hatte sich vermutlich etwas anderes von meinen Erzählungen vom Meer erwartet.

»Ihr Ärzte«, sagte sie. »Könnt über alles nur in wissenschaftlichen Ausdrücken reden.«

Wir gingen einen Moment lang schweigend nebeneinander her. Ich hatte mich wider besseres Wissen wieder einmal überschätzt: Ich wusste doch, dass ich nicht erzählen konnte. Wenn der Nachmittag nicht fatal enden sollte, musste ich mich auf das konzentrieren, was ich konnte, und zwar besser als die meisten: zuhören.

Ich hatte nie verstanden, was daran besonders war, aber es schien einen schweren Mangel an Zuhörern zu geben, jedenfalls hatte man mir wohl kein Kompliment öfters gemacht als: Du kannst wirklich gut zuhören. Als ich das einmal wusste, war es nicht schwer gewesen, mein Zuhören zur Kunst zu verfeinern. Ich musste bloß die richtigen Fragen stellen und den Redner von unten, von der Seite anblicken.

»Bist du gerne in London?«, fragte ich, es war eine perfekte Eröffnungsfrage. Auf diese Frage konnte sie alles antworten: ihren Alltag erzählen, von zu Hause, ihren Träumen; wenn sie wollte, sogar von ihrem Liebesleben.

Tina redete, und ich reimte mir das zusammen, was sie nicht sagte. Als junges Mädchen hatte sie eine sehr konkrete Vorstellung gehabt, wie sie mit 30 sein würde. Mit 29 war sie davon nun ziemlich weit entfernt. Sie war einsam. Das hatte nichts damit zu tun, dass sie in London viele Menschen kannte, darunter einige, von denen sie als »Freunde« sprach – sondern mehr damit, dass ihre Schwester im vergangenen Mai geheiratet hatte. Das machte ihr Angst, dass sie für immer einsam bleiben würde: Wenn schon ihre zwei Jahre jüngere

Schwester geheiratet hatte, konnte das nur heißen, dass sie ihren Zeitpunkt verpasst hatte, einen Mann zu finden.

Sie mochte London nicht, weil London sie einsam gemacht hatte. Und sie mochte nicht weg aus London, weil dies einer Kapitulation gleichgekommen wäre; einem Eingeständnis ihrer Niederlage. Denn sie war nur nach London gegangen, um eines Tages nach Deutschland zurückkommen zu können, triumphierend: verheiratet, eine Koryphäe im Beruf; auslandserfahren, weltgewandt. Nun, nach über zwei Jahren in der Stadt, hatte sie das Gefühl, von all diesen Zielen weiter entfernt zu sein als bei ihrem Aufbruch aus Deutschland.

»London macht mich krank«, sagte sie. »Die Engländer schotten sich ab, die wollen unter sich bleiben.« Und sie wollte auf keinen Fall unter Deutschen bleiben. Das war mir schon bei Thomas aufgefallen. Während ich es genossen hatte, mit dem Pizzajungen Ungarisch zu reden, selbst wenn es nur für fünf Minuten war; während es mich froh gemacht hatte, einen Ungarn zu treffen, selbst wenn ich in Ungarn nichts mit diesem Jungen hätte zu tun haben wollen, so war es für die Deutschen eine grauenhafte Vorstellung, andere Deutsche zu treffen. Sie schienen mir einzigartig: Die Inder in London gingen alle zu einem indischen Arzt, die Australier alle in eine australische Bar, die Engländer dahin, wo keine Nichtengländer waren; nur die Deutschen machten einen Bogen um sich selbst.

»O Gott, die Deutschen brauche ich wirklich nicht«, sagte Tina. »Die gehen ins Ausland, aber wollen, dass alles so ist wie zu Hause. Da sind sie dann in London, treffen sich nur unter Deutschen und reden darüber, wie viel besser es in Deutschland ist, wie schlecht England ist.«

»Ist es denn besser in Deutschland?«

»Natürlich.«

Wir standen mittlerweile auf der Hammersmith Bridge und waren stehen geblieben, nicht weil wir die Aussicht über den wasserarmen Fluss genießen wollten, sondern weil Tina immer stehen blieb, wenn sie etwas Wichtiges oder Aufwühlendes sagte.

»Vielleicht gehe ich doch bald zurück nach Deutschland.«

Sie hatte ein Angebot von einer französischen Modefirma, in deren Filiale in München als Chefeinkäuferin für den deutschen Markt zu arbeiten. Mir wurde heiß. Ich wusste, sie erwartete, dass ich jetzt etwas sagte; etwas wie: »Bitte geh nicht weg aus London.«

Ich sagte: »Vielleicht können wir irgendwo was essen?«

Sie sah an mir vorbei auf die Themse.

Wir fanden am anderen Ufer, auf der Hammersmith-Seite, ein Pub.

»Schau, die Engländer«, sagte Tina. Sie standen und saßen, wie immer, wenn es über fünf Grad hatte und nicht regnete, draußen vor dem Pub. Wir gingen hinein. Ich hatte das Gefühl, alle starrten uns an, bis ich Tina ins Gesicht schaute, dann erkannte ich: Alle starrten sie an. Die frische Luft und das viele Reden hatten sie wunderschön gemacht. Ihre Haut war weich, die hunderttausend Sommersprossen gaben ihr etwas Unbeschwertes.

»Ich fände es schön, wenn du bleibst«, sagte ich.

»Bitte?« Sie sah mich an, als liefe mir die Rotze aus der Nase.

»Ich meine ...« Ich schluckte. »Ich wünsche mir, dass du nicht nach München gehst« – wollte ich sagen. Ich sagte: »Ich fände es schön, wenn du mit mir eine Weile in dem Pub bleibst.«

Sie legte gerührt den Arm um mich. »Ich lasse dich nicht allein, okay?!« Sie fand uns lustig.

Wir kauften zwei Bier und zwei Hamburger. Ich wollte Pommes frites dazu, aber Tina sagte, das müsse ich bei der Bestellung doch gar nicht erwähnen: »In England wird jedes Gericht mit Pommes frites serviert.« In dem italienischen Restaurant in der Nähe des Kaufhauses *Byers*, in dem sie arbeitete, kannten die Kellner sie schon als die Exzentrikerin. Weil sie immer sagte: »Für mich bitte keine Pommes frites zur Lasagne.«

Ich spießte riesige Mengen Pommes auf meine Gabel, weil ich solchen Hunger hatte, kaute aber sehr langsam, um Zeit zu gewinnen, mir neue Fragen für Tina auszudenken. 17 Uhr war vorüber, die Gäste, die außer uns jetzt noch hier waren, sahen so aus, als würden sie nicht so schnell gehen. Sie hingen mehr auf ihren Stühlen als sie saßen. Ihre Drinks wurden nie leer. Sobald die Gläser nur noch zu einem Viertel gefüllt waren, sprang einer am Tisch auf und bestellte neue Getränke. Es waren Leute fast jeden Alters. Ihre Gespräche stiegen auf und verwebten sich in der verrauchten Luft zu einem monströsen Brummen und Rumpeln. Hier gefiel es mir. Die Leute schienen gut gelaunt, und ihr Lärm machte es leichter, mich mit Tina zu unterhalten. Denn das Getöse war das Gegenteil von bedeutungsschwerer Stille. Hier konnten wir ruhig über ernste Sachen reden; wir würden vor lauter Brummen sowieso die Hälfte von dem, was wir sagten, nicht verstehen.

»Wie sehen es deine Eltern, dass du so weit weg von ihnen lebst?«

Vor lauter Kauen und Rumschauen hatte ich zu lange keine Frage gestellt. Sie war mir zuvorgekommen. Und auch noch mit einer guten Frage. Ich hatte keine Ahnung, wie meine Eltern das sahen. Sie hatten schon vor langer Zeit akzeptiert, dass ich in unserer Familie die Fragen stellte und also über mein Leben keine Antworten erwartet oder gar erwünscht waren, auch nicht von ihnen. Ich vermutete, dass es für meine Eltern keinen Unterschied machte, ob ich in Budapest oder nun in London war. Im Prinzip war das für sie dasselbe: weit weg.

»Meine Eltern verstehen es, dass ich weggehen musste. In einem Land ohne Meer sind die Arbeitsmöglichkeiten begrenzt für einen Assistenzarzt, der sich auf Seekrankheiten spezialisieren will.«

Tina sah mich prüfend an, aber ich war mir sicher, sie konnte in meinem Gesicht keine Ironie finden.

Ich schaute nach links, auf die Klotür, weil ich schon seit längerem spürte, dass von rechts jemand zu uns hinüberstarrte. Weil ich aber so demonstrativ nach links sah und Tina in diesem Moment der Verlegenheit auf keinen Fall mich ansehen wollte, starrte sie nach rechts. Das war das Signal, auf das er gewartet hatte.

Er stellte sein Bier auf unseren Tisch, wie um zu demonstrieren, dass er es ernst meinte; so schnell würde er nicht wieder gehen. Dann erst sagte er Hallo. Er war der erste Engländer, den ich kennen lernte.

Natürlich waren Doktor Mukherjee und seine Familie auch Engländer, aber sie zählten in diesem Punkt nicht. Ich hatte sie ja nicht kennen gelernt, wir waren zwangsweise zusammengekommen.

Er hieß Jason und trug wie alle jüngeren Engländer, die ich bislang gesehen hatte, sein Hemd aus der Hose zum Zeichen, dass er nicht in der Arbeit, sondern in der Freizeit war. Scharf gebügelt war es trotzdem. Er bestand, kaum hatten wir auch Hallo gesagt, darauf uns ein neues Bier zu kaufen. Dabei hatten wir die Gläser noch halb voll.

Er war zu beflissen. Er rannte beinahe, als er mit den neuen Bieren von der Bar zurückkam, und verschüttete deshalb etliches.

»So. Wo seid ihr Kerle her?«

»Ungarn«, sagte Tina, weil sie offensichtlich nicht Deutschland sagen wollte.

»Oh, lustig, du klingst, als hättest du einen deutschen Akzent.«

Es tat mir weh, weil ich ahnte, wie sehr die Feststellung Tina schmerzen würde.

»Ja, ich bin Deutsche. Aber Zoli ist aus Ungarn.«

»Verstanden.« Jason nickte. »Ich bin leider nur ein gewöhnlicher Londoner.« Er klang wie die Meinungsartikel im *Daily Telegraph*: sehr selbstironisch, sehr britisch. »Aber ich nehme an, das ist heutzutage eine ganz normale Londoner Runde: ein Ungar, eine Deutsche, eine Australierin, und dank der Quotenreglung zur Schutz der englischen Minderheit in England darf ich auch noch dabeisitzen.« Da kapierten Tina und ich, dass das Mädchen, das von der Toilette kam, zu Jason gehörte. Der Spruch mit dem Ungar, der Deutschen und der Australierin war offenbar seine Art, sie vorzustellen.

»Kate!« Er rief sie zu uns herüber.

Sie war eine Frau mit breiten Schultern und schweren Knochen und ganz offensichtlich der Grund, warum Jason sich zu uns an den Tisch gesetzt hatte. Alleine mit ihr zu reden war ihm zu mühsam geworden.

Sie hatten sich vor zwei Jahren kennengelernt, als Jason in Australien Urlaub machte und eines Morgens in Brisbane neben einer Frau aufwachte, die er eine Stunde später beim Abschied fragte: »Es war sehr nett mit dir, wie heißt du eigentlich?« Seitdem hatten sie sich ab und an E-Mails geschrieben, und nun war Kate auf Europareise und wohnte eine Woche bei Jason. »Wenn sie gewusst hätte, wie ich heute aussehe, wäre sie nicht gekommen.« Wir lachten alle über seine vermeintlichen selbstironischen Übertreibungen. Aber natürlich wusste jeder von uns, dass es wahr war: dass es eine Idiotie war, sich für eine Woche einander aufzuhalsen, wenn alles, was sie verband, eine durchzechte Nacht und ein paar atemlose E-Mails waren. Sie wussten nicht mehr, worüber reden. Tina und ich sollten ihr Missverständnis nun ausbaden.

Ich schien es leichter zu nehmen als Tina. Sie war sofort in die Defensive gegangen, vielleicht war es auch nur die Tatsache, dass Jason sie als Deutsche geoutet hatte, die sie aus dem Takt gebracht hatte. Ich war jedenfalls in einer Rolle, die ich in London nie erwartet hätte und die mich deshalb umso stolzer machte. Ich hielt das Gespräch am Laufen und die Gruppe zusammen; ein Engländer, ein echter Engländer, baute auf mich, dass ich seinen Nachmittag rettete.

Im Hinterkopf fragte ich mich selber, ob das tatsächlich ich war, der enthusiastisch Fragen stellte, neue Themen ins Gespräch brachte, sogar vereinzelt seine Meinung äußerte. Es war, als ob ich mich an der Unsicherheit der anderen drei berauschte. Je mehr ich ihr Unbehagen wahrnahm, desto sicherer wurde ich.

Die Musik spielte *Hello!* von den *Cars*, das kannte ich, weshalb ich an *The Beautiful South* denken musste; eine andere englischsprachige Gruppe, die ich kannte.

»Wie findet ihr die Texte von *The Beautiful South*?«, warf ich, wie es nun meine Art als Talkmaster war, einfach in die Runde. Mit Timea hatte ich in Budapest Stunden vor ihrem Kassettenrekorder verbracht, wir hatten ihre Lieder gehört, die Texte gelesen und versucht, sie zu interpretieren. *The Beautiful South* waren für uns England. Süßliche Musik mit bitteren Texten.

Oh Shirley, Oh Deborah, Oh Julie, Oh Jane
I wrote so many songs about you

ging der Refrain in *Song For Whoever*, aber dann:

I forget your name (I forget your name)

Die Ironie verstand außer uns niemand in Ungarn, glaubten Timea und ich. In England dagegen, so hörte man in Budapest, waren *The Beautiful South* Helden, mehr noch als Sir James Clark Ross und die Seeforscher.

»Was meinst du mit: Wie wir die Texte finden?«, fragte Jason zurück, und die Art, wie er *Texte* betonte, ließ mich ahnen, dass er mit meiner Frage nicht zufrieden war. *Texte.* Er sagte es so aggressiv.

»Na, die Ironie in ihren Texten.«

»Hölle, die *Ironie* in ihren Texten!« Er betonte Ironie noch schlimmer als zuvor Texte. »Junge, ihr seid Klasse im Ausland, und ich wünsche euch alles Gute. Aber ihr müsst nicht jede *fuckin'* Zeile von englischen Popstars interpretieren, als ob die Kerle darin die Heilige Botschaft oder zumindest ihren unheiligen Hintern versteckt hätten. Soll ich dir was verraten?« Er beugte sich vor, bekam Falten auf der Stirn und sah mir streng in die Augen. »*Oasis* zum Beispiel: Die haben den Tieren im Zoo beim Sex zugehört und mit diesen Affen-Lauten ihre Texte bestückt.«

Doch ich war in Kämpferlaune.

»Ich würde gerne mal dahin fahren, wo *The Beautiful South* herkommen, nach Hull.«

»Hull?! Nach Hull?!?« Jason spuckte es aus. »Junge, du hast Ideen, du gefällst mir. Nach Hull! Von da ist es nur noch ein Buchstabe nach *Hell*.« Er wurde langsamer, ernster. »Kein Mensch fährt nach Nordengland. Dort halten sie Gemüse für lebensgefährlich und die Oboe für eine Urlaubsinsel.«

Schnell lenkte ich das Gespräch in eine geographisch sichere Gegend. London. Über London konnte man stundenlang reden, und wenn es immer wieder nur dasselbe war.

In London halten sie Cappuccino-Trinken für eine intellektuelle Tätigkeit, sagte Jason.

In London fangen sie ständig mit Hitler an, sagte Tina.

In London sind mehr Australier als in Brisbane, sagte Kate.

In London gibt es das National Maritime Museum mit konservierten Fischen wie dem Rosigen Glasgrundel oder dem Seepapagei, sagte ich.

In London gebe es Ungarn, die ihm Spaß machten, schloss Jason. »Ich meine, schaut euch New York an«, fuhr er fort, »die Leute tragen den Stolz auf ihre Stadt vor sich her, dass es unerträglich ist. Die laufen auf der Straße rum, als erwarteten sie, gleich gefilmt zu werden. London hat das nicht nötig. Wir

Londoner reden offen schlecht über unsere Stadt; weil wir wissen, dass sie so gut ist, dass sie das aushält.«

Darauf konnten wir uns alle einigen, selbst Tina, die London doch hasste – und diese Situation mit Jason und der Australierin am Tisch vielleicht auch. Jedenfalls trank sie schon längst nicht mehr, sondern setzte das Bierglas nur an den Mund und dann wieder ab.

»Wir müssen, glaube ich, gehen«, sagte ich. Für einen Moment dachte ich, wieder einmal in Tina verliebt zu sein, so unendlich dankbar sah sie mich an. Jason, der erste Engländer, gab mir seine Visitenkarte. *Beleuchter* stand darauf. »Filmproduktion«, sagte er. »Ruf mal an, dann machen wir wieder was.«

»Ja, genau«, sagte ich und glaubte bereits zu wissen, was man in England machte: auf keinen Fall anrufen.

»Ich könnte dir meine Wohnung zeigen, sie ist gar nicht so weit von hier«, schlug Tina vor, als wir in der feuchten Kälte vor dem Pub standen. Wir wussten beide genau, was sie meinte. Doch trotz – oder gerade wegen – unserer stürmischen und sehr direkten ersten Nacht konnte das nicht anders – nur so dezent – gesagt werden.

»O ja, deine Wohnung würde mich interessieren.«

Wir brauchten zehn Minuten zu Fuß, mehr als eine halbe Stunde mit der U-Bahn nach West Hampstead und nochmal zwanzig Minuten mit dem Bus.

»Ganz schön nah, deine Wohnung«, sagte ich.

»Ja, aber in London fahren Bus und Bahn so langsam.«

Da hatte ich zum ersten Mal den Verdacht, dass wir ein Paar waren: Wir trauten uns, kleine Scherze zu machen, weil wir uns sicher waren, der andere würde sie verstehen. Ich überlegte, ob ich mich gegen dieses Gefühl, ein Paar zu sein, stärker wehren sollte, und entschied, darüber morgen nachzudenken.

Zehn

Nach und nach verwandelte ich mich in eine Ratte. »Denn sie haben, was wir uns alle wünschen, mehrere Leben«, hatte Doktor Mukherjee gesagt: »Ein behütetes, hier in der Küche, wo sie alles von mir kriegen, und ein unbekanntes, wildes, im Dunkeln des Küchenuntergrunds.«

Ich führte auf einmal eine Vielzahl von Leben, und wie die Royalen Ratten hinter unserer Küchenleiste hielt ich dabei das Wichtigste ein: Meine Leben waren geheim.

Ich war Assistenzarzt in der Allgemeinpraxis von Doktor Prahlad Mukherjee in der Kingsley Road, Hounslow. Ich war der Freund von Tina. Ich war jeden Freitag mit Thomas im Southern Star. Ich war am Telefon mit meinem Vater der Pfleger von verletzten Tierversuchsratten in der Rettungsstation Bognor Regis. Ich war in Gedanken auf dem besten Weg, ein Engländer zu werden und manchmal sogar schon so weit: Dann sah ich mich als Forscher des Royal Institut of Oceanography in Southampton, dem Großen Leierfisch auf der Spur. Und niemand wusste von irgendwas: kein Patient in der Praxis, dass ich in Wirklichkeit das Au-pair-Mädchen war. Kein Mädchen im Southern Star, dass Tina meine Freundin war. Tina nicht, dass ich noch ins Southern Star ging. Mein Vater und auch sonst niemand in Ungarn, was ich in London machte. Und ich nicht, ob meine Träume jemals wahr werden würden.

Doch das war mir egal. Ich war glücklich genug mit meinen geheimen Leben und London auf ewig dankbar, dass ich sie führen konnte. Nur in dieser Stadt, in der man ohne Schwierigkeiten allein sein durfte, schien es mir möglich, ungestört so viele unbekannte Leben zu leben, wie man nur wollte. Ich hatte Städte schon immer leichter geliebt als Menschen, Kosice, weil es sich auf dem Fahrplan am Bahnhof in Miskolc so aufregend las, Sunderland, weil ich es auf der Landkarte in England und am Meer fand, Budapest, bevor ich zum ersten Mal dorthin kam; London war die erste Stadt, die mir ihre Liebe zurückgab. Wenn es in Ungarn schüttete, bekam ich immer schlechte Laune – in London ging ich weiter fröhlich durch den Regen, manchmal nahm ich ihn nicht einmal wahr: Die Stadt strahlte so viel Energie aus.

»Du bist verrückt«, sagte Tina, als ich versuchte, ihr zu erklären, dass mich London liebte. »Komm zurück ins Bett.« Dort versuchte sie mir den Gedanken auszutreiben, dass mich jemand anderes so liebte wie sie.

Ich übernachtete nun oft bei ihr in West Hampstead. Morgens nahm ich dann die U-Bahn nach Hammersmith und wartete dort auf Doktor Mukherjee. Ich fuhr immer viel zu früh von Tinas Wohnung los. Denn ich genoss diese Fahrten; das Gefühl, unterwegs zu sein zwischen verschiedenen Leben. In Hammersmith wartete ich am Bahnsteig der Piccadilly Line, Westbound Service, manchmal war ich schon um sieben da, obwohl ich wusste, Doktor Mukherjee würde erst um 8.10 Uhr kommen. Doch es war phantastisch, auf ihn zu warten. Ich sah zu, wie die Menge der Pendler immer dichter, immer abgekämpfter wurde, ich entwickelte meine Theorie, dass die munteren Engländer die U-Bahn immer vor acht nahmen. Wer danach kam, den hatte der Gedanke an die Arbeit schon entkräftet. In dieser Masse der Blassen, Müden fiel jedes Mal das angedeutete Lächeln auf, mit dem mich Doktor Mukherjee begrüßte. Deshalb war es besser, auf ihn zu warten, als mit ihm von der Doneraile Street aufzubrechen: Nun hatte ich das Gefühl, als wären wir richtige Kollegen, die sich zur gemeinsamen Fahrt in die Arbeit trafen; vorher war es so gewesen, als nehme mich Doktor Mukherjee gnädigerweise mit wie einen Praktikanten.

Er fragte nie, bei wem ich übernachtet hatte. Er machte nur einige Andeutungen.

»Als ich so jung war wie du, hatte ich auch so viele englische Mädchen.«

»Ich habe doch nicht viele!«

»Sind sie noch immer so stürmisch? Sie ließen mir meist noch nicht einmal Zeit, die Socken auszuziehen; ich kam mir lächerlich vor, so nackt, aber mit Socken.«

Ich lächelte; nicht unbedingt, weil ich seine Erzählungen lustig fand, sondern weil ich ihn mochte. Wir waren nun so vertraut, dass wir über den anderen voller Zuneigung lächeln konnten, egal, was er tat oder sagte. Ich hätte gesagt: Wir waren Freunde. Aber vor Doktor Mukherjee konnte ich das natürlich nicht aussprechen. Als Assistenzarzt standen mir solche Urteile nicht zu.

Meine Arbeit hatte ich im Griff.

Ich war mittlerweile über fünf Monate in der Praxis und wusste, was zu tun war: Morgens gleich einmal den Patienten im Wartezimmer sagen, dass es dauern würde. Beim Blutabnehmen die Spritze schön flach ansetzen, bevor ich sie in die Ader stieß. Nicht darauf eingehen, wenn mich die Patienten in eine Diskussion über Pakistan verwickeln wollten.

»Du weißt nicht genug«, sagte Doktor Mukherjee. »Sie wollen dich testen, ob du tatsächlich fest auf indischer Seite stehst. Aber wenn du versuchst, was zu entgegnen, geht das nur schief, also gehe besser einfach höflich über ihr Gerede hinweg.«

Mit der Sprechstundenhilfe, Frau Chaudhary, wurde ich nicht richtig warm, Doktor Mukherjee behauptete, das liege daran, dass ich zu propakistanisch wirke. »Du hast dich durch irgendetwas verraten, mein Au-pair-Mädchen. Bitte, pass in Zukunft besser auf.« Ich wusste es allerdings besser. Frau Chaudhary war wie Doktor Mukherjees Frau Karen eifersüchtig auf mich. Ich genoss ihren Neid. Er war für mich der beste Beweis, wie sehr Doktor Mukherjee mich mochte.

Weil ich glücklich war, brauchte ich kaum Schlaf. Ich war nachts bei Tina oder streifte durch West-London. Kaluembi, bufo bufo und einige andere brasilianische Freundinnen arbeiteten als Bedienungen im Starbucks Café auf der Fulham Road. Das Café machte schon um 19 Uhr zu, dann konnte ich kommen. Die Mädchen räumten auf, und ich aß, was sie mir umsonst gaben – die übrig gebliebenen Sandwichs, manchmal auch vier Chocolate brownies. Kaluembi und bufo bufo sorgten rührend für mich. Sie schienen beide Mitleid mit mir zu haben, weil sie mich damals gezwungen hatten, die Nacht mit bufo bufo statt Kaluembi zu verbringen.

Wenn die englische Chefin des Cafés mit der Kasse gegangen war, schlossen wir uns ein, machten die Musik an und hingen träge in den weichen purpurfarbenen Samtsesseln. Die Beine streckten wir wie Affen über die Lehnen. Das genügte uns. Geredet wurde wenig, weil Englisch für die Brasilianerinnen anstrengend war. Sie waren alle Sprachschülerinnen. Und keine ging mehr in die Sprachschule.

»Es ist so langweilig. Relativsätze: *If I were a building, I would be a skyscraper*«, sagte Kaluembi.

»Oder: *If I were a work of art, would I be a graffiti or the Mona Lisa?*«, pflichtete ihr ihre Freundin Sinara bei, die mit einem Löffel ihren selbstkreierten Lieblingstrunk trank: *Cream with Chocolate*. Eine Tasse voller Sahne mit ein wenig Trinkschokolade.

»Außerdem habe ich keine Zeit, in die Schule zu gehen«, sagte Kaluembi. »Ich muss Geld verdienen. London ist so teuer.«

Soweit ich wusste, kamen sie alle aus reichen, gebildeten Familien. Kaluembis Vater war Leiter eines Krankenhauses, Sinaras Mutter war Bankmanagerin, der Vater Universitätsprofessor, bufo bufos Eltern hatten die größte Schweinefarm im ganzen Nordosten Brasiliens. Doch es machte ihnen nichts aus, in London wie die Ärmsten zu leben; zu viert in einem vergammelten Zimmer und von 4,50 Pfund Stundenlohn. Im

Gegenteil, die brüchige Wohnung und die schlechte Arbeit waren ihr Alibi, dass sie hier unbeschwert sein durften. Es gab einfach nichts, um das sie sich hätten sorgen müssen.

Von draußen schauten oft die Engländer überrascht in das geschlossene, aber offensichtlich noch bestens besuchte Café. Manchmal, aber das war selten, denn dafür waren sie eigentlich zu sehr darauf bedacht, nicht aufzufallen, presste ein Engländer sein Gesicht an den riesigen Fensterscheiben platt, um genau zu sehen, was drinnen vor sich ging. Einmal war einer sogar gegen die Türscheibe geknallt, in der festen Überzeugung, wir hätten noch geöffnet. Wenn uns die Aufmerksamkeit zu unheimlich wurde, räumten wir das Café, packten die restlichen Sandwichs und ein paar von den süßen Teilen ein und zogen los, um Tauschhandel zu betreiben. Schräg gegenüber war eine Take-away-Pizzeria, dort bekamen wir von den ungarischen Pizzajungen für unsere Geröstetes-Gemüse-Baguettes oder Huhn-mit-Zitrone-Sandwichs eine Margarita und Napolitana. Ich hatte Kaluembi gesagt, die Auslieferer seien alles Italiener, und hielt mich immer ganz hinten, damit mich keiner der ungarischen Jungen ansprach. Ich hörte ihnen gerne zu in ihrem Akzent, der tatsächlich sehr sanft, sehr liebenswert war. Doch ich wollte nicht mit ihnen reden. Dabei war ich nicht wie Tina, die ihre Landsleute nicht sehen wollte. Ich wollte nur meine Brasilianerinnen für mich alleine haben. Später, wenn noch Speck-mit-Tomate-und-Salat-Sandwichs oder Pistazien-Schokoladen-Kringel übrig waren, gingen wir ins *Il Friaul*, eine italienische Bar mit einem argentinischen und einem portugiesischen Barjungen, und tauschten uns zu einem exzellenten Wechselkurs ein paar Bier ein. Für zwei Sandwichs bekamen wir vier oder fünf Bier, je nachdem, ob wir zu viert oder fünft waren. Die Barjungen waren sehr großzügig; der Besitzer war nie da, und sie hatten immer Hunger.

Ich hatte längst aufgehört, mich darüber zu wundern, dass ich nur Ausländer traf. Denn dies war unsere Stadt. London, Ausland. Die Heimat der Heimatlosen. Wir alle waren aus den verschiedensten Gründen hier und doch alle aus dem einem: weil wir *nicht* zu Hause sein wollten. Wir liebten das Gefühl, ein Fremder zu sein – und fürchteten das Gefühl, einsam zu bleiben. Deshalb rotteten wir uns in London zusammen, in einer geheimen parallelen Welt, die kein Engländer kannte.

Ich persönlich war traurig, dass ich in England war und quasi niemals Engländer traf. Aber ich tröstete mich damit, dass dies vielleicht besser so war. Solange ich sie nicht kennen lernte, konnte ich mir meine Meinung erhalten, die Engländer seien gebildet, charmant, nachahmenswert.

Wenn wir im Southern Star an der Bar standen, gab es selten ein anderes Thema: Wir rätselten über das Wesen der Engländer.

»Habt ihr letztens den Engländer im Fußballstadion in Glasgow gesehen?«, fragte Thomas. Wir waren zu viert. Thomas hatte noch einen griechischen Kumpel dabei, der aussah wie John Travolta und den wir daher John Travolta nannten, sowie Frederic, einen Franzosen, der immer Hawaii-Hemden trug. Wir warteten, dass Thomas seine Frage selbst beantworten würde. Als von ihm aber nichts mehr kam außer ein Gegurgel mit seinem Bier, fragte John Travolta: »Du meinst David Beckham?«

»Nein, den Nackten.«

Wir sahen Thomas an; nun musste er weiterreden, denn darauf wussten wir wirklich nichts zu sagen.

»Ich habe den ganzen Nachmittag darüber nachgedacht, und ich glaube, der Kerl hätte eine Riesenkarriere vor sich, wenn man ihn richtig vermarkten würde. Auftritte in Bangkok bei einem *Backstreetboys*-Konzert, in Australien während eines Cricket-Testmatchs, in Budapest, Zoli, dir gewidmet, beim Formel-eins-Rennen auf dem Hungaroring, und der Knüller wäre natürlich: im Petersdom in Rom, während der Weihnachtsmesse mit dem Papst.« Der Gedanke löste bei Thomas einen Lachkrampf aus. Wir anderen drei sahen uns verständnislos an.

»*Bloody bollocks*«, sagte Frederic, der wie die meisten von uns Auslandslondoner eine Schwäche für englische Schimpfwörter hatte. Er hatte die Wirkung seiner abschätzigen Worte richtig eingeschätzt: Sie brachten Thomas erst recht in Fahrt. Er redete von einem Mann namens Mark Roberts, der nichts anderes tat als jeden Freitag etliche Gäste des Southern Star auf der Bühne: Er zog sich aus. Bloß Roberts tat es vor 70 000 in Fußballstadien oder beim Tennisturnier von Wimbledon. Er war gut präpariert, trug nur Kleidung mit Klettverschlüssen, die er ruckzuck ablegen konnte, und ehe die Zuschauer neben ihm staunen konnten, rannte er nackt los, von der Tribüne hinunter quer über den Rasen. Einmal war es ein Golfrasen gewesen, deshalb hatte er sich eine Botschaft auf den Rücken geschrieben: *19. Loch.* Und ein Pfeil zeigte auf seinen Hintern.

Er war ein *streaker*. Ein Flitzer. Ein Held in England.

»Ihr habt ja keine Ahnung, ihr Törtchen«, fand Thomas. »Was meint ihr, wenn ich den Kerl erst vermarkte: ein Riesenpotenzial. Für seinen Hintern könnten wir 100 000 Pfund verlangen.«

»*Bollocks, mate.*«

»Als Werbefläche, Mann!«

»*Blimey*! Das wäre in der Tat was.«

»Aber vergesst Bangkok und Budapest. Das würde nur national funktionieren. Wer außer den Engländern findet es lustig, dass jemand mit seinem wackelnden Hintern und fliegendem Geschlecht ohne Grund über einen Sportplatz rennt? Wo ist die Ästhetik?«

»Die Engländer haben sie nicht mehr alle, Mann.«

»Hast du überhaupt schon mal versucht, nackt zu rennen?«

»Ich habe letztens das Buch von dem Engländer gelesen, der die Barings Bank hopsgehen ließ; freitags ist der nach der Arbeit immer in eine Kneipe, hat den Mädchen, die an der Bar saßen, von hinten auf die linke Schulter getippt – und auf die rechte dann seinen Penis gelegt.«

»Und der Queen erzählt niemand was davon.«

»Diese Woche haben englische Forscher den Alternativen Nobelpreis gewonnen: für ihre Studie, wie sich das Verhalten von Austern bei der Paarung verändert, falls sie unter der Beobachtung von Menschen stehen.«

»Ja, würdest du dich etwa nicht anders verhalten, wenn bei deiner Paarung ein englischer Nackter vorbeiflitzt?!«

Uns gingen die Themen nie aus. Die Engländer waren voller Schrullen und Mysterien, und wenn wir eine Neuigkeit entdeckt hatten, zerlegten wir sie in alle Einzelheiten: »Der Engländer, der in Leeds nachts ins Freibad kletterte und vom Fünf-Meter-Turm ins leere Becken sprang, soll schon als Kind komisch gewesen sein, zum Beispiel sei er immer mit einer rot-weiß-rot gestreiften Bademütze geschwommen, stand in der Zeitung.« Wir prüften die Geschichten auf Herz und Nieren: »Ich glaube, es hätte ihn nicht gerettet, selbst wenn er bei seinem Todessprung eine grünweiße Badekappe aufgehabt hätte.« Wir spannen sie weiter: »Aber dann hätte am nächsten Tag nicht überall seine Gehirnmasse im Becken geklebt, sondern wäre schön säuberlich in der Mütze hängen geblieben.« Und brachten sie auf den Punkt: »Dann hätte es aber nicht in der Zeitung gestanden.«

Manchmal stupste ich diese Gespräche an, die meiste Zeit allerdings hörte ich nur zu. Ich wusste, ich konnte sowieso nicht mithalten. Dann wartete ich einfach, bis die Band AC/DC spielte, Thomas und die anderen von den Engländern abließen und wir wie verrückt tanzten: Thomas stand auf dem Fleck, ohne die Beine zu bewegen, wippte mit dem Oberkörper vor und zurück, die Augen geschlossen, die Arme angewinkel und die Fäuste geballt, wie ein Fußballer beim Torjubel. Frederic rockte mit ausgebreiteten Armen und herausgestreckter Brust, um seinem Hawaii-Hemd maximale Geltung zu verschaffen; John Travolta tanzte wie in *Pulp Fiction*. Wir waren alles, was sich die Jugendlichen in Ungarn *nicht* unter London vorstellten. Zusammengefasst: Wir waren uncool.

Wir kannten Soho, Hoxton, Clerkenwell, all die *trendy places* der Innenstadt noch nicht einmal bei Tageslicht, schon gar keine schicken Nachtklubs – und die eleganten Londoner Mädchen allenfalls aus den Boulevardzeitungen, die im Starbucks Café herumlagen. Wir tanzten zu Musik, die wir in Ungarn vor fünfzehn Jahren gehört hatten, in Bars, die in Rumänien oder Finnland als provinziell gegolten hätten. Wir trafen niemanden, mit dem wir über Sir James Clark Ross oder zumindest über das Aussterben des profanen Kabeljaus vor Englands Küsten hätten diskutieren können. Wir waren noch nicht einmal *slackers*, Tagediebe, die das Nichtstun zur Kunst erhoben hatten. Doch wir machten uns deswegen keine Sorgen. Es würde sowieso niemand herausfinden. Es würde *uns* sowieso niemand finden in unserer geheimen Welt.

Sonntags rief dann mein Vater an. Er war ein Mann der Rituale. Er spuckte jedes Mal kräftig ins Loch, bevor er einen Grabstein in der Erde verankerte. Er ging jedes Jahr mit Kossuth Lajos auf das Kaláka Folkfesztivál, auch wenn er Lajos seit dem Streit ums Sterbedatum auf dem Grabstein eigentlich nicht mehr ausstehen konnte; aber er ging sowieso nur, um sich zu bestätigen, dass er ungarische Volksmusik nicht mochte. Er rief immer sonntags an, wenn er vom Trinken an der Tram-Endhaltestelle zurückkam.

»Was machen die Fische, Zoli?«

»Die Ratten, Papa. Du weißt doch, ich bin noch bei diesem Projekt mit den verletzten Tierversuchsratten.«

»Natürlich, Zoli, die röchelnden Ratten.«

»Ich habe noch nichts Definitives gehört. Aber, Papa ...«

»Ja, Zoli?«

»... der Leiter der Station, ein Doktor Thomas Weingarten, ein Deutscher, hat angedeutet, dass mein Jahresvertrag wohl verlängert wird und ich dann auf die Meeresforschungsabteilung darf.«

»Das ist großartig, Zoli, den ganzen Tag im Meer schwimmen, lauter Fische um dich herum.«

Es fiel mir nicht schwer, meinem Vater diese Geschichten aufzubinden. Ich log ihn ja nicht an. Ich träumte nur. Von meiner imaginären Tierrettungsstation in Bognor Regis war es nicht weit zum realen Royal Institut of Oceanography in Southampton, wo sie noch immer Expeditionen ins Polarmeer oder in die Südsee unternahmen, obwohl das Empire untergegangen und Margaret Thatcher schon in Rente war. Ich wusste zwar noch nicht wie, aber irgendwie, irgendwann würde ich den Sprung von Doktor Mukherjees Praxis ins Institut of Oceanography schaffen und meine Historie, wie ich sie gerade für meinen Vater erfand, nur logisch erscheinen. Deshalb log ich ihn nicht an. Ich nahm mir bloß einen kleinen Vorschuss von der Wirklichkeit, die in ein paar Monaten oder Jahren auf mich wartete.

Elf

Im Sonderangebot für 12,99 Pfund kaufte mir Doktor Mukherjee ein Stück silberblau gestreifte Autorität. »Du wirst sehen, das beeindruckt die Patienten«, sagte er. Ich verriet ihm nicht, dass ich gar keine Krawatte binden konnte.

Das erledigte am nächsten Morgen Tina für mich. »Hey, schick siehst du aus«, sagte sie, aber ich war mir nicht sicher. Statt den Bus von ihrer Wohnung zur U-Bahnstation zu nehmen, ging ich zu Fuß; so konnte ich mich in etlichen Fensterscheiben betrachten. Mein blauer Blouson hing schlaf an den Schultern und passte so gar nicht zur steifen Krawatte. Doch die Jacke würde ich in der Praxis ausziehen, beruhigte ich mich. Ich hätte lieber einen weißen Kittel gehabt wie die Ärzte in Ungarn, musste jedoch akzeptieren, dass dies in London nicht möglich war, weil englische Patienten sich vor nichts, aber vor weißen Kitteln fürchteten, wie mir Doktor Mukherjee zum letzten Mal in der Krawattenabteilung erklärt hatte. Tina hatte den Krawattenknoten sehr fest zugezogen, auf der Straße zur U-Bahn zog ich ihn trotzdem noch dreimal nach. Ich wollte die neue Autorität auf keinen Fall verlieren.

Es war ein typischer Londoner Maimorgen, an dem die blauen Flecken am Himmel hoffen ließen, der Tag würde irgendwann schön werden, man wusste nur noch nicht wann. An diesem Morgen hörte ich offiziell auf, Doktor Mukherjee durch meine bloße Anwesenheit zu assistieren. Ich trug jetzt eine Krawatte und somit einen Teil der Verantwortung. Wir teilte die Arbeit neu auf: Er begann, ich vollendete.

»Wir müssen testen, ob genug Eisen vorhanden ist. Bitte mal Blut abnehmen, Zoli«, sagte er, und ich ging mit Frau Veer, einer dicken, unerklärlich, aber dauerhaft lächelnden Inderin hinüber ins Behandlungszimmer 2, wo ich mir sorgfältig die schönste Ader an ihrem linken Unterarm aussuchte und zustach. Ich hatte schon seit einigen Wochen Blut abgenommen, zunächst abends nach Praxisschluss an einem Schaumstoffquadrat, das Doktor Mukherjee mir zum Üben besorgt hatte, dann an Patienten unter Doktor Mukherjees Aufsicht. Nun war die Zeit gekommen, dass ich alleine zurechtkam. Ich wusste, was zu tun war, ich hatte eine Krawatte und wir keine Zeit zu verlieren. Das waren die drei Gründe, warum mich Doktor Mukherjee mehr und mehr selbständig arbeiten ließ.

Er nannte es Selbsthilfe. »Ein Klempner bildet seinen Lehrling auch selber aus; wenn es nicht anders geht, dann muss ich das eben genauso machen.«

Denn England war krank, und es mangelte an Heilern. Man brauchte nur in den *Daily Telegraph* zu schauen, jeden Tag fand ich neue Symptome: Patienten, die sechs Monate auf eine Herzoperation warten mussten und im fünften starben. Krankenhäuser, die Nierenkranke in Rollbetten auf den Fluren parkten, weil die Zimmer allesamt besetzt waren. Britische Medikamentenforscher, die von der Bürokratie gegängelt wurden: Das Innenministerium mahnte Wissenschaftler der Universität Cambridge ab, weil sie Versuchsmäuse mit lauter Musik der Gruppe *The Prodigy* totgeschallt hatten. Dabei waren es wichtige Experimente zur Erforschung der Gehirnkrankheit *Huntingdon's Symptom* gewesen.

In diesem kranken Land wurde unser Wartezimmer nie leer. Die Leute kamen, husteten, röchelten und schlossen die Augen. Dann warteten sie. Jeden Abend um halb sieben mussten Frau Chaudhary und ich mindestens fünf, manchmal auch fünfzehn Leute aus dem Zimmer vertreiben. Frau Chaudhary hatte ihnen zwar schon ein oder zwei Stunden zuvor, als sie kamen, gesagt, dass sie morgen wiederkommen sollten, sie kämen heute nicht mehr dran. Aber die Leute setzten sich einfach ins Wartezimmer, husteten, röchelten, schlossen die Augen. Wir öffneten die Türen. Haus- und Wartezimmertür gleichzeitig. Es gab Durchzug, und wir drohten: »Auf Wiedersehen!« Wenn einer aufgab und ging, und war es noch so lahm und widerspenstig, gingen sie alle. Es war Routine.

»In den anderen Praxen schauen sich die Ärzte die Hälfte ihrer Patienten gar nicht mal an, sondern nur kurz ins Wartezimmer«, schimpfte Doktor Mukherjee. »Und dann verteilen sie einfach Überweisungsscheine. Sie schieben die Leute in die Hospitäler ab, obwohl sie genau wissen, die Krankenhäuser sind noch mehr überlastet, dort werden die Patienten noch länger warten müssen.« Er atmete tief durch. Das Thema ging ihm ans Herz. Denn es war enttäuschte Liebe.

Ich hatte es nie gewagt, ihn darauf anzusprechen, aber ich wusste es von Tina.

»Seine geliebte Maggie hat das Gesundheitssystem kaputtgemacht«, sagte sie. »Sie hat die Privatisierung der besten Hospitale forciert und den staatlichen Krankenhäusern und Praxen rabiat die Subventionen gestrichen, die wurden ausgehungert wie … wie Ratten.« Das Bild und ihre eigene drastische Sprache gefielen ihr: »Als wären es Ratten, hat sie die staatlichen Praxen blutig geschlagen und liegen gelassen.«

»Wer?«

»Margaret Thatcher.«

Das setzte mich umso mehr unter Druck. Seit ich wusste, dass wir die Misere in unserer Praxis Thatcher zu verdanken hatten, wusste ich auch, ich durfte keine wertvolle Sekunde verlieren, ich musste so viele Patienten wie nur irgendwie möglich versorgen. Denn nur wenn wir es schafften, einen guten Standard zu halten, wenn es uns gelang, so wenig wie möglich Patienten unversorgt nach Hause zu schicken, würde Doktor Mukherjee vergessen, dass es Thatcher war, die ihm diesen Notstand aufgebürdet hatte. Ich wusste genau, wie weh es tat, von seinen Helden enttäuscht zu werden. Es zuckte schmerzhaft in meinem Magen, wenn ich daran dachte, dass Sir James Clark Ross in England heute unbekannt war.

Nach einigen Tagen mit meiner neuen Autorität nahm ich die Patienten nicht mehr als Menschen war, sondern nur noch als Krankheit. Was hatten wir hier? Eisenmangel. Blut abnehmen, »wir schicken die Probe ans Labor, sie können in zwei Tagen Frau Chaudhary anrufen, sie wird Ihnen die Ergebnisse sagen und alles Weitere, was zu tun ist«, ich konnte die Sprüche auswendig, ich nahm gar nicht mehr wahr, was ich sagte, ich stellte die Gefühlsmaschine in mir auf Lächeln und gab den Patienten nicht die Hand, sondern legte sie auf ihre Schultern. So konnte ich sie besser zur Tür schieben. Die Krankheit, die ich wirklich und leidenschaftlich bekämpfte, waren nicht die Mineralstoffmängel, Grippen oder Verstauchungen der Patienten, sondern Doktor Mukherjees Liebeskummer. Wir mussten das Wartezimmer leeren. Ich dachte immerzu daran, sodass ich sogar vergaß, mir Sorgen zu machen, ob ich dem Job überhaupt gewachsen war.

Ich spritzte Impfstoffe, ich nahm den Blutdruck, ich schrieb Rezepte.

»Na, Sie sind aber kein richtiger Arzt«, entgegnete mir Herr Swami. Er war schon öfters bei uns gewesen, ein grauhaariger Mann mit langsamen Gesten und einem Rheumatismus im Schulterbereich, gegen den wir nichts mehr machten, nur noch Schmerzmittel verschrieben. Ich erschrak. Er hatte mich durchschaut.

»So schreibt doch kein Arzt.«

Er hielt mit der rechten Hand das Rezept trotz seiner Schulterschmerzen in die Höhe, ich versuchte, es zu lesen.

»So sauber und klar«, sagte er.

»Entschuldigung, aber ich weiß wirklich nicht, was Sie haben.« Mit einem kräftigen Ruck zog ich meinen Krawattenknoten so fest, dass ich kurz aufjapste wie bei einem Schluckauf.

»Werden Sie doch nicht wütend, junger Mann. Ich wollte Sie nicht verletzen, war doch nur ein kleiner Scherz. Sie sind bloß der erste Arzt, der sauber und klar schreibt.« Seine Zähne waren gelb, wegen seines Lachens erschienen sie mir ungepflegt. Als er gegangen war, nahm ich den Terminkalender, den ich immer offen auf dem Schreibtisch liegen hatte, damit es nach was aussah, und machte mir darin in meiner sauberen, klaren Handschrift eine Notiz: *Schlampiger schreiben!*

Eines Mittags, nachdem ich einen verstauchten Knöchel in einen Tapeverband gewickelt hatte, ging ich vom einen in das andere Behandlungszimmer zurück, doch es war leer. Das hatte es in dem halben Jahr, das ich nun hier war, noch nie gegeben. Ich rannte zurück ins andere Zimmer, auch das war leer, natürlich, ich hatte es ja eben verlassen, und dort hindurch in den Flur. Vor Doktor Mukheerjee stand Frau Chaudhary, den Kopf in den Nacken gelegt, um zu ihm aufschauen zu können. Sie redete, besser gesagt: Sie zischte auf ihn ein. Ich verstand kein Wort, daher wusste ich, dass sie über mich redeten. Sie sprachen Hindu. Als sie mich sah, wurde Frau Chaudharys Stimme trotzdem leiser, aber auch eindringlicher. Es war nicht schwer zu kapieren, dass ich in diesem Moment überflüssig war. Doch ich konnte schlecht einfach wieder im Behandlungszimmer verschwinden, ohne etwas getan zu haben. Aber natürlich gab es im Flur nichts zu tun, außer den beiden beim Diskutieren zuzusehen, was ich am wenigsten wollte. Ich blieb stehen, wo ich war, und um mich am Umgucken zu hindern, konzentrierte ich mich darauf zu riechen. Es roch nach Alter: säuerlich, penetrant, wie in einer Kiste mit feuchten Kleidern, die seit Jahren nicht trocken werden.
»Miss Chaudhary, now stop it, please!«, zischte Doktor Mukherjee, und der Fakt, dass er ins Englische wechselte, bedeutete, dass jetzt tatsächlich Schluss war.

»Weiter geht's«, sagte er, nun schon zu mir, während wir ins Behandlungszimmer 1 zurückkehrten, Frau Chaudhary hinter uns ließen.

Ich sagte nichts. Denn Schweigen ist die beste Frage, um etwas herauszufinden. Schon fing Doktor Mukherjee an, mir zu antworten.

»Gib nichts darauf, mein Au-pair-Mädchen. Es sind arrogante Kleinkrämerseelen, die sich selbst einzureden versuchen, sie seien noch immer mächtig wie früher in Uganda. Sie halten sich für was Besseres, was glauben sie überhaupt: dass die Engländer zwischen ihnen und einem Pakistani unterscheiden könnten?! Eine lächerliche Idee.«

Ich musste noch ein wenig weiterschweigen, damit Doktor Mukherjee mit der ganzen Wahrheit herausrückte.

Tatsächlich hatte ich den Vorfall schon wieder verdrängt, als wir am Abend in einem fast leeren U-Bahn-Abteil nach Hause ratterten. Ich träumte glücklich vor mich hin, davon, dass Timea und ich den Aggtelek-Nationalpark leiten würden, in der nächsten Sekunde von Thomas und lauter Musik im *Kangaroo*, einer australischen Bar, die wir in Acton entdeckt hatten. Aber Doktor Mukherjee kam es vor, als wäre mein Schweigen noch immer eine Frage an ihn.

»Okay, Zoli«, seufzte er. »Ich erzähl dir alles.«

Herr Swami, mit seinen langsamen Gesten und dem angeblich schrecklichen Rheumatismus, hatte sich bei Frau Chaudhary über mich mokiert. Und er war nicht der Erste gewesen. Wie Doktor Mukherjee nur konnte: einen *goreh* einzustellen. Ich wusste nicht genau, was ein *goreh* war, aber ahnte es und auch, dass ich es gar nicht so genau wissen wollte. Im besten Fall, vermutete ich, bedeutete es ganz neutral: Weißer.

Wie er nur konnte: einen *goreh* einzustellen, der noch schlechter Englisch rede als ein Pakistani.

Man hatte Doktor Mukherjee viel Vertrauen entgegengebracht, obwohl er direkt aus Indien kam; aber wenn Swami jetzt darüber nachdachte, dann hätte er es natürlich wissen müssen: dass er irgendwann von Doktor Mukherjee enttäuscht werden würde.

Sich von einem *goreh* behandeln lassen zu müssen! Und war nicht unlängst sogar schon ein pakistanischer Patient in der Praxis gewesen?

Frau Chaudhary hatte gekämpft. Sie hatte für Doktor Mukherjee, für uns, gelogen. Aber sie konnte nicht mehr.

Doktor Mukherjee klang nicht müde. Er klang besiegt, als er von dem Gespräch mit seiner Sprechstundengehilfin erzählte. Ich hatte mich in Hammersmith von ihm verabschieden und zu Tina fahren wollen. Aber ich traute mich nicht mehr. Ihn jetzt alleine zu lassen hätte bedeutet, ihn zu verstoßen.

Ich ging neben ihm her, die lange Fulham Palace Road hinunter, im permanenten Schlangengang, um den anderen Passanten auszuweichen. Herumfliegende Plastiktüten wehten uns um die Füße, in den billigen Fastfoodrestaurants saßen nur die Bedienungen an den Tischen und schauten herablassend aus den Fenstern, als wollten sie uns sagen: Wir wissen, dass unser Essen miserabel ist; aber wenn ihr auf dieser Straße herumlauft, seid ihr nicht besser. Als er fertig erzählt hatte, wusste ich die ganze Wahrheit: Ich hatte immer wie Doktor Mukherjee sein wollen. Dabei war er wie ich.

Trotz seiner englischen Manieren, seines englischen Essensgeschmacks, seiner englischen Frau, trotz seines englischen Geschichtsbewusstseins, seiner überlasteten englischen Praxis, seines englischen Passes; trotz Margaret Thatcher war Doktor Mukherjee auch nur einer von *uns*. Den Heimatlosen. Nur in unserem geheimen Leben, das ich mit ihm auf den U-Bahn-Fahrten teilte, sowie abends bei den Ratten war Doktor Mukherjee ein echter, ein vorbildlicher Engländer. Er war einer von *ihnen*, wenn er für mich in der Küche über die Pracht des Victoria & Albert Museums und die Wucht von Thatchers Handtasche referierte oder auch nur über die Schönheit des

Londoners Regens. »So fein, so sanft, als würde eine Kinderhand im Baumwollhandschuh dich leise streifen«, sagte Doktor Mukherjee. Doch im wahren Leben, im London der Engländer, war er nach dreißig Jahren immer noch ein Ausländer geblieben. Er hatte zu ihnen trotz seiner Frau nicht mehr Kontakt als Tina oder ich. Kein schwarzer und kaum ein weißer Brite kam in seine Praxis. Ich hatte geglaubt, das mache ihm wenig aus, weil er fest in der indischen Gemeinde verwurzelt sei. Tatsächlich gaben ihm die indischen Patienten, die kamen, kein Gemeinschaftsgefühl. Sie grenzten ihn mehr aus als die Weißen und Schwarzen, die nicht kamen. Sie behandelten ihn wie einen Bediensteten. Denn das war die Art, mit Leuten umzugehen, die sie gelernt hatten.

Sie waren Inder, ohne Indien zu kennen. Ihre Großväter oder Eltern waren von den Briten aus Asien nach Uganda und Kenia geschickt worden, um die afrikanischen Kolonien zu bewirtschaften und kontrollieren. Als die Kolonien zerfielen, waren sie nach England geflohen. Sie fingen einfach wieder von vorne an, zu arbeiten, Geschäfte und Firmen aufzubauen. Sie waren nun in einem anderen Land, aber mit derselben Einstellung: Sie waren das Empire. Sie hatten zwar keine Afrikaner mehr zum Rumkommandieren, aber Inder. Inder aus Indien. Indische Inder.

Ich versuchte Doktor Mukherjee so gut es ging zu folgen, was nicht so einfach war, sowohl geistig als auch physisch. Denn er ging immer schneller, je mehr er sich in seine Wut auf die Uganda-Inder steigerte, und je schneller er ging, desto kurzatmiger, also abgehackter redete er. Ich fand das alles nicht sehr logisch. Uganda-Inder, Indien-Inder. Aber mich faszinierte ihre Verbohrtheit.

»Ignorier sie einfach, Zoli. Nimm ihr arrogantes Lächeln nicht wahr, ihre herablassenden Bemerkungen. Wenn sie zu blöd werden, verschreib ihnen Lactulose.« Das kannte ich: ein überwältigendes Medikament.

»Sie werden auf dem Klo sitzen, bah, sie werden das Klo gar nicht mehr erreichen können, und deine Lactulose wird ihre verdammten ugandischen Därme entleeren und entleeren und entleeren, mein Au-pair-Mädchen.« So gefiel sich Doktor Mukherjee. Es machte ihm bessere Laune, wenn er sich derb daherreden hörte, und als wir den lauten, schmutzigen Norden der Fulham Palace Road mit den unrenovierten Häusern und verstoßenen Restaurants hinter uns gelassen hatten, redete er schon wieder über die schönen Aussichten des Abends.

»Die Ratten können ein Bad vertragen. Das gibt uns mindestens eine halbe Stunde ungestört in der Küche.«

Doch Swami kam zurück. Ich hörte ihn durch die Wand meines Behandlungszimmers. Da wusste ich zwar noch nicht, dass er es war. Ich ließ jedoch instinktiv schon einmal von Herrn Neels rechter Achselhöhle ab und den monströsen eitrigen Flecken, die sich dort eingenistet hatten.

»Was geht dort draußen vor sich?«, fragte Neel in dem chronisch viel zu geschäftig, viel zu aufgeregt klingenden Akzent, von dem ich glaubte, dass ich ihn mittlerweile imitieren konnte. Ich hörte ihn schließlich den ganzen Tag in der Klinik. Neel war ein klappriger, alter Mann, dem die Haare wie Petersilie aus den Ohren wuchsen und bei dem man vermutlich einfach mal die Wohnung gründlich vom Ungeziefer reinigen musste, statt alle zwei Wochen wieder Cortisonsalben zu verschreiben.

»Ich verschreibe Ihnen eine Cortisonsalbe, Herr Neel, und dann schauen wir mal nach, was da draußen los ist.« Aber dazu kamen wir nicht.

Sie kamen zu uns.

Swami vorneweg, den linken Arm in der Luft, unbeweglich wie ein Statue, weil er mit seiner schmerzenden Schulter für jede Geste unendlich viel Zeit brauchte. Frau Chaudhary war hintendran. »Herr Swami, bitte. Bitte! Herr Swami, bitte!« Es war ihr anzusehen, dass sie bereit war, über sich hinauszuwachsen, etwas zu tun, was sie nie getan hatte. Ihre Fäuste waren geballt. Sie wusste bloß noch nicht, was sie tun sollte. Doktor Mukherjee kam von der anderen Seite, aus dem Behandlungszimmer 2. Er riss die Tür stürmisch auf, einen angstvollen Blick im Gesicht und die Klinke noch in der Hand. So standen sie da, für einen Moment bewegungslos. Der Anblick von Neels bloßer, behaarter, aber gleichwohl zusammengefallener Brust fror sie ein.

Neel riss sie auch wieder aus der Starre heraus. »Ich bin nicht angezogen!«

Ich war ihm dankbar. Ich konnte ihm sein Hemd reichen, ihm in die Ärmel helfen, ich hatte was zu tun, ich hatte keine Zeit für die anderen. Aber sie warteten einfach. Stumm, angespannt starrten sie, wie sich Neel auf der Pritsche sitzend sein Hemd zuknöpfte, in die Hose steckte, den Gürtel zuzog. Nach jeder Bewegung schaute er auf, ob auch noch alle zuschauten.

»Ich schreibe Ihnen schnell das Rezept«, sagte ich.

Neel sagte nun auch nichts mehr.

Als er ging, musste er an Swami und Frau Chaudhary vorbei, er war ein dünnes Männchen, Arme wie Bleistifte, er sah kümmerlich aus zwischen ihnen; Swami dafür neben ihm umso kräftiger.

»So!«, sagte Swami. Es klang entschlossen, und das verwirrte ihn. Er hatte sich nicht überlegt, was er derart entschlossen tun würde, und wurde nun von der eigenen Entschlusskraft überfordert. Aber Skorpionfische, die den Kopf verlieren, sind am gefährlichsten, und bei Swami war es nicht anders.

Er orientierte sich an Herrn Neel. Er stand plötzlich auch mit bloßem Oberkörper da.

»Hier! Hier! Und hier!« Er zeigte uns seinen Rücken und redete dazu schneller, als er mit seinen langsamen Gesten nachkommen konnte. Es war allerdings auch gar nicht nötig, dass er mit den Fingern auf seine roten Flecken zeigte. Sie waren überall und nicht zu übersehen. An manchen Stellen an der Schulter war die Haut bereits aufgerissen, an anderen wie weggeätzt. Ich hatte so etwas in meiner Ärztelaufbahn noch nie gesehen. Aber Swami brauchte keine Diagnose von mir.

»Sie haben mir das falsche Mittel verschrieben. Mit Ihrer säuberlichen Kinderschrift, Sie ... Sie Kind!«

»Herr Swami, ich habe Ihnen wie immer die Voltarensalbe und die Diclophenac-Tabletten verschrieben.«

»Nein! Ich habe es ja an der Verpackung gesehen, gleich beim Apotheker, als er mir die Schachtel gab: ganz anders.« Er schwang das Hemd, das er sich vom Leib gezogen hatte, in der linken Hand auf und nieder, so langsam, als spiele er in einem Film und glaube, die Technik kriege keine Zeitlupe hin, das müsste er selbst machen. Ich überlegte kurz, ob er in der Lage wäre, mich zu schlagen, und entschied, dass ich dann in der Lage wäre, zwischen dem Ausholen seiner Faust und ihrem Niedersausen gemütlich auf die andere Seite des Schreibtischs zu gehen.

»Herr Swami, hier muss ein bedauerlicher Irrtum vorliegen. Aber ich bin mir sicher, dass es der Apotheker war und nicht mein Mitarbeiter, der sich in der Verschreibung geirrt hat.« Doktor Mukherjee redete, als sei er Margaret Thatcher. Vordergründig ruhig und rational; das Gift und die Gehässigkeit waren in der Betonung, im Blick. Zwischen den Sätzen.

»Der Apotheker hat sich in sieben Jahren nicht geirrt und wird sich auch jetzt nicht irren! Aber Sie ... Sie glauben, Sie könnten besser als wir sein, wenn sie einen *goreh* als Assistent einstellen. Hören Sie, ich war in Uganda 20 Jahre lang Abteilungsleiter einer Großschneiderei mit 25 Untergebenen.« Swami ließ die Lippen vorgeschoben, den Mund offen. Seine dicken, dunklen Tränensäcke, die er unter den Augen trug, pochten. Den Gesichtsausdruck bekam er aus 20-jähriger Abteilungsleitererfahrung leicht hin, und genauso leicht war es

143

zu ahnen, was er mit diesem Gesichtsausdruck gewöhnlich hingekriegt hatte: dass alle spurten; zumindest bis er ihnen wieder den Rücken zukehrte. Aber das war damals gewesen, in einer Firma mit Afrikaner, die sich – und ihn – nicht wichtig genug zum Streiten nahmen. Doktor Mukherjee hatte jahrelang im Fernsehen zugesehen, wie Margaret Thatcher ihre politischen Gegner vernichtete.

»Herr Swami, Ihre langjährige Erfahrung im Schneiderei-Geschäft hat offenbar nicht ausgereicht, den Apotheker von dieser Verwechselung der Medikamente abzuhalten. Das ist bedauerlich, aber nicht unsere Sache. Ich wünsche Ihnen einen schönen Tag. Kommen Sie gerne wieder einmal zu uns. Stets zu Ihren Diensten.« Er drehte sich um und machte die Tür zum anderen Behandlungszimmer auf. Er würde uns doch nicht einfach so stehen lassen.

»Und meine Frau!« Swami brüllte jetzt. »Meiner Frau sind die Finger aufgeplatzt wie Seifenblasen, nachdem sie mir die Creme eingerieben hatte.«

»Leider können wir Ihre Frau nicht behandeln, wenn Sie nicht in die Klinik kommt.« Natürlich war Doktor Mukherjee nicht gegangen. Er hatte mit dem Rücken zu uns nur darauf gewartet, dass Swami wieder loslegen würde.

»Doktor, Sie wissen genau, dass meine Frau das Haus verlassen darf. Das lasse ich mir von Ihnen nicht unterstellen, dass ich meine Frau nicht rauslasse! Sie ist nur sehr beschäftigt mit dem Kochen.«

»Was schwieriger wird mit den aufgeplatzten Händen.« Doktor Mukherjee stand immer noch mit dem Rücken zum Raum, den Kopf halb zu uns gedreht, um zu versichern, dass er für Swami nur seine halbe Kraft aufwandte.

Frau Chaudhary stand neben mir, ohne dass ich es bis dahin gemerkt hatte. So regungslos war sie; waren wir. Wir lehnten uns an den großen, schweren Schreibtisch an. Wir waren die Zuschauer, und dabei vergaß ich völlig, dass es um mich ging.

Mir fiel es wieder ein, als Swami sein Hemd über dem Kopf hatte. Es war ein rotes Hemd mit quer verlaufenden blauen, weiß umrandeten Linien, ich musste an die Südstaatenflagge und deshalb an die Todesstrafe denken. Swami wollte das Hemd wieder anziehen, um zu gehen, und steckte fest. Weil er nichts sah und sich selbst unter dem Hemd nur gedämpft hörte, schrie er umso lauter.

»Ich werde es Ihnen heimzahlen. Ich werde Sie boykottieren, ich … ich werde den größten Boykott unter den Uganda-Indern organisieren, den …«, er hatte sich aus seinem Hemd befreit und zog es straff, »… Hounslow je gesehen hat. Sie sind jetzt schon bankrott! Niemand wird mehr in Ihre Praxis kommen, bis Sie den *goreh* wieder entlassen haben.« Vor Wut oder Aufregung traten ihm die Tränen in die Augen.

»Dann freue ich mich endlich einmal auf ein leeres Wartezimmer«, sagte Doktor Mukherjee. Wenn sie am heftigsten attackiert wurde, war sie am ruhigsten, hatte er mir vor einigen Wochen über Margaret Thatcher gesagt.

Wir konnten Swami schon nicht mehr sehen, aber er musste nun auf dem Weg aus der Praxis vor dem Wartezimmer angekommen sein.

»Boykott!«, rief er. »Boykott!« Die Haustür schepperte, als sie ins Schloss fiel.

Doktor Mukherjee und ich machten, was Engländer am besten können. Wir taten, als wäre nichts gewesen.

Ich sagte noch immer nichts, als wir abends aus der Praxis gingen, deshalb sagte Doktor Mukherjee: »Mach dir keine Sorgen.« Ich machte mir aber welche, weil ich spürte, wie besorgt er war. Ich hatte keine Ahnung, wozu Uganda-Inder fähig waren, vermutete aber zu einigem, immerhin hatten sie damals ein ganzes afrikanisches Land im Griff gehabt.

»Diese Uganda-Inder reden zu viel. Nur weil sie vor zwanzig Jahren mal eine afrikanische Bananenrepublik organisierten.« Vielleicht gelang es ihm, sich so selbst Mut zu machen. Mich allerdings entmutigte er mit jedem beschwichtigenden Satz mehr: Wenn er so viel reden musste, würde die Sache ernst sein.

Wir nahmen die Piccadilly Line, und zwischen Osterley und Boston Manor bot ich meinen Rückzug auf die Toilette an. Frau Mukherjee würde sich sicher nicht wehren, sie schien die Sache mit der Schuhcreme schon vergessen zu haben, und mir würde es wirklich gar nichts ausmachen, wieder als Au-pair die Toilette zu putzen und die Mädchen von der Schule abzuholen.

Das würde es natürlich, aber ich sagte es auch nur, um von Doktor Mukherjee zu hören, ich könnte weiter mit ihm arbeiten.

»Kommt überhaupt nicht infrage. Du bleibst bei mir in der Praxis, mein Au-pair-Mädchen.«

Komischerweise machte mich das jedoch auch nicht glücklich. Ich fühlte mich unerwünscht, und selbst wenn es nur von Swami war, quälte mich dieses Gefühl. Ich fragte mich, ob es wirklich richtig war, weiter in die Praxis zu gehen.

Zwölf

Ich schaute aus dem Fenster. »Da ist München!«, rief Tina und zeigte nach draußen, aber ich sah noch immer London. Der Abschiedsschmerz wurde umso stärker, je weiter wir uns von England entfernten. Ich zog meinen Sitzgurt enger, damit er mir grob in den Bauch einschnitt.

Wann immer ich in meiner Kindheit einem Flugzeug nachgesehen hatte, hatte ich mir ausgemalt, wie schön es wäre, *wohin* zu fliegen. Nun saß ich zum ersten Mal in einem Flugzeug, und es war schrecklich, denn ich flog *weg*. Ich verließ London. Ich hatte es seit drei Wochen gewusst, aber ich begriff es erst jetzt, da wir in wenigen Minuten in München landen würden.

»Freust du dich?«, fragte Tina.

»Klar«, sagte ich und sah aus dem Fenster.

»Ich schnalle mich nie an«, sagte der Mann in der Reihe hinter mir.

»Ein Österreicher«, flüsterte Tina. Ich konnte ihn nicht sehen.

»Ich lege mir die Zeitung so über den Bauch, dass die Stewardess nicht sehen kann, ob ich den Gurt zu habe«, hörte ich ihn sagen. »Sie trauen sich nie zu fragen, ob sie unter die Zeitung schauen dürfen.«

Ich sah München nicht, obwohl ich versuchte, London zumindest für einen Moment zu vergessen. Unter uns waren nur Felder, die meisten in einem verblassenden Grün, das automatisch an Gelb erinnerte.

»Wo ist München?«, fragte ich Tina.

»Da«, sagte sie. Sie saß in der Mitte und zeigte an mir vorbei unbestimmt auf die Fensterscheibe.

»Das ist der Flughafen«, entgegnete ich.

»Mein ich doch.«

»Aber die Stadt?«

»Die ist weit weg.« Ich musste wieder an London denken.

»Ich glaube auch nicht, dass Mobiltelefone tatsächlich die Bordelektronik des Flugzeugs stören können, wie die Stewardessen immer behaupten«, sagte der Österreicher. Mit wem er sprach, war nicht ganz klar, aber vielleicht zu allen, jedenfalls redete er auf Englisch, um eine bessere Zuhörerquote zu erzielen. »Ich würde zu gerne einmal mein Handy an lassen, nur um zu sehen, ob etwas passiert. Ich könnte wetten, dass kein Mensch was merkt.«

Wir verloren an Höhe. Gleich würden wir landen; hart aufschlagen, dachte ich. Tina nahm meine Hand, ihre war warm und erregt vom Gedanken, nach Hause zu kommen. Ich fühlte mich wohl in ihrer Nähe. Aber das war nicht der Punkt. Ich zog mit ihr nach München, weil wir einen Kompromiss geschlossen hatten, ohne darüber zu reden. Ich ging mit ihr, obwohl ich sie nicht liebte. Sie nahm mich in ihre Heimat mit, obwohl ich vier Jahre jünger und Ungar war. Das war zweifellos ein großer Abstrich: Selbst wenn ich für sie ein Assistenzarzt und kein Au-pair war, so war ich doch weit entfernt von dem seriösen, reifen Gentleman, den sie eigentlich in London für eine triumphale Rückkehr nach Deutschland gesucht hatte. Doch ich sorgte dafür, dass sie mit fast dreißig immerhin nicht ganz ohne Mann zurückkehrte. Sie verschaffte mir einen Ausweg aus meiner Misere. Das war unser Pakt.

Ob ich wirklich aus London hatte fortziehen müssen, stellte ich zwar nun, da ich die erste Stunde weg war, infrage. Aber im Rückblick verklärte ich die Dinge zu leicht. Die Wahrheit war, dass ich die Gesichter der Patienten nicht mehr ertragen hatte. Ihre Blicke verfolgten mich, selbst abends, wenn ich in der Doneraile Street oder bei Tina in West Hampstead im Bett lag, sah ich sie. Sie starrten mich an, stumm, feindlich; anklagend. Am nächsten Morgen wachte ich auf und dachte sofort daran, dass ich sie in gut anderthalb Stunden wieder sehen würde. Es spielte keine Rolle, ob ich mir die Blicke der Patienten einbildete oder ob sie echt waren, ich hatte mir manchmal selber gesagt: »Sie schauen, wie Kranke nun mal schauen, die auf den Doktor warten«, aber es hatte nichts an meiner Beklemmung geändert. Ich fürchtete mich vor den Uganda-Indern, seit Swami den Boykott ausgerufen hatte. Seitdem bangte ich jeden Morgen, ob das Wartezimmer leer sein würde. Unruhig schaute ich hinein, es war voll wie immer, jeden Tag wieder – aber ich wusste nie, ob es nicht am nächsten Tag so weit wäre. Sie wussten alle Bescheid. Sie verachteten mich. Sie warteten – längst nicht mehr nur auf ihre Behandlung, sondern auf einen Fehler von mir.

Sie drangen in meine anderen geheimen Leben ein. Ich sah die Gesichter der Patienten, wenn ich mit den Brasilianerinnen im Café über Bettkäfer redete. Ich spürte ihre indischugandischen Augen auf mir, wenn sie im Southern Star *I've got my eyes set on you* spielten. Ihre Blicke lasteten auf mir, wenn ich mit Doktor Mukherjee in der Küche bei den Ratten über Thatchers Europapolitik sprach. »Sie erkannte, dass die Deutschen wieder groß sein wollten und nun, fünfzehn Jahre später, erleben wir es: Durch die Europäische Union zwingen uns die Deutschen, unsere alten Zeitungen zu sammeln, sie schreiben uns vor, welche Schokolade wir essen müssen«, sagte Doktor Mukherjee.

Ich las im *Daily Telegraph* einen Aufsatz über Stress in unserer Zeit und das Beispiel einer Sekretärin, die nach zwanzig Berufsjahren einen neuen Chef bekam und plötzlich keinen Brief mehr tippen konnte. Die Angst vor Fehlern fraß sie auf. Die meisten von uns, schrieb der *Telegraph*, hätten den Druck als lächerlich empfunden, aber das änderte nichts daran, dass für diese eine, durchaus erfahrene Sekretärin der Stress, einem neuen Chef ausgesetzt zu sein, zu viel war. »Stress ist ein subjektives Empfinden, und von heute auf morgen kann unsere Stressverträglichkeit auf einen Schlag rapide sinken«, las ich und verstand; verstand viel zu gut. Ich fürchtete, alles zu verlieren: meine Assistenzstelle, meine geheimen Leben, die ich nicht mehr genießen konnte, die Zuneigung von Doktor Mukherjee, der unter Swamis Drohung genauso leiden musste wie ich, auch wenn er sich nichts anmerken ließ. Als Tina Ende Juni damit rausrückte, dass sie das Angebot von der französischen Modefirma, in München zu arbeiten, annehmen wolle und sich wünschte, dass ich mitkäme, sagte ich: »Das muss ich mir überlegen«, und hatte es schon entschieden.

»Sir, ich bitte Sie.« Ich drehte mich um und sah, dass es der pummelige, selbstgefällige Steward war, der mit dem Österreicher redete.

»Ich kann es nicht machen. Ich habe Platzangst, wenn Sie mich zwingen, drehe ich durch.« Ich konnte meinen Kopf nur seitlich drehen und deshalb nur den Steward, noch immer nicht den Österreicher sehen. Aber seine Stimme klang nun sehr nah, als ob er sich zu mir vorgebeugt hätte.

»Bitte schnallen Sie sich an. Wir landen in wenigen Minuten. Es ist Ihre Pflicht.« Der Steward begann seine Selbstgefälligkeit zu verlieren.

»Ich werde Ihnen etwas sagen: Ich könnte sogar mein Mobiltelefon anmachen und es würde nichts passieren. Wetten?« Doch da hatte sich der Österreicher verschätzt. Er brachte die anderen Fluggäste nicht auf seine Seite, sondern gegen sich auf.

»Wenn Sie sich nicht anschnallen, können wir den Landeanflug nicht beginnen.« Der Steward kalkulierte besser: Das würde das Fass zum Überlaufen bringen. Bei der Aussicht auf Verspätung begannen die ersten Passagiere zu grunzen. Sie fletschten die Zähne und redeten, scheinbar mit sich selbst, aber doch absichtlich so laut, dass es hörbar war.

»Unverschämtheit!«

»Was soll das?«

»Ein Österreicher.«

»Natürlich.«

Er gab sich geschlagen, aber nicht ohne zu versuchen, die Niederlage als Sieg zu verkaufen. »Aber sofort, wenn wir gelandet sind, lege ich den Gurt wieder ab, auch wenn die Lampe ›Gurt anschallen‹ noch leuchtet«, sagte er.

»Das würde ich Ihnen nicht raten«, antwortete der Steward und beließ es dabei, weil vage Drohungen noch immer die besten sind.

Eine Stimme kam aus der Lautsprecheranlage. »Achtung bitte, hier spricht Ihr Kapitän. Wir befinden uns momentan in einer Warteschlange von Flugzeugen, die landen wollen, und werde deswegen noch eine Schleife fliegen müssen. Unsere Landung verzögert sich leider um schätzungsweise zehn bis fünfzehn Minuten.«

»Hab ich's nicht gesagt!«, rief der Österreicher und ließ unklar, was er meinte.

Ich wollte endlich ankommen, denn dann würde ich hoffentlich endlich aufhören nachzudenken.

»Das nervt«, sagte Tina, und ich stimmte ihr zu, obwohl sie die Warteschleife meinte und ich mein Gehirn. Aber im Prinzip redeten wir von demselben: Das Flugzeug und meine Gedanken, alles drehte sich nun im Kreise. Das Schlimmste war, dass ich, wenn ich rational nachdachte, genau wusste, dass ich keinen Grund gehabt hatte, mich wegen Swami und den Blicken so unter Druck zu fühlen – und es trotzdem nicht ändern konnte. Neun Monate nach meiner Ankunft in London war ich wieder am ersten Tag angekommen. Ich hatte mich wieder in den Ausländer verwandelt, der im Oktober 2001 bei den Mukherjees vor der Tür stand, mit all der Verletzbarkeit, all der irrationalen Furcht, all der übersteigerten Beklemmung. Ich ging nicht mehr mit der Vorfreude in die Praxis, dicke, kräftige Adern für meine Infusionen zu finden, sondern mit der Angst, die Nadel zu steil anzusetzen, den Skandal zu produzieren, auf den die gesamte indisch-ugandische Gemeinde wartete. Ich konnte mich selber nicht mehr ausstehen.

»Meine Freundin zieht wegen der Arbeit nach München und ich möchte mitgehen«, hatte ich Doktor Mukherjee zehn Tage, nachdem Tina mich gefragt hatte, gestanden, in der Hoffnung, er würde mich überreden, in London zu bleiben, und mich durch diesen Zuspruch wieder in den alten verwandeln. Doch er bestätigte mein Schicksal nur. »Dieses Mädchen hat dir den Kopf verdreht, was, mein Au-pair-Mädchen?! Sie ist gut für dich, ich kenne das aus meiner Zeit, als die Engländerinnen wild nach mir waren. Du wirst mir fehlen, aber natürlich, du musst mit ihr gehen, sie weckt deine Lebensgeister, sie gibt dir Energie.«

Ich hatte mich abends von ihm und seiner Familie in der Doneraile Street verabschiedet, weil ich die letzte Nacht in London bei Tina verbringen wollte, um den Morgen, die tatsächlich letzten Stunden in London, frei von jeglichen Verabschiedungen zu haben. Ich ging auch nicht mehr ins Wetland Centre, fuhr nichts ans Meer. Ich hatte mir die Attraktionen einfach zu lange aufgespart, nun blieb keine Zeit mehr, sagte ich mir und wusste, dass ich in den letzten Wochen mehr als genug Zeit für die Ausflüge gehabt hatte. Doch ich fürchtete, dass mir die Schönheit der Natur den Abschied unmöglich machen würde. Ich gab ihnen die Hand, einem nach den anderen, erst Victoria, dann Elizabeth, Frau Mukherjee, zuletzt dem Doktor. Sie traten einer nach dem anderen vor, weil sie nebeneinander nicht Platz hatten im engen Hausflur, zumal meine zwei Reisetaschen den Raum einschränkten. So hatte ich mir den Abschied immer vorgestellt, mit einem kräftigen Handschlag, herzlich, förmlich, britisch; bloß hätte ich gedacht, dass er viel später käme.

Danach ging ich noch ins Starbucks Café. Ich ging zu Fuß, durch die Gowan Avenue, auf dem Bürgersteig spielten ein Junge und ein Mädchen Fahrrad-Reparieren und versuchten, bislang vergeblich, ein Pedal an die Lenkstange zu montieren. Die bunten Farben der Reihenhäuser strahlten mich in der Abendsonne an. Fulham kam mir schöner denn je vor.

»Uh!«, sagte Kaluembi, als sie mich sah. Sie meinte die tiefen Schweißriemen, die der schwere Rucksack auf mein T-Shirt gedruckt hatte.

Sie bot mir ein Sandwich an und war erstaunt, als ich ihr sagte, nein danke, es sei mein letzter Abend in London. Entweder sie wollte den Abschied einfach überspielen, oder sie hatte vergessen, dass ich fortzog. Ich wusste nicht, was schlimmer wäre.

»Freust du dich?«, fragte bufo bufo, und ich konnte schon mal für den Fall üben, wenn mich Tina dasselbe fragen würde.

»Klar«, sagte ich.

»Wir werden dich vermissen«, sagte sie.

Dafür war ich ihr dankbar. Wir umarmten uns, hielten uns eine kleine Ewigkeit fest, und als ich wieder auf der Straße war, wusste ich, ohne es zu sehen, dass sie bereits wieder den Boden fegten, die Tische abwischten, zurück im Alltag waren. Sie hatten sich daran gewöhnt, Leute zu verabschieden, Freunde zu verlieren. Das war für sie London: ein permanentes Kommen und Gehen. Ich war für sie einer von vielen gewesen, und der Gedanke machte mich nicht fröhlicher.

Die rechteckigen Felder unter uns wurden endlich grüner, das Flughafengebäude verschwand aus der Sicht, dann konzentrierte ich meinen Blick nur noch auf den näher kommenden Beton der Rollbahn. Die Landung war eine Überraschung: Ich spürte nur einen sanften Ruck und dann schon gar nichts mehr.

»Wir sind am Boden«, sagte der Österreicher.

»Machen Sie doch langsam, Sie können sowieso noch nicht raus aus dem Flugzeug!«, hörte ich eine neue Stimme. Es musste sein Sitznachbar sein, denn jetzt konnte ich aus der

Halbdrehung den Österreicher zum ersten Mal sehen. Er trug ein Jeanshemd, darüber einen Blazer. Seine Nase und die oberen Hälften der Wangen glichen einem zerfetzten Spinnennetz aus geplatzten Äderchen. Er war aufgestanden, während wir noch rollten, und versuchte sich an seinem noch angeschnallt sitzenden Nebenmann vorbeizudrängeln. Der Oberkörper des Österreichers hing über den Sitz und Tinas Kopf hinaus, das heißt, sein Hintern musste ungefähr im Gesicht seines Sitznachbarn hängen. Ich warte gespannt auf den Auftritt des Stewards.

Aber er kam einfach nicht. Ich sah ihn erst wieder, als ich ausstieg. Er stand an der Tür und sagte jedem Passagier lächelnd: »*Thank you. Good-bye.*« Was musste es ihn gekostet haben, den Österreicher, der natürlich lange vor uns ausgestiegen war, so anzulächeln?

»*Thank you, have a good time in Germany*«, sagte der Steward zu mir, und ich lächelte, vielleicht übertrieben, zurück, um ihn aufzumuntern. Ich wusste nicht, was mich in Deutschland erwartete, aber sehr genau, was ich von mir erwartete: Ich wollte hier *nicht* mehr die Rastlosigkeit der letzten Wochen fühlen.

Ich hatte keine Vorstellung von Deutschland. Die Tiefsee-Expedition auf dem deutschen Dampfschiff *Valdivia*, bei der Ende des 19. Jahrhunderts Carl Chun die Existenz des Meso- und Abysso-Pelagials entdeckte, hatte mich beeindruckt, aber anders als die englischen Forschungsfahrten hatte ich das nie konkret mit *den* Deutschen in Verbindung gebracht. Erst seit ich Tina und Thomas kannte, hatte ich begonnen, mich für sie zu interessieren. Ich wusste, dass sie ihre Meinung immer geradeheraus sagten und – vielleicht deshalb – nicht gerne andere Deutsche trafen, dass sie fanatische Altpapiersammler waren und dass Heide Schulz, eine Biologin des Max-Planck-Instituts für marine Mikrobiologie, 1999 in der See vor Namibia die größte Bakterie der Welt entdeckt hatte, die *Thiomar-*

garita namibiensis. Mit einer Länge von einem dreiviertel Millimeter war die Bakterie sogar für ein menschliches Auge erkennbar. Allerdings war das Max-Planck-Institut für marine Mikrobiologie in Bremen, also am anderen Ende von Deutschland, und da ich weder ein Wort Deutsch sprach noch eine Arbeitserlaubnis bekommen würde, auch kein Thema, mit dem ich mich eingehender beschäftigen wollte. Ich würde zunächst einmal das gewöhnliche Touristenvisum beantragen und dann weitersehen. Es war für drei Monate gültig. Es kam Tina und mir gelegen, dass wir unsere Pläne zwangsläufig vage halten mussten, denn wir hatten keine Ahnung, was wir konkreter miteinander hätten planen sollen.

Sie hatte vorgeschlagen, dass ich erst einmal in einen Deutschkurs ginge, den sie bezahlte. Ich hatte Ja gesagt, weil es mich nichts kostete – das Ja-Sagen, nicht der Sprachkurs. Ich wusste, es war nur eine Worthülse, aber dass in meinem Visum *Tourist* stehen würde, gefiel mir: Ich sah mich in München auf Erholungsurlaub von dem Druck der letzten Wochen. Nach dem Urlaub war völlig offen, was ich machen würde. Ich war gerade aus London geflüchtet und dachte: Vielleicht werde ich nach London zurückkehren.

Nach dreihundert Metern durch Gänge, die vor und zurück, vor und wieder zurück verliefen, um die Menschenschlangen der Ankommenden zu entzerren, kamen wir an ein Grenzschild: Bundesrepublik Deutschland. In welchem Land lagen dann die dreihundert Meter, die wir eben entlanggegangen waren?

Ein Polizist hinter einer Glasscheibe knurrte mich an. »*What you are doing in Germany?*«

Das wusste ich wie gesagt noch nicht, aber Tina. »Er ist Tourist«, sagte sie. Sie stand direkt hinter mir in der Reihe.

»Sie habe ich nicht gefragt«, sagte der Polizist. Er hatte meinen Pass vor sich liegen. Er könnte ihn mir einfach wegnehmen, dachte ich.

»*What you are doing in Germany?*«, fragte er mich noch einmal, allerdings etwas schärfer.

»*I am a tourist*«, sagte ich.

Er nickte zufrieden und knallte einen Stempel in meinen Pass.

»*Three months*«, sagte er, er spuckte das *ths* von *months* aus, und schaute schon die Nächste, also Tina, an, während er mir den Pass zurückgab. Ich dachte: Nach drei Monaten könnten sie mich einfach so rauswerfen. Es klang wie eine Hoffnung.

Dreizehn

Im Englischen Garten lernte man leichter Engländer kennen als in England. Der Park mitten in München galt zwar nicht wegen der Leute als *englisch*, sondern wegen seines Stils. Er war nämlich alles andere als ein Garten: ein riesiger, wilder Jagdgrund ohne Wild, mit majestätischen Bäumen, endlosen Wiesen, einem Sturzbach und einigen Nacktbadern. Ich war noch ganz dumpf und taub, auf den Kopf geschlagen von der Erkenntnis, dass ich London tatsächlich verlassen hatte – doch als ich den Park sah, stieg wenigstens wieder Trotz in mir auf. Es gab auch außerhalb Londons überwältigend schöne Orte. Und das dachte ich sogar noch, bevor ich merkte, dass im Englischen Garten die Engländer waren.

Sie arbeiteten im Biergarten am Chinesischen Turm, wo so viele Tische standen, dass die Bedienungen nicht zu den Gästen kommen konnten. Man musste zu den Bedienungen gehen. Fünf, sechs junge Engländer schenkten an der Theke das Bier in gigantischen Krügen aus, sammelten die leeren Bierkrüge wieder ein und tranken sie aus, falls die Gäste etwas übrig gelassen hatten. Manche von ihnen waren streng genommen Iren, aber was in Großbritannien ein elementarer Unterschied wie zwischen Segelqualle und Hornkoralle war, spielte hier, in der Fremde, überhaupt keine Rolle. Sie sahen sich als eine Einheit, *Inselmenschen* wäre vielleicht ein politisch korrekter Begriff. Weil sie kein Deutsch sprachen, hatten sie nur andere Engländer nach Arbeit fragen können, so waren sie alle, nachdem einer dort angefangen hatte, im Biergarten gelandet. Doch weil sie nicht mehr in England waren, verhielten sie sich auch nicht mehr wie Engländer. Sie lächelten aufgeschlossen. Manchmal wollten sie sogar mit Fremden reden.

Wir trafen Simon gleich am zweiten Tag in München. »Wir gehen im Englischen Garten spazieren, das wird dir gefallen«, hatte Tina gesagt, und es gefiel mir, obwohl wir gar nicht spazieren, sondern nur in den Biergarten gingen. Tina und ich wollten uns auf keinen Fall anfassen, weil jeglicher Körperkontakt uns umgebracht oder zumindest aneinander geklebt hätte. Solch eine Affenhitze herrschte. Sie hatte eine weiße Baseballmütze auf, deren Schirm sie ständig wie besessen knetete, um ihm eine Rundung zu geben, und sah mit ihrem blonden Zopf und weißen ärmellosen T-Shirt aus wie diese russische Tennisspielerin. Ich hasste Mützen, sie kratzten und engten mich ein, und dafür litt ich nun in der prallen Sonne. Es war zwei Uhr mittags, das hieß, in den nächsten zwei Stunden würde die Sonne noch schlimmer werden. Im Biergarten war kaum ein Platz frei, 1000 Leute schätzte ich, obwohl ich in solchen Schätzungen katastrophal war; und trotzdem ging es sehr ruhig zu. Die Leute redeten kaum, sie schwitzten und tranken nur. Es war ein friedliches Bild, all diese Deutschen zusammen, manche hatten ihre Kinder dabei, andere ihre Fahrräder oder Hamburger, die sie *Fleischpflanzerl* nannten, wie mir Tina erklärte. »Du darfst hier dein eigenes Essen mitbringen.« Sie erklärte mir seit unserer Ankunft immerzu irgendetwas und durchweg mit einem rührenden Besitzerstolz. Weil ich an ihrer Seite war und mir alles in München fremd, schien sie zu glauben, alles gehöre ihr: die Stadt, der Biergarten und die Fleischpflanzerl unserer Tischnachbarn. Ein knochiger Hund lief hechelnd durch die Reihen, ein Mann mit rauschendem Bart, der sein rotes Trägerhemd so tief gezogen hatte, dass die Brust nahezu frei war, machte es ihm nach und ließ seine Zunge einfach aus dem Mund hängen. Ich konnte den Durst kaum für zehn Minuten stillen, dann musste ich wieder trinken. Nach zwanzig Minuten war ich betrunken.

Tina hatte für jeden von uns eines der riesigen Biere gekauft.

»Hast du schon leer getrunken?«, fragte sie überrascht, und das lenkte Simons Aufmerksamkeit auf mich.

Ich weiß nicht, was ihn anzog – dass Tina Englisch mit mir redete oder dass ich das Glas leer hatte (denn das war ja sein Job, sie einzusammeln) oder dass ich betrunken war.

»*Nice one, mate*«, sagte er und begrüßte mich, als ob wir im Southern Star wären, also mit der Frage: »*Where're you from?*« Er war aus Kilburn, Nordwest-London, und ich gewann ihn für mich, als ich sagte, ich kenne Willesden.

»Das ist die nächste Tür neben Kilburn, Kumpel«, sagte er. Deshalb hatte ich es ja erwähnt. Er war zwanzig, trug die Haare militärisch kurz, »immer auf Reisen, Kumpel«, sagte er, und war knallrot.

Später, als er gegangen war, wollte Tina über nichts anderes reden als wie rot er gewesen war. »Engländer. Sie haben kein Gefühl für die Kraft der Sonne. Wie können sie bei so einer Hitze ohne Mütze herumlaufen?« Ich sagte nichts.

Simon war auf der Durchreise. Wohin, fragte ich ihn, als er das nächste Mal an unserem Tisch vorbeikam. »Marokko.« Er überlegte. »Vielleicht Thailand.« Er zuckte verlegen mit den Schultern. »Erst mal Prag.« Genau wie die anderen Engländer im Biergarten befand er sich in seinem *gap-year*. Ich kannte das Wort nicht und fand es zunächst merkwürdig, dann aber grandios. Lückenjahr. Ein Jahr – für Simon und die meisten anderen jenes zwischen Schulabschluss und Universitätsbeginn – in dem man einfach eine Lücke suchte und darin verschwand. Ein Jahr, das in Lebensläufen, in offiziellen Lebensbilanzen nie erscheinen würde. Von dem niemand erfahren würde.

»Und was macht ihr?«

»Ich nehme drei Lückenmonate«, sagte ich. Simon lachte laut. Tina schwieg so, dass ich wusste, sie würde später etwas dazu sagen.

Am Abend saßen wir zu Hause bei Tinas Mutter auf der Terrasse und zogen gierig die kühle Luft ein.

»Das tut gut«, sagte ich.

»Ich weiß nicht, was du dir denkst«, antwortete Tina. »Ich zahle dir den Deutschkurs, ich habe dich mit hierher genommen, mit zu meiner Mutter, und du willst dir nur drei schöne Monate machen und dann wieder abhauen.«

»Was?«

»*Lückenmonate.*« Die Wut, mit der sie das Wort aussprach, erschreckte mich. Der Deutschkurs hatte doch noch gar nicht begonnen, dachte ich, sie hatte also noch keinen Euro für mich bezahlt, und dass wir erst einmal bei ihrer Mutter wohnten, in diesem Dorf außerhalb Münchens, das zu schön war, um irgendwie interessant zu sein, passte mir genauso wenig wie ihr. Aber ich wusste, das war nicht das Thema, sondern dass sie fast dreißig war. Sie gab sich keine Zeit mehr für Lückenmonate.

Sie sagte: »Ich werde bald dreißig, Zoli.« Sie sah mich an. Ich war knallrot von der Sonne im Park.

»Ja, und?« Wo liegt das Problem, hatte ich damit sagen wollen. Es waren offenbar die falschen Worte gewesen, was vielleicht daran lag, dass in dem Moment jedes Wort das falsche gewesen wäre.

»Ja, und? Begreifst du gar nichts, Zoli?! Ich habe dich mitgenommen, weil ich für uns beide eine Zukunft hier sah, und ich dachte, als du zusagtest, das sei dein Liebesbeweis; ich dachte, das hieße, du willst es zumindest probieren mit mir. Aber du … du suchst ja nur eine *Lücke.*«

»Beruhig dich doch«, sagte ich, und da begann sie zu weinen.

»Meine Schwester ist schon verheiratet.« Sie sah wunderschön aus, mit den wässrigen blauen Augen.

»Manche Leute heiraten erst mit vierzig«, sagte ich.

»Meine Mutter dachte sicher, ich würde meinen Ehemann in London finden.«

All das wusste ich bereits, doch es war irritierend, es zum ersten Mal aus ihrem Mund zu hören. Ich hatte in London, in den Momenten, in denen ich mir einbildete, ich wäre in sie verliebt, durchaus daran gedacht, wie es wäre, mit ihr für immer zusammenzuleben. Aber dann war mir jedes Mal schon bald wieder Timea eingefallen, und ich hatte allenfalls noch gedacht: »Vielleicht treffe ich auch eine Engländerin. Oder Kaluembi überlegt es sich noch anders mit mir.« Nicht zu wissen, was mit mir und Tina werden würde, war ein aufregendes Gefühl, denn damit verbunden war die Hoffnung, noch viele *Moment-Lieben* zu erleben. Ich wollte mir diese Aussicht nicht nehmen, indem ich mich fest an sie band. Doch ich bekam das Gefühl, dass es dann mit Tina in der Lücke anstrengend werden würde.

»Schau, ich hatte mit den Lückenmonaten …«

»Nimm das Wort nicht auch noch in den Mund!«

»… nur einen Witz für den Engländer machen wollen«, redete ich entschlossen weiter. »Englischer Humor, du weißt doch. Ich weiß nicht, wie die Geschichte hier ausgeht, aber ich bin hier, weil ich es mit dir probieren will.«

Ihre verweinten Augen glänzten. Wenn ich mich nicht täuschte, strahlte sie mich an. Einen Moment später sprang sie auf meinen Liegestuhl und kuschelte sich an mich. »Danke«, flüsterte sie und küsste mich auf den Hals, weil der gerade in der Nähe ihres Mundes war. Ich fühlte mich wie ein Bankdirektor. Der gerade ausgeraubt worden war. Ich mochte wetten, sie hatte diese Szene nur inszeniert, um das Geständnis aus mir herauszupressen. Oder wie konnte sie sich sonst in Sekunden von einer Depressiven in eine Glückliche verwandeln? Vielleicht aber war sie auch so emotional schwankend. Ich kannte sie bis dahin ja nur im Ausland – also nicht richtig.

Der Ort, in dem Tinas Mutter wohnte, hieß Gröbenzell, und ich versuchte erst gar nicht, den Namen auszusprechen. Wir würden sowieso nur einige Wochen dort wohnen, bis sie für uns eine eigene Wohnung gefunden hatte, sagte Tina. Das Haus ihrer Mutter war zum Vorzeigen und deshalb weniger zum Wohnen. Ich versuchte, mich so wenig wie möglich zu bewegen und schon gar nichts zu berühren, denn alles schien immerzu geradewegs an seinem Platz zu sein. Die weißen Lederkissen standen aufgeplustert auf der weißen Ledercouch, die CDs farblich geordnet, von hell nach dunkel, im Regal, die Zeitschriften lagen akkurat gestapelt neben der Toilette, das Reiseheft Paris immer obenauf. Das Altpapier wurde in einer Altpapiertüte in der Küche gesammelt und, wenn die Tüte voll war, in die Altpapiertonne vor der Haustür geworfen. Ich war nur ein Besucher in dieser Ausstellung.

Tinas Mutter sagte, sie spreche Englisch nicht gut, und da hatte sie Recht. Am liebsten bildete sie Gerundien und ließ die Hilfsverben weg. Wenn sie ein 17-jähriger West-Londoner gewesen wäre, hätte man gesagt, das sei die neue coole Sprache der Jugend, als schätzungsweise 50-jährige Hausfrau aus einem Münchener Vorort war sie einfach nur schwer zu verstehen. »*You going?*«, fragte sie. Ich sagte: »*Yes*«, und ging einfach mal die Treppe hinauf in mein Zimmer, um nicht weiter in ein Gespräch mit ihr verwickelt zu werden. Nach vier, fünf Tagen gaben wir es auf, in Sätzen miteinander zu reden. Wir warfen uns Worte an den Kopf: »*Going?*« – »*Garden. Reading. Book.*« – »*Good. Very good.*« Häufig allerdings lächelten wir uns nur noch zu. Das war einfacher und sorgte dafür, dass wir uns beide denken konnten, der andere sei sicher sympathisch. Offiziell schlief ich im Tochter-Schrein I. »Du weißt doch, wie meine Mutter ist«, hatte Tina gesagt, als ich ihre Mutter gerade eine halbe Stunde kannte und wir meine Taschen in das Zimmer von Tinas Schwester räumten. »Nachts kommst du einfach rüber zu mir, aber es ist besser, wenn wir so tun, als würdest du hier wohnen.« Das Zimmer war direkt unter dem Dach und seit zirka einem Jahrzehnt nur noch zum Putzen betreten worden. An den Wänden hing ein Poster von *Depeche Mode* mit Gelbstich sowie das Veranstaltungsplakat einer Miró-Sonderausstellung in Lyon, neben dem Bett stand ein gerahmtes Foto von zwei Mädchen, die skeptisch in die Kamera schauten, weil ihnen die Sonne direkt ins Gesicht schien. Die eine sah aus wie Tina, nur jünger, deshalb musste die andere ihre Schwester sein. Sie schaute weniger verbissen drein. Die CDs neben der Stereoanlage waren akkurat gestapelt, und zwar so, dass drei von *Depeche Mode* ganz oben lagen. Ihr Name wurde nie ausgesprochen, sie war immer nur *meine Schwester* oder *Tina's sister*.

»Sie wohnt jetzt in Gräfelfing«, sagte Tina.

»Aha«, sagte ich.

»Mit ihrem Mann.«

Ich sagte lieber nichts.

Über Tinas Vater wurde überhaupt nicht geredet, und so oft ich auch eine Anspielung auf meinen Vater machte und dann schwieg, Tina fing nie an, von ihrem zu erzählen. Irgendjemand in der Familie musste einmal viel Geld verdient haben, damit sie sich dieses fernsehserienreife Haus leisten konnten.

»Lange halte ich es hier nicht aus«, sagte Tina am Nachmittag, als wir im Haus ihrer Mutter angekommen waren.

Am nächsten Morgen sagte sie: »Ich halte es hier nicht mehr aus.«

Drei Wochen später sagte sie: »Wir müssen endlich anfangen, uns eine eigene Wohnung zu suchen, Zoli.« Es war der 19. August, ihr erster Arbeitstag, und deshalb mein erster Schultag.

»Ich weiß nicht, ob ich überhaupt noch für irgendetwas Zeit haben werde, Zoli. Die ersten Monate in der neuen Firma werden so hart werden, ich werde abends nur noch schlafen, schlafen, schlafen.«

Wir gingen den Weiherweg hinunter, zur S-Bahn-Station, vorbei an frei stehenden Häusern, die wie das von Tinas Mutter nur auf den Fotografien der Zeitschrift für Wohnkultur zu warten schienen. Eine Frau, im Alter von Tinas Mutter, aber in Jeans, grüßte Tina freundlich und schaute mich neugierig an. Ich lächelte, Tina grüßte zurück und sagte im Weitergehen zu mir: »Ich halt es hier nicht mehr aus.«

Die S-Bahn kam und der Eindruck blieb, dass die Deutschen anders waren als die Engländer. Sie schauten sich an in der Bahn. Suchend, selbstsicher, teilweise herausfordernd glitten ihre Blicke durch das Abteil. Ich zupfte nervös an meinem T-Shirt herum, leider hatte es keinen Kragen, an dem ich mich hätte festhalten können. Ich verstand nicht, was sie sagten, doch was immer es war, sie sagten es kräftig und bestimmt. Ihre Blicke verrieten absolute Überzeugung.

»Das macht ihnen Spaß«, sagte Tina. »Sich aufzuregen, zu meckern.«

Ich glaubte, sie meinte es negativ. Aber für mich war dies das Geheimnis des legendären deutschen Wohlstands, von dem sie in Miskolc berichteten, wenn sie westwärts gereist waren und sei es nur an den Plattensee. Die Deutschen waren erfolgreich, weil sie sich aufregten, meckerten. Weil sie, was sogar hier in der S-Bahn offensichtlich wurde, immerzu sagten, was ihnen nicht passte, wurden die Missstände ausgeräumt. Die Engländer standen fünfzig Minuten an der Bushaltestelle, stumm und gefasst warteten sie auf den verspäteten Bus, Statuen der Selbstbeherrschung. Wenn der Bus endlich kam, bezahlten sie ihr Ticket und sagten lächelnd *Thank you* zum Fahrer; nicht einige, nicht die Mehrheit, sondern *alle* Fahrgäste. »In Deutschland würden sie den Fahrer lynchen«, hatte Tina einmal in London gesagt. Das war vielleicht nicht so bewundernswert, aber es half. Bevor sie sich gegenseitig umbrachten, sorgten die Deutschen dafür, dass ihre S-Bahnen pünktlich fuhren.

»Deutlicher. Und lauter, vor allem lauter, Zoltán«, wurde ich angemeckert. Die Lehrerin war extra von der Tafel in die hintere Reihe gegangen und stand direkt vor mir, die Arme auf meinen Tisch gestemmt, zu mir heruntergebeugt, als könne sie die Worte aus meinem Mund reißen. Ich war dank der deutschen S-Bahn eigentlich sehr pünktlich gewesen, aber dann hatte ich mich zu lange von Tina am Sendlinger Tor verabschiedet und die Sprachschule nicht sofort gefunden; nun hatte mich die Lehrerin auf dem Kieker, weil ich gleich am ersten Tag zu spät zum Unterricht gekommen war.

»Dásch íst ein Aus«, wiederholte ich, genauso leise wie zuvor. Sie war der erste Mensch seit ungefähr zwanzig Jahren, der mich Zoltán nannte, dafür wollte ich sie bestrafen.

»Haus«, sagte sie. »Haus, nicht Aus, Zoltán. Und rede weiterhin so schön laut und deutlich, das war jetzt besser.« Sie ging wieder zurück zur Tafel. Von hinten betrachtet strahlte sie Härte aus, weil ihre Kurzhaarfrisur im Nacken kantig und streng geschnitten war. Sie hieß Frau Schönhaar. »Wie schöne Haare«, hatte sie gesagt und an ihren gezogen.

Wir waren zu sechst in der Klasse. Ein junges Mädchen aus der Ukraine, mit dem Körper einer Puppe und unruhig umherstreifenden Augen, eine ebenso junge Russin mit Ehering. Sie hießen beide Olga. Sowie eine Brasilianerin mit Bauch, aber nicht schwanger, und zwei Wolgadeutsche, die kein Deutsch konnten, deshalb waren sie ja hier, die aber trotzdem immer Deutsch reden wollten.

»Ein Prosit, ein Prosit zur Gämütlichkeit«, sagte der eine und lachte schallend.

»Wo gähen es bittä zum Sendling Tor?«, sagte der andere, und sie lachten zusammen.

»Ja«, sagte Frau Schönhaar.

Mir war nicht ganz klar, was Wolgadeutsche waren, hatte deshalb aber einen umso stärkeren Verdacht: Sie könnten die Uganda-Inder von Deutschland sein.

Viele der deutschen Worte, die wir in den ersten Stunden lernten, hatte ich schon zuvor in München aufgeschnappt, etwa *heißen*, *Hund* oder *Hochwasser*. Aber Vorsicht, *heißen* hatte nichts mit *heiß* zu tun. Ich war mir nicht sicher, ob ich viel mehr lernen wollte. Ich hatte durchaus Lust zu lernen, besonders etwas so Nützliches wie eine Sprache, andererseits wäre jeder Fortschritt im Deutschen ein Schritt weg von London. Für jedes gelernte deutsche Wort würde ich ein englisches vergessen.

Mein Ziel, die Uganda-Inder *nicht* mehr zu sehen, hatte ich erreicht. Die Rastlosigkeit, die mich in London zum Schluss so gequält hatte, war verschwunden; ich hatte Tina zur Seite und deshalb nicht das Gefühl, mich in Deutschland vor irgendetwas fürchten zu müssen. Aber wollte ich mehr hier? Die Vorstellung, dass ich für drei Monate in einer Lücke lebte, gefiel mir mehr und mehr. Ich spürte keinerlei Verpflichtungen, die Lücke gab mir das Recht, es mir einfach gut gehen zu lassen.

»Was macht ihr?«, fragte Frau Schönhaar und ließ zwischen den einzelnen Worten eine Lücke, in die mindestens zwei Wörter oder sogar ein Monat gepasst hätte. »Studiert ihr oder arbeitet ihr?«

»Arbäten suchen«, sagte der Wolgadeutsche mit den ungezählten Lachfalten im Gesicht und lachte; lachte sich noch mehr Falten an.

»Ja«, sagte der andere Wolgadeutsche und ließ das Wort lange ausklingen, weil er Frau Schönhaars Aussprache nacheiferte. Die ukrainische Olga war hier, weil sie in einem Jahr Psychologie an einer deutschen Universität studieren wollte, die russische, weil sie einen Deutschen geheiratet hatte. Die Brasilianerin wollte einen Deutschen heiraten und kicherte darüber. »Ich bin Tourist«, sagte ich. Es stand in meinem Visum.

Ich war keiner dieser Touristen, die rasend alle Museen und Burgen abklappern, Kirchen und Stadtplätze abhaken. Ich wollte mich lieber wie in London zunächst auf ein paar wenige Sehenswürdigkeiten konzentrieren. Also ging ich nach der Schule zum Biergarten am Chinesischen Turm. Ich hatte viereinhalb Stunden Zeit, ehe Tina mit ihrer Arbeit fertig sein würde und wir uns wieder am Sendlinger Tor träfen.

Ich hatte ihren Stadtplan und somit das Gefühl, ein Entdecker zu sein. Es wimmelte von Leuten in der Innenstadt, denn es war gerade Mittagspause, was den Deutschen gute Laune machte. Die Männer trugen ihr Jackett auf einem Finger und ließen es über die Schulter auf den Rücken baumeln. Frauen sah man weniger, und wenn, trugen sie sehr oft durchsichtige Plastikschalen mit Salat vor sich her.

»Die machen wohl mitten in der Stadt Picknick«, sagte ich überrascht.

»Nein, sie kaufen die Salate in dem Geschäft da vorne an der Ecke und nehmen sie mit ins Büro. Ich glaube, die Frauen in deutschen Firmen haben weniger Zeit zum Essen als die Männer«, sagte Olga. Sie war schon seit einer Woche in München und hatte bis zum Kursbeginn nichts anderes gemacht, als den Deutschen zuzuschauen. Sie zog mich am T-Shirt und zur Seite. »Vor den Fahrradfahrern in Deutschland musst du aufpassen«, sagte sie, während der Radfahrer, vor dem sie mich aus der Bahn gezogen hatte, aus unserem Blickfeld raste, nicht ohne mir von fern noch einmal einen herablassenden Blick zuzuwerfen. »Sie dürfen alles, sogar hier in der Fußgängerzone fahren. Sie sind ökologisch gut und deshalb moralisch überlegen.«

»So wie die Altpapiertonnen, was?!«, sagte ich und sah dafür zum ersten Mal Olgas Lächeln. Sie dachte sehr viel nach, schien mir. Aber ihr Englisch war erstaunlich gut, sicherlich gut genug, dass ich die im Deutschunterricht verlorenen Wörter wieder wettmachte, wenn ich zwei, drei Stunden mit ihr reden würde.

»Habt ihr auch Biergärten in der Ukraine?«, fragte ich. Es war mein Vorschlag gewesen, ob sie nicht mitkommen wolle.

»Ich trinke praktisch nie Alkohol. Ich mag die Vorstellung nicht, die Kontrolle über mich zu verlieren.«

Sie war neunzehn, mit dem Körper eines Kindes, die Gliedma-
ßen klein, fein und ohne Schrammen – die niedlichen Finger,
die zierliche Nase, vor allem der Po –, und ich merkte, dass es
sie beeindruckte, dass ich sieben Jahre älter war. Ich fürchtete,
viel mehr als mein Alter hatte ich nicht zu bieten, um sie zu
beeindrucken. Sie war reifer und intelligenter als ich, das Einzige, was ihr fehlte, was die Fähigkeit, das zu kapieren.

»Bist du wirklich Tourist?«

»Ja, aber ich war in London.«

»Du willst sagen, du machst eine Rundreise?«

»Nein, ich habe in London gearbeitet. Als Assistenzarzt.«

»Wow!« Sie strahlte mich anerkennend an. »Ich wollte eigentlich in England studieren, aber es ist unbezahlbar, wenn du
nicht in der Europäischen Union bist. Wie hast du die Arbeitserlaubnis gekriegt?«

»Ärztemangel«, sagte ich und versuchte geheimnisvoll zu lächeln, um das Thema zu wechseln.

Ich erkannte Simon schon aus hundert Metern, als wir um
die Ecke bogen.

Der Biergarten war spärlich besucht, es war nicht ganz 14 Uhr
an einem Montag, wer jetzt Bier aus Kübeln trank, musste einen guten Grund haben.

Er war noch genauso rot wie beim letzten Mal und erkannte
mich gleich wieder. »Aus Ungarn, nicht? Und in London gelebt. *How're ya?!*« Vielleicht konnte ich Olga doch noch beeindrucken.

Wir kauften einen Apfelsaft und ein Bier, und ich setzte mich
an den nächstbesten Tisch, denn ich wollte die Gläser
schnellstens abstellen. Mit beiden in den Händen, dem winzigen in der einen und dem riesigen in der anderen, kam ich
mir wie ein Säufer vor. Ich nahm einen großen Schluck, um
genug Zeit zum Überlegen zu haben, worüber wir reden
könnten – was ich fragen könnte. Wir hatten zwar schon eine
halbe Stunde auf dem Weg zum Biergarten geredet, aber das

war im Gehen gewesen. Sich hinzusetzen und zu unterhalten war eine deutlich ernsthaftere Sache.

»Warum machst du einen Sprachkurs?«

Darauf wusste ich keine Antwort.

»Ich meine, wenn du nur Tourist in Deutschland bist?«

Ich wusste noch immer keine Antwort.

»Zahlt meine Tante.«

»Deine Tante?«

Wenn ich nicht bald eine Chance bekam, eine Gegenfrage zu stellen, würde ich Probleme kriegen.

»Sie ist Deutsche und will, dass ich hier lebe. Bei ihr. Aber hier gibt es keinen Ärztemangel. Bei wem wohnst du in München?«

Sie lebte in einer Gastfamilie, die ihr die Schule vermittelt hatte – in einem Zimmer mit ihrer Mutter. Ihre Mutter war Anwältin in Kiew und hatte sich vier Wochen freigenommen, um zu sehen, ob sich ihre Tochter in Deutschland zurechtfand. Ihr Vater war Richter, aber viel weiter kam ich nicht, denn Olga war außergewöhnlich. Sie wollte nicht nur einen Zuhörer wie die anderen. Sie wollte etwas wissen.

»Hast du eine Freundin?«

»Das bin ich schon lange nicht mehr gefragt worden.«

»Ja? Aber das beantwortet nicht meine Frage.«

»Ich habe …« Was war Tina? »… mich von meiner ungarischen Freundin getrennt, bevor ich nach London ging.«

»Und in London?« Ich musste ihren forschen Augen ausweichen und schaute in mein Glas.

»Eine Deutsche«, sagte ich.

»Aha, die Tante.« Sie lachte. Ich glaubte rot zu werden.

»Ich würde nie so einfach mit jemandem rummachen. Er muss mir schon beweisen, dass er mich liebt, bevor ich ihn küssen würde«, sagte sie. Es klang wie eine Anweisung.

»Ganz schön heiß heute«, sagte ich.

»Es geht, die letzten Wochen waren schlimmer«, sagte Simon.

Sie hatten wenig zu tun am Tresen, deshalb war er herübergekommen, um sich einen Moment zu uns zu setzen. Ich hoffte, er hatte Olgas letzten Satz nicht mehr gehört.

»Du magst die Sonne, was?«, sagte Olga zu ihm.

»*Where are you from?*«, antwortete Simon.

»Ukraine«, sagte Olga.

»Ich fahr nach Prag«, sagte Simon, und es wurde einer meiner nettesten Nachmittage. Simon holte das Bier, Olga stellte die Fragen, und mir machte es dank des Biers noch nicht einmal etwas aus zu antworten.

»Komm doch am Freitag mit uns ins *Keane's*«, sagte Simon, als ich um kurz vor sechs aufbrechen musste. Olga war schon eine halbe Stunde vorher gegangen. Ihre Mutter wartete.

»Auf jeden Fall«, sagte ich und hatte keine Ahnung, wer oder was *Keane's* war.

Während ich durch den Park zurück in die Innenstadt lief, grinste ich die Leute fröhlich an, ich merkte es daran, dass mich allesamt verblüfft anstarrten und manche mir dann ein Lächeln zugestanden. Die Sonne brannte immer noch kräftig, aber ohne zu schmerzen. Ich fand den Weg zum Sendlinger Tor bereits ohne Stadtplan und hatte große Pläne: Im Englischen Garten würde ich wie ein Engländer werden.

Dann pinkelte ich gegen den nächsten Baum.

Vierzehn

Immer donnerstags nach der Arbeit ging Tina ins Fitnessstudio, deshalb wartete ich nicht am Sendlinger Tor auf sie, sondern fuhr bereits mittags nach Gröbenzell zurück und beglich meine Schuld. Ich ging mit Hanna einkaufen und vertrieb ihr danach die Zeit entweder im Café oder im Wohnzimmer. Tinas Mutter bestand darauf, dass ich sie beim Vornamen nannte. Deshalb drückte ich mich darum, sie überhaupt mit Namen anzusprechen.

»Wenn du Frau Hubert sagst, fühle ich mich so alt, Zoli«, sagte sie und lachte, als hätte sie einen Witz gemacht.

Wir redeten nun, da ich vormittags den Kurs besuchte, auf Deutsch, aber es war die Ausnahme, dass sie in ganzen Sätzen sprach. In der Regel behielten wir den Worteschlagabtausch bei, den wir im Englischen gepflegt hatten.

»Ich würde es toll finden, wenn du meiner Mutter vielleicht mal etwas Gesellschaft leistet, schließlich wohnen wir umsonst bei ihr«, hatte Tina eines Tages gesagt, und wie immer, wenn sie so rücksichtsvoll klang, war sie es ganz und gar nicht, sondern im Gegenteil: Dann erwartete sie Opfer von mir.

Also ging ich mit Hanna Schinkensorten abwägen und Tiefkühlerbsen aussuchen.

»Wir nehmen *Findus*?«, fragte ich.

»Gefallen mir nicht. Die Erbsen.« Sie meinte die Abbildung der Erbsen auf der Tüte. »Ihr Grün, Zoli. So gelblich. Besser die anderen.«

Der Supermarkt war wie alle Supermärkte, auch wenn Hanna das nur schwer glauben wollte.

»Die Supermärkte in Ungarn, Zoli. Anders, oder?«

»Genauso.«

»Genauso?! Aber …?« Ich ließ das Aber mit einem Lächeln im Raum stehen. Ich vermutete, ihr Bild von Ungarn war irgendwann in den siebziger Jahren stehen geblieben, doch darüber brauchte ich mich nicht aufzuregen. Ihr ganzes Leben war vor Jahren stehen geblieben.

Sie legte ihr Make-up an für unsere Ausflüge in den Supermarkt, hängte die großen, leicht rosa gefärbten Glassteine an die Ohren, brachte Schwung in die erdbeerblonden Haare, wechselte die Jeans, die sie im Haus trug, für eine dunklere, engere und übergab mir den blauen Rollwagen, denn Plastiktüten waren verpönt in Deutschland. Sie freute sich, Leute im Supermarkt zu treffen, umso mehr, weil ich an ihrer Seite war. »Der Verlobte meiner Älteren. Wird auch Zeit, nicht?!«, sagte sie. Sie hielt kurz inne, um die Aufmerksamkeit der Frau mit den zwei Stofftaschen zu steigern. »Stellen Sie sich vor, jemand würde glauben, er wäre *mein* Freund!«

Ich lächelte und musste mich dafür nicht einmal anstrengen. Ich war nun Teil von Hannas Ausstellung, genau wie ihr perfektes Haus. Ich konnte, so oft ich es mir auch dachte, nichts Lächerliches daran finden. Ich genoss das Interesse der Gröbenzeller und den Gedanken, was sie über die Zustände bei Frau Hubert reden würden, wenn Hanna und ich ihnen den Rücken zukehrten. Ich wunderte mich über meine eigene Gelassenheit. Ich verglich die Sorglosigkeit, die ich an Hannas Seite spürte, mit dem Druck, den ich in Olgas Nähe fühlte. Es war eine Entdeckung: Ich kam mit älteren Frauen besser zurecht als mit jungen Mädchen.

An manchen Donnerstagen konnte Hanna nach dem Einkaufen nicht ins Café Muhrer gehen.

»Wenn die Leute mich so sehen, Zoli.«

»Wie?«

»Wie ich aussehe.« Sie sah aus wie immer, vor allem freundlich.

»Nein, Zoli, es geht heute nicht. Geht. Einfach. Nicht.«

Dann gingen wir ins Wohnzimmer. Der Unterschied war, dass Hanna zu Hause Smetana auflegte, »*Die Moldau*, Zoli«, vielleicht weil sie glaubte, das habe etwas mit Ungarn zu tun, und den Kaffee selbst machte. Er sah aus wie Petroleum, er schmeckte wie Petroleum; er wirkte wie Petroleum. Sie begann, in ganzen Sätzen zu reden.

»Ach, Zoli, Tina hat wirklich Glück, dass sie dich gefunden hat.«

»Ja?«

»Wann werdet ihr heiraten?«

»Ich weiß nicht.«

»Ich hoffe, bald, Zoli.«

»Ich weiß nicht.«

»Wenn du einen Rat von mir willst, heirate nicht zu früh.«

»Ja?«

»Ich habe den Fehler gemacht.« Sie brauchte mehr Petroleum. Ich tat, als nehme ich auch einen Schluck. »Die Heirat hat mich einsam gemacht.« Sie trank. »Ich wollte immer einen Mann von Welt, und das habe ich davon gehabt: einen Mann, der immer irgendwo in der Welt war. Und ich saß hier. Ich sitze immer noch hier. Du trinkst deinen Kaffee ja gar nicht?«

»Doch, doch.«

Nach fünf Donnerstagen wusste ich, dass Tinas Vater selbst seine Unterhosen gebügelt haben wollte, »zuletzt« – wann immer das war – oft im Büro übernachtet hatte, aber weder, was er gearbeitet hatte, noch wo er jetzt war; warum er nicht mehr hier war. Ich mochte die Nachmittage auf der weißen Ledercouch lieber als die im Café Muhrer. Ich hatte Kopfschmerzen von dem ganzen Deutsch. Im Wohnzimmer musste ich weniger reden.

»Ach, Zoli, ich langweile dich doch, geh nur«, sagte Hanna spätestens um halb vier im Wohnzimmer.

»Nein, nein«, sagte ich, bevor ich ging. Die Wahrheit war jedoch, dass die Geschichten von ihrem Mann sie selber langweilten. Sie hatte sie schon so oft erzählt, so oft kleine Details verändert, aber zum Ende kam sie nie; das Ende war offenbar so deprimierend, dass sie die Geschichten abbrach, indem sie ihre Zuhörer wegschickte.

Es gab an solchen abgebrochenen Donnerstagnachmittagen nicht viel für mich zu tun. Olga hatte die Deutschen wochenlang studiert, jeden Nachmittag wieder, und dabei entdeckt, dass sie ausschließlich Jeans trugen, »sogar zum Jackett«, laut und öffentlich fluchten, wenn ihnen die U-Bahn vor der Nase wegfuhr, und sich unglaublich oft gegenseitig an den Po griffen, wenn sie Arm in Arm gingen. Aber das war in München. In Gröbenzell waren die Deutschen nicht auf der Straße, allenfalls in ihren Autos oder im Supermarkt. Ich setzte mich auf die Terrasse, las in meinen Biologiebüchern, dachte daran, dass ich Timea schreiben müsste, um ihr zu sagen, dass ich mich von ihr getrennt hatte, und dann, dass ich ihr nicht schreiben konnte, weil sie von mir Post aus England und nicht aus Deutschland erwartete.

Am sechsten Freitag nach einem solchen Donnerstag sagte Tina zu mir: »Heute stelle ich dich meinen Freundinnen vor.« Sie sagte nicht: »Heute stelle ich dir meine Freundinnen vor.« Eine von ihnen sei auch Ärztin, daher würden sie mir gefallen. Das sah ich anders.

»Wie war die Arbeit?«, fragte ich Tina, als sie um zwanzig nach sechs mit geröteten Wangen die Treppen der U-Bahn am Sendlinger Tor hochlief. Sie nahm nie die Rolltreppe, »das ist mein Sport«, sagte sie. Ich wusste auch schon, ehe sie geantwortet hatte, wie ihre Arbeit gewesen war.

»Stressig. Der blöde Kehlau bringt mich zur Weißglut, heute wollte er wissen, warum wir die Frauen-Baumwolle-Pullover mit weitem Rundausschnitt in Orange nicht ins Sortiment genommen haben. Er weiß ganz genau, dass so etwas sich vielleicht in Frankreich verkauft, aber ganz sicher nicht in

Deutschland. Reine Besserwisserei sein Gequatsche, die reinste Schikane.« So war es jeden Tag. Kehlau war ihr unterstellt und deshalb aufmüpfig.

»Ich wünschte, wir wären in London geblieben«, sagte sie.

»Du hast es gehasst.«

»Aber jetzt hasse ich es hier.«

Das war logischer, als es klang. Städte, Arbeitsplätze, Bekannte konnten sich verändern, Tina schaffte es, dieselbe zu bleiben. Sie verfügte über unerschöpfliche Fähigkeiten, sich unglücklich zu fühlen.

Ihre Freundinnen, alle drei, waren schon da, als wir ins Café Maria kamen. Es war unübersehbar Freitag. Die Café-Gäste aßen riesige Salate, auf denen man vor lauter Beilagen kaum mehr ein grünes Blatt sah, deftige bayrische Braten mit Knödel und tranken dazu Bier aus Halbliter-Gläsern, die sie energisch auf die Tische knallten.

»Hallo, das ist Zoli«, sagte Tina und zeigte auf meinen Bauch, als wir vor ihren Freundinnen standen.

»Hallo, ich bin Zoli«, sagte ich.

»Hey, ich bin Ruth, wir können auch englisch reden«, antwortete das Mädchen, in deren Rücken ich stand. Alles an ihr war dünn, die Arme genauso wie die braunen Haare.

Sie tranken Cola, aber da Freitag war, war ich mir sicher, dass noch etwas anderes in den Gläsern war. Ich versuchte, ein Bier und einen Gin Tonic zu bestellen, aber es war, wie ich es nach meinen ersten Erfahrungen in München auch erwartet hatte, gar nicht so einfach. Je deutlicher man der Kellnerin ein Zeichen gab, desto hartnäckiger ignorierte sie einen. Kellerinnen und Verkäuferinnen standen in Deutschland noch über den Radfahrern. Sie waren die Unantastbaren. Die Frontkämpfer des deutschen Wirtschaftswunders, das auf Meckern und schlechte Laune aufgebaut war. Sie anzusprechen war eine Majestätsbeleidigung, dann reagierten sie mürrisch, herablassend – und die Deutschen kauften umso mehr bei ihnen, um die Gunst der Unantastbaren wieder milde zu stimmen. Ich blickte demütig auf den Tisch vor mir herab, als die Kellnerin uns aus den Augenwinkeln beäugte. Da erbarmte sie sich schließlich. Sie trug eine Wut im Gesicht, dass sie solche wie uns bedienen musste, ich hätte sie gerne gefragt, warum sie nicht einfach eine andere Arbeit machte, wenn ihr diese so wenig gefiel, aber natürlich fehlte mir der Mut, und ich fügte meiner Bestellung ein verschüchtertes Lächeln bei.

»Mensch, aus London«, sagte Ruth und ließ dabei den Strohhalm im Mund, mit dem sie ihre Cola aussaugte. »Ich habe schon immer zu Tina gesagt, wie sehr ich sie beneide, dass sie dort wohnte.«

»Ich wünschte, ich wäre noch dort«, sagte Tina.

»Das kann ich verstehen, du Arme«, sagte die Freundin, die ganz links saß und Anne hieß. Die dritte, Katja, sagte erst einmal nichts; vielleicht weil sie nicht gut genug Englisch sprach, hoffte ich. Sie war die Ärztin.

Natürlich hatte ich, als ich nach München umzog, auch an die Artikel aus dem *Daily Telegraph* über die Banden junger Nazis in Deutschland gedacht, selbstverständlich hatte ich nicht Margaret Thatchers Warnung vergessen, dass die Deutschen Europa wieder beherrschen wollten. Doch ich erlebte in München mit Tinas Freundinnen und danach noch etliche Male genau das Gegenteil: Sie waren besessen von der Idee, ihr Land schlecht zu machen und deshalb alles andere super zu finden. Sie hielten es für eine Leistung, im Ausland gelebt zu haben. Zudem noch Ausländer zu sein war aus ihrer Sicht ein beneidenswerter Verdienst. Wir waren zu fünft am Tisch, vier mit Muttersprache Deutsch und einer, der Deutsch gerade lernte. Und sie bestanden darauf, englisch zu reden.

»All die englischen Autoren, die du in London lesen konntest, Zoli, in der Originalsprache, das stelle ich mir unglaublich vor«, sagte Anne.

Ich hatte keinen einzigen gelesen.

»Ja, V. S. Naipaul«, sagte ich.

»Hast du von ihm *India* gelesen?«, fragte Anne, »für mich war es sein bestes Werk.« Ich hatte mir Naipauls Namen gemerkt, weil ihn Doktor Mukherjee hasste. »Einer dieser Kolonial-Inder, die nur nach England zogen, um ihr Schicksal als Immigrant zu beklagen. Und dafür geben sie ihm den Nobelpreis«, hatte er gewettet.

»Naipaul ist sicherlich ein exzellenter Schreiber, doch man muss gerade bei seinen Wertungen über England vorsichtig sein; er verschanzt sich hinter seiner Meinung, die Engländer würden ihn als Immigranten ausgrenzen. Dabei lässt *er* gar niemanden mehr an sich heran«, erklärte ich.

»Natürlich, du weißt da sicher mehr als ich, du hast ja in London gewohnt.«

»Und stellt euch vor, die Filme: Hugh Grant in Originalsprache hören, nicht mit dieser lächerlichen Fiepsstimme synchronisiert wie hier«, sagte Ruth.

»Huuugh Grant!!!«, rief Anne.

»Hört auf, ich will gar nicht daran denken, was ich aufgegeben habe«, rief Tina und hielt sich mit beiden Händen die Schläfen.

Ich erklärte ihnen das englische Gesundheitssystem, die drastischen Probleme, vor denen englische Praxen und Krankenhäuser standen, ich referierte über die englische Höflichkeit, über das *Benthal* an der englischen Südküste, »die Meere sind meine Leidenschaft«, und war ergriffen von ihrem ernsthaften Interesse.

»Du bist ein richtiger Engländer geworden, was, Zoli«, sagte Katja. Tina umarmte mich. Überwältigt vor Rührung, dachte ich an meinen Vater. Er konnte stolz auf mich sein, fand ich.

Dass ihre Freundinnen mich mochten, befeuerte Tinas Liebe für mich. Sie vergaß sogar für etliche Tage, sich unwohl in ihrer Haut zu fühlen.

»Natürlich musst du gehen, Zoli«, sagte sie, »es ist wichtig für dich, dass du auch unabhängig von mir Freunde findest.« Ich hatte ihr die halbe Wahrheit gesagt, dass ich mich gerne mit Simon und den Engländern treffen würde.

Wie ihre Freundinnen war Tina außerordentlich großzügig und tolerant und in ihrer Großzügigkeit und Toleranz außergewöhnlich theoretisch. Als hätten sie ihr Verhalten an der Universität in einem Sozialpsychologie-Grundkurs gelernt, folgten sie streng moralisch korrekten Regeln: Es war richtig, Ausländer zu mögen. Es war wichtig, seinem Partner Freiräume zuzugestehen. Also ließ mich Tina gehen, auch wenn sie mich lieber bei sich auf der Liege in Gröbenzell behalten hätte. Es musste an Deutschland liegen; in England hatte sie sich nicht so korrekt gebärdet.

Simon begrüßte mich mit der Erleichterung von jemandem, der befürchtet hatte, ich würde nicht mehr kommen.

»Bin ich zu spät?«

»Nein, nein. Aber der Chef ist schon da.«

Simon überließ Andy und Jason für einen Moment das Bierausschenken, und wir gingen nach hinten, das Büro lag auf der Rückseite der Grillhütte.

»Also, alles so wie wir es abgemacht haben, okay?«

Ich sagte nichts, sondern nickte nur.

Als wir eintraten, drehte sich der Chef so schwungvoll auf seinem Drehstuhl um, dass er nicht uns, sondern die linke Wand anschaute. Er drehte sich zurück.

»Ah, Simon, du bringst die Verstärkung.« Ich war erleichtert: Er sah alt und gutmütig aus. Die Lesebrille saß ihm auf der Nase, als ob er sie dort vor Ewigkeiten vergessen hatte, die Haare waren altmodisch seitlich und streng gescheitelt, aber er trug Bermudahose und Halbschuhe ohne Socken wie ein Jugendlicher.

»Hallo, ich bin Zoli.«

»Du sprichst ja perfekt Deutsch, umso besser!«, rief er.

Ich machte es genauso, wie wir abgemacht hatten. Ich sagte ihm, dass ich gerade mein Studium in Nottingham beendet hatte, Medizin, und ein *gap-year* nahm, also nicht wusste, wie lange ich in München sein würde, aber mindestens für einen Monat.

Er tat genauso, wie Simon es vorausgesagt hatte. »Das ist wichtig: dass ich zumindest die Garantie habe, du bist einen Monat hier. Ich habe nämlich keine Lust, alle paar Wochen neue Bedienungen suchen zu müssen. Aber ein Monat ist in Ordnung, das ist schon mal ein Anfang. Gibst du mir deinen Pass, dann trage ich deine Daten in die Lohnliste ein. Den Stundenlohn hat dir Simon ja sicher schon verraten.«

Ich sagte ihm, dass ich davon nichts gewusst hätte und meinen Pass deshalb nicht dabei.

Das habe er vergessen, mir zu sagen, sagte Simon.

»Na, ist ja nicht so schlimm. Ich sehe ja, dass du Engländer bist. Dann trag nur noch schnell deinen Namen, Heimatadresse und so weiter in die Liste ein. Und bring deinen Pass bei Gelegenheit mit.«

Ich schrieb: Rosenburgh, Zoli. 210 Renfrew Street, Glasgow G3 6TX.

»Aus Glasgow! Ein Schotte!«

»So ist es.«

»Ich liebe Schottland. Ich war zweimal in den Bergen dort. Am Ben Lomond.«

»Forest Park, oben in Stirling«, sagte ich.

»Genau. Du kennst es?« Er war begeistert.

»Siehst du, was habe ich dir gesagt: Schottland bricht das Eis«, sagte Simon, als wir wieder an der Luft waren. »Respekt, dass du dir alles so gut gemerkt hast. Du wirst sehen, er wird nie mehr nach deinem Pass fragen. *Kollege.*« Er reichte mir die Hand.

Ich begann ganz unten, als Bierglaseinsammler und Tischabwischer. Mit dem Abwasch hatten wir Engländer nichts zu tun, der war hinter der Grillhütte, neben dem Büro, und fest in algerischer Hand. »Man arbeitet sich schnell nach oben. Nach drei Wochen war ich schon Brezelverkäufer und nun Bierausschenker«, sagte Simon. Dafür, dass er »auf der Durchreise« war, wie er immer betonte, war er schon ziemlich lange in München, fünf Monate.

Ich arbeitete jeden Tag nach der Schule von zwei bis sechs im Biergarten am Chinesischen Turm, außer Donnerstag natürlich, aber dafür samstags von zehn bis sechs. Ich behielt für mich, dass mir Einsammler & Abwischer als der interessanteste Posten erschien. So konnte ich mir die Gäste am besten anschauen und Olga Neues von den Deutschen berichten.

»Es liegt natürlich in deiner Hand«, sagte Simon, »aber es war bisher so üblich, dass die Gläsereinsammler das übrig gebliebene Bier nicht alleine austrinken, sondern unter allen Bedienungen gerecht verteilen.«

Die Arbeit war kein Vergleich zu der in Doktor Mukherjees Praxis. Denn im Gegensatz zu den ewig klagenden, ewig fordernden Patienten waren die Biergartengäste vorauseilend freundlich und dankbar.

Die Samstage waren die besten. Die Wochendlaune der Gäste und die eigene Vorfreude, nach der Arbeit ins Keane's zu gehen, brachten uns in Stimmung.

»Junger Mann, wann immer ich Sie auftauchen sehe, fühle ich mich unter Druck, mein Glas auszutrinken«, sagte ein Mann mit einem Schnauzer wie aus einem russischen Pornofilm und trank sein noch halb gefülltes Glas auf einmal leer.

»Sie finden alleine zur Toilette?«, fragte ich, und seine Freunde gaben mir für die Frage einen Euro Trinkgeld.

Samstags, falls das Wetter schön war, kam nach eins auch Olga, um mir bei der Arbeit zuzusehen. Während der Woche konnte sie nicht mehr mitkommen, weil sie nach der Schule schlafen musste. Seit ihre Mutter nach Kiew zurückgekehrt war, niemand mehr sie kontrollierte, arbeitete Olga als Nachtportier in einem Hotel.

»Es ist eine Absteige«, sagte sie. »Der eigentliche Nachtportier ist Russe, ein Bekannter von einem Bekannten. Ich treffe ihn um 23 Uhr, er gibt mir die Hälfte seines Gehalts, 35 Euro die Nacht, und haut ab. Morgens um halb sechs kommt er wieder und löst mich ab, damit der Geschäftsführer nichts merkt.«

Wegen ihrer Arbeit wusste sie immerzu neue Geschichten von den Deutschen.

»Gestern kam einer rein, drei Uhr nachts, total betrunken und wollte ein Zimmer, hatte aber kein Geld. ›Können wir nichts machen‹, sagte ich ihm. Da rannte er kurz raus, ich hörte es nur klirren, und dann kam er wieder. Blutüberströmt. Er muss seine Faust in irgendeine Glasscheibe geschlagen haben. ›Können Sie jetzt was für mich tun, Fräulein?‹, sagte er. Ich habe ihn vor die Tür geschickt, und er hat dort regungslos gewartet, bis die Ambulanz kam. Ich hatte sie nicht gerufen.«

»Glaubst du ihre Geschichten?«, fragte Simon. Aber ich wäre noch nicht einmal auf die Idee gekommen, Olgas Erlebnisse zu bezweifeln. Es war ihr Blick. Sie sah mich an, und ich konnte vor Verlegenheit an nichts mehr richtig denken, nichts infrage stellen.

»Was machst du mit dem Geld, das du hier verdienst?«, fragte sie mich, als mein Gesicht ganz nah vor ihrem war, weil ich mich vorbeugen musste, um an ihr vorbei den Tisch abzuwischen. Sie saß ganz am Eck, immer an derselben Stelle, und kaute die Brezel, die ich ihr gebracht hatte, in unglaublich kleinen Etappen, einem konnte der Appetit vergehen, wenn man ihr zusah.

»Sparen«, sagte ich.

»Wofür?«

»Für die Zukunft, nehm ich an«, sagte ich vage, weil ich schon wieder ihre Augen auf mir spürte.

»Warum kaufst du mir nicht was Schönes zum Anziehen?«

Sie sagte es wie einen Scherz, wusste aber genau, dass ich nicht fähig war, es als solchen zu verstehen.

»Ich muss weiter«, sagte ich.

Olga ging nie mit ins Keane's.

»Ich muss mich auf meine Arbeit vorbereiten«, sagte sie, aber ich hatte den Verdacht, es war ihr einfach zu profan, in eine laute, von Körperwärme überhitzte Bar zu gehen und Unsinn zu reden.

Wir wollten im Keane's so wenig wie möglich trinken. Deshalb tranken wir bereits so viel es ging am Chinesischen Turm.

»3,75 Euro der halbe Liter, wenn wir da nur halbwegs betrunken sein wollen, geben wir ja an einem Abend im Keane's mehr aus, als wir vorher den ganzen Tag über verdient haben«, sagte Jason. Niemand von uns rechnete seine Kalkulation nach.

Stattdessen stellten Andy und Simon ab 17 Uhr heimlich hinter der Ausschenke ein paar Krüge auf den Boden, dort schütteten wir die Bierpfützen aus den zurückgelassenen Gläsern der Gäste zusammen und am Ende schnell noch ein paar Schuss frisches Bier drauf, damit es nicht so abgestanden schmeckte. Sieben, acht Liter bekamen wir so bis zum Dienstschluss um sechs fast immer zusammen. Robin, der neu in München war und deswegen noch nicht am Chinesischen Turm arbeitete, schmuggelte unser Bier ohne Probleme aus dem Biergarten.

Wir tranken es im nördlichen Teil des Englischen Gartens, am Großhesseloher See, ließen dabei die Füße im Wasser baumeln, weswegen uns die Schwäne und die Deutschen misstrauisch beäugten.

»Guck mal, wie die Deutschen gucken«, sagte Andy.

»Blöd halt«, sagte Robin. Er schaute sich mit zusammengekniffenen Augen um, weil er eine Brille brauchte, aber nie eine aufsetzen würde.

»Sie haben Angst vor der öffentlichen Nacktheit. Sie fürchten, dass wir uns noch weiter ausziehen«, sagte Simon. Er war von uns am längsten in München und hatte deswegen das Meinungsmonopol auf die Deutschen. Ich vermutete, dass ihm deswegen Olga nicht ganz geheuer war; weil sie seine Monopolstellung infrage stellte.

»Klar, die Deutschen sehen im Spanienurlaub die *lads*, die permanent halb nackt rumlaufen, am Strand, in der Bar oder beim Stadtbummel durch Valencia, und die Deutschen denken, die Engländer sind alle und überall so«, sagte Jason.

Die *lads* waren eines unserer Lieblingsthemen.

Für mich war es nicht ganz einfach, den Überblick zu behalten. Grundsätzlich waren Simon, Jason, Robin und Andy Studenten – Andy hatte bereits fertig studiert, Geschichte, und die anderen würden nach ihrem Lückenjahr an der Universität anfangen – und *the lads* waren die anderen: working-class-Engländer, die sich im Ausland nur daneben benahmen, soffen, prügelten, Frauen belästigten, sich in der Sonne das Gesicht verbrannten. Allerdings konnte es passieren, dass wir plötzlich selber die *lads* waren; dass Robin sagte: »*Lads, have a look at that bird, what a stunner*«, oder Jason: »*Let's go, lads.*«

Engländer waren Verwandlungskünstler: Doktor Mukherjee konnte in der Praxis der seriöseste Arzt sein und zu Hause der größte Kindskopf, Margaret Thatcher die bewunderte Reformerin und ein andermal die brutale Zerstörerin des Gesundheitswesens, *die* Engländer grundsätzlich nüchtern die gesittetsten Gentlemen und betrunken die schlimmsten Rabauken; meine vier Freunde typische Studenten und in der nächsten Minute *the lads*.

»Mein Freund Gerry war letztens mit den *lads* auf Mallorca«, sagte Andy. »Lernen sie ein paar skandinavische Bräute kennen, sagt der eine zu den Mädels: ›Mein Kumpel hat zwei verschieden große Eier, wollt ihr sie sehen?‹ Die Bräute kichern, und sein Kumpel lässt mitten auf der Straße die Hosen runter. Mitten auf der Straße. Die Bräute haben vielleicht hysterisch geschrien.«

»O Gott.«

»Und das sind die Typen, die unseren Ruf versauen: *The lads*. Weißt du, *wir* reisen durch die ganze Welt, weil wir uns für die Dinge interessieren; ich zum Beispiel werde demnächst nach Prag weiterfahren, dann vielleicht Moskau, vielleicht auch Thailand, und was passiert, wenn ich dort sage, ich sei Engländer? Egal wo, als Allererstes fragen sie mich: ›Warum trinkt ihr so viel?‹«

»Scheiße, Mann.«

»Willst du noch ein Bier?«

Im Keane's brauchte man nicht vor zehn zu sein, deshalb waren wir meistens gegen neun dort. Es war eine Bar im englischen Stil, mit britischen Kellnern, und daher, da waren sich Simon und die anderen sicher, mit einem deutschen Besitzer. »Das Geld machen die Deutschen, dafür sind wir zu blöd.« Das war für sie das Wichtigste, was ein Mensch können musste: über sich selbst lachen. Sich selber runter und schlecht zu machen war ein ernsthafter Zeitvertreib der Engländer. »Ihr werdet sehen, er ist wirklich *selbstverachtend*«, hatte Simon uns Robin angekündigt; es war Simons größtes Kompliment. *Self-deprecating* war das Wort.

Das Keane's war nur ein paar hundert Meter vom Englischen Garten entfernt, in einem Keller am Nikolaiplatz. Es war jedes Mal wieder kurios, aus dem Park hinauszutreten. Mit einem Mal war es gut fünf Grad wärmer.

»Spürt ihr's?«, fragte Simon immer, denn er wollte es nicht in Vergessenheit geraten lassen, dass er der Erste gewesen war, der den Temperaturunterschied zwischen Gartenkühle und Häuserhitze entdeckt hatte.

Um neun war das Keane's noch leer und es unvorstellbar, dass in zweieinhalb Stunden hier Hunderte junge Menschen tanzen würden. Jason kaufte eine Runde Bier für alle, weil es für einen Engländer obligatorisch war, all seine Freunde beim Ausgehen auf ein Bier einzuladen.

»Selbst wenn ihr zu siebzehnt seid?«, fragte ich Simon.

»Natürlich.«

»Aber niemand trinkt siebzehn Bier.«

»Aber viele versuchen es.«

Durch die gähnende Leere des Lokals fühlten wir uns verpflichtet, eine seriöse Unterhaltung zu führen.

»Seht ihr die Gitarre da an der Wand?«, sagte Simon, und während wir den Blick auf den Wandschmuck hefteten, redete er schon weiter. »In einem Schließfach der Bank *Coutts & Co.* in London liegt eine Gitarre seit Anfang des 19. Jahrhunderts. Ein historisches Stück, aber die Bank rückt sie nicht raus. Ehrensache: Der Besitzer könnte ja noch zurückkommen und sie abholen.«

»*Coutts & Co.* betrieben bis 1993 noch einen speziellen Kurierservice per Pferdekutsche zum Buckingham Palace, wo einer ihrer besten Kunden wohnt: die Königsfamilie«, wand Robin ein. »Dann mussten sie die Pferde aus dem Verkehr ziehen. Verursachten zu viele Autounfälle.«

»Wusstet ihr, dass es nahe dem Buckingham Palace, im Viertel St. James, dreizehn Herrenclubs gibt? Dreizehn!«, sagte Jason.

»Fast wären es nur noch zwölf gewesen. Den Carlton Club wollte die IRA in die Luft sprengen«, entgegnete Andy.

»In die Clubs dürfen keine Frauen rein. Nur Prostituierte«, sagte Robin.

»Und Margaret Thatcher als Ehrenmitglied«, sagte Andy.

Zunächst hatte ich diese Gespräche für interessante Unterhaltungen gehalten. Tatsächlich waren es Wettkämpfe. Sie maßen sich in ihrem Wissen. Später, wenn das Keane's voller und die Stimmung legerer wurde, wurden auch unsere Gespräche banaler. Aber der Wettkampfcharakter blieb. Bei allem, was sie taten, bei allem, worüber sie redeten, blieben sie Konkurrenten.

»In den Stoßzeiten schaffe ich es mittlerweile, acht Bierkrüge in anderthalb Minuten abzufüllen.«

»Ich habe letztens innerhalb einer Stunde 210 abgefüllt.«

»Und vom Zählen war dir so schwindlig, dass ich in der nächsten Stunde für dich die Schicht übernehmen musste.«

»Letzten Sonntag war ich vielleicht platt, aber kein Wunder, samstags habe ich im Keane's vierzehn Bier geschafft.«

»Getrunken oder ausgeschenkt?«

»Nee, ausgeschüttet, Mann!«

»Ich will versuchen, innerhalb von einer Woche von Prag nach Pakistan zu kommen, ohne einen Pfennig für Fahrtkosten auszugeben.«

»Ich weiß von einem Freund, dessen Vater im Verteidigungsministerium arbeitet, dass Pakistan Atomwaffen hat.«

»Das weiß doch jedes Kind. Die Frage ist, ob Blair Indien davon abhalten kann, auf Pakistans Provokationen mit Biowaffen zu antworten.«

»Oh, seht ihr die Blonde da vorne? Genauso sah die Holländerin aus, die ich in Maastricht klargemacht habe. ›Moment mal!‹, sagte sie, ging in die Hocke, zog den Rock hoch, pinkelte auf die Straße, und als sie fertig war, sagte sie nur: ›So, jetzt können wir zu mir gehen!‹«

»Das wird dir in Pakistan wohl weniger häufig passieren.«

»Arsenal hat heute schon wieder gewonnen. 49 Spiele in Folge haben sie jetzt in jedem Match ein Tor geschossen.«

»Ja gut, aber Chesterfield hat 1929 auch eine Serie von 46 Spielen hingelegt, als sie in jedem Match ein Tor erzielten.«

»Weißt du nicht, was mehr ist, 49 oder 46?!«

»Ich sag's doch nur.«

An solchen Stellen wagte ich es manchmal, mich einzuschalten.

»Ungarn war die erste Mannschaft, die England im Wembley-Stadion besiegte, 6:3, 1963.«

»Das war doch 1953, Kumpel!«

Doch Simon sprang für mich ein: »Mann, Andy, hast du es nicht kapiert?! Zoli wollte uns verarschen: So tun, als habe Ungarn zweimal gegen England gewonnen, 1953 und 1963.« Sie lachten, klopfen mir auf die Schulter und stießen mit den Gläsern an.

»Auf Ungarn!«

»Auf Ungarn!«

Sie waren aufrichtig froh, dass sie mich bei sich hatten. Ich war ihr Alibi. Wenn sie nach dem Lückenjahr zurück nach London, Bristol, Guildford gingen und man sie fragen würde, wie es im Ausland war, wie die Ausländer waren, hatten sie wenigstens mich; wenigstens einen, den sie kennen gelernt hatten.

Es interessierte sie nichts weniger als Ausländer, auch wenn – oder gerade weil – sie jetzt im Ausland waren. Ausländer waren anstrengend, sie redete so langsam Englisch, sie hatten kein Wissen über Arsenals Siegesserien, über Jeffrey Barnards Kolumnen im *Spectator*, über konservative Politiker, die schwul waren. Ich war in Ordnung. Ich war anders als sie, aber auch anders als die anderen Ausländer; ich kannte London wenigstens, ein paar schwule Konservative (»Der mit dem italienischen Nachnamen, oder?«) und Jeffrey Barnard (»Ist das nicht der, dessen Kolumne meistens aus nur einem Satz besteht: »*Jeffrey Barnard is unwell*«?). Ich musste nicht bei all ihren ernsthaften Wissenswettkämpfen mitspielen, ich konnte zuhören, auch abschalten, bloß ab und an etwas einwerfen. Dann lachten sie, um mir ihre Zuneigung zu versichern. Auch wenn ich es gar nicht lustig gemeint hatte.

»In Ungarn lieben die Mädchen zurzeit weiße Hosen, eng genug, damit man ihren schwarzen Tanga durchschimmern sieht«, sagte ich.

Sie prusteten, Robin hielt sich den Bauch.

Simon sagte: »Der ganze Ostblock ein einziges großes Bordell, alle Mädchen wie Prostituierte gekleidet! Du bist wirklich *selbstverachtend*, Zoli.«

Das Keane's lebte von seinem Ruf, dass es hier wie in England war; dass die Engländer hier waren. Dass sie gar keine Engländer kennen lernten, fiel den Deutschen, Franzosen, Kroaten, Slowakinnen, Finninnen, Österreicherinnen dann aber gar nicht auf. Hauptsache, sie lernten irgendwen kennen. Wie der Southern Star oder das Kangaroo in London war das Keane's in München die zentrale Bar der Ausländer. Es hätte nicht unterschiedlicher vom Southern Star sein können. Es gab Tische und Stühle im Keane's, so ging es schon einmal los. Während der Southern Star ein Geheimnis war, ein heimlicher Treff in der parallelen Welt der Londoner Ausländer, in den nie ein Engländer einen Fuß setzten würde, war das Keane's der offizielle *meeting point* für junge Deutsche und Ausländer. Tschechische Au-pairs, schwedische Studenten oder italienische Sprachschüler kamen hierher, weil sie sich in München integrieren wollten; Deutsche, weil sie Ausländer für etwas Tolles hielten. Sie lernten sich im Keane's kennen, und dann verschwanden sie gemeinsam im deutschen Alltag, deutsche Studenten mit slowakischen Au-pairs, schwedische Sprachschüler mit deutschen Außenhandelskauffrauen; ins Keane's kamen sie nie wieder, was sollten sie noch dort. Nur die Engländer und ich waren immer da. Wie auf einer Insel in der Nordsee standen wir isoliert inmitten der sich kennen lernenden Ausländer und taten, als gehe uns die um uns tobende See nichts an. Manchmal gab es ein Missverständnis, eine Slowakin sprach Andy an, weil sie ihn für einen Deutschen hielt, eine Schwedin Simon, weil sie dachte, wir hätten Norwegisch geredet. Doch schon bald merkten sie, dass es zu anstrengend war, dem Englisch der Engländer zu folgen; zu schnell nervte die Engländer, dass die Mädchen nichts über William-*14-pints*-Hague oder Chris Evans' neuestem Flop zu sagen wussten. Die Slowakinnen, Schwedinnen lächelten zum Abschied und drehten sich ganz schnell weg.

Bloß die anderen Nordsee-Inseln erkannten wir sofort im

Keane's. Nur ein halbes Gesicht, mit wasserstoffblonden Haaren und grellem hellblauen Lidschatten tauchte nachts um halb eins für eine Zehntelsekunde aus der tanzenden, schwitzenden Menge auf, aber Simon hatte es erkannt: »Kumpels, da sind Bräute aus Liverpool.« Sie waren aus Warrington – und genauso heilfroh, andere Inselmenschen gefunden zu haben.

Simon machte ihnen eine Liebeserklärung: »*Warrington, hell, no*. Von dort bekam ich immer meine Handy-Rechnungen geschickt, als ich noch in England war.«

Nach fünf Stunden, oder konkreter gesagt, nach fünf Bier – eine Runde von jedem – konnte ich nicht mehr die Konzentration aufbringen, jedes Detail aufzuschnappen – wie Thatchers Lieblingsschüler William Hague sich mit der Fabel von den vierzehn Bieren lächerlich gemacht hatte, warum sich Chris Evans mit Geri Halliwell hatte fotografieren lassen. Ich verabschiedete mich und wusste, ich hatte die letzte S-Bahn nach Gröbenzell verpasst.

Ich wanderte die Straßen entlang, mit einer ungefähren Idee, wo das Hotel war, aber vor allem mit der vagen Hoffnung, dass ich irgendwann einfach davor stehen würde. Je tiefer ich in die Innenstadt geriet, desto weniger Leute begegneten mir. München schlief schon, war aber festlich beleuchtet. In der Kaufinger Straße, der Fußgängerzone, ging niemand außer mir, bloß ein Auto fuhr, die Polizei. Sie rollte im Schritttempo an mir vorbei, die zwei Polizisten starrten mich an und ich sie. »*The police, hell, no*«, ich dachte es auf Englisch, und schon zogen sie vorbei und ab. Dann sah ich den Stachus und wusste wieder ganz genau, wo ich Olga finden würde.

Sie hatte die Tür abgeschlossen, ich klingelte nochmal, obwohl ich sie durch die Glastür schon herbeieilen sah, und erschrak selber über den schrillen Klingelton.

»Spinnst du?«, sagte sie zur Begrüßung, sie meinte das Klin-

geln. »Komm rein.« Sie schien nicht überrascht, mich zu sehen.
»Ich habe die S-Bahn verpasst, ich brauch ein Zimmer, Olga«,
sagte ich. Ihr Hotel sah wirklich wie eine Absteige aus. Der
graue Teppich war filzig, die schlichte Holzrezeption verband
ich mit Spielfilmen aus der Zeit des Kommunismus.

»Du bist betrunken«, sagte sie.

»Und?«, sagte ich.

Sie lachte. Sie war blass; das war sie immer, fiel mir auf.

»Um halb sechs kommt Anatoli, um mich abzulösen, das
heißt, um fünf musst du verschwinden. Aber so lange kannst
du hier bei mir schlafen.« Es war zehn nach drei. Sie zeigte auf
eine Tür hinter der Rezeption. Ich schaute hinein und sah
eine Klappliege mit Schlafsack, aus dem sich offensichtlich
erst vor kurzem jemand gewühlt hatte.

»Und wo schläfst du?«

»Ich wache«, sagte sie und lächelte. Ich lächelte zurück, denn
mir schien, ich war auf dem richtigen Weg.

Fünfzehn

Je länger ich in die Deutschschule ging, desto weniger deutsch redete ich. Frau Schönhaar, die Lehrerin, zwang mich zwar zum Reden, und ich beantwortete ihre Fragen auch, aber ich tat es so kurz wie möglich und mit der Absicht, die deutschen Wörter so schnell es ging wieder zu vergessen. Olga hatte mich in meiner Befürchtung bestärkt, dass das Deutsch nur eines bewirkte: den Verlust des Englischen.

»Je besser du deutsch sprichst, desto schlechter wird dein Englisch«, sagte sie – auf Englisch natürlich –, als wir morgens um zwanzig vor neun gemeinsam die Lindwurmstraße hinunter zur Schule gingen. Neben uns stauten sich die Autos, sie hupten, aber wir sahen schon gar nicht mehr hin, so gewohnt waren wir bereits daran, dass sich die Deutschen übereinander aufregten.

Ich hatte mich um halb neun von Tina am Sendlinger Tor verabschiedet, fünf Minuten später, an derselben Stelle, traf ich nun täglich Olga, um mit ihr in die Schule zu gehen; der Wechsel klappte reibungslos. Der Übergang von Deutsch zu Englisch funktionierte nicht so einfach.

Ich dachte durcheinander. Englisch, Deutsch, Ungarisch, in meinem Kopf mischten sich die Vokabeln und mir kam zu oft genau die Sprache in den Sinn, die ich gerade nicht brauchte. Deshalb entschied ich, das Deutsch zu unterdrücken. In Deutschland brauchte ich es sowieso nicht; außer für Tinas Mutter – und da reichten einzelne Worte, die Grammatik konnte ich mir sparen. Der Rest der Deutschen wollte nicht deutsch mit mir reden.

Ich sagte im Biergarten: »Kann ich Ihre Gläser wegräumen, bitte?« Und die Deutschen schoben mir das Glas lächelnd, aber schweigend zu. Ich fragte Tinas Freundin Ruth: »Was machst du am Freitag?« Sie entgegnete: »*I would like to do something wild*«, und streckte sich, wobei sie die Hände in der Luft zu Fäusten ballte. Die meisten Deutschen, die ich traf – und es waren nicht viele – schienen es stilvoll zu finden, mit Ausländern englisch zu reden; auch wenn manche Fremde – ich natürlich nicht – vielleicht lieber ihr Deutsch verbessert hätten. Aber das Stilvolle war ja vor allem, zeigen zu können, dass man selber englisch sprach. Ein deutscher Lieblingssatz war: »Jeder spricht englisch.«

Olga glaubte nicht, dass ich lange so weitermachen konnte, sprich, Deutsch intensiv lernen und gleichzeitig versuchen, es zu unterdrücken.

»Es ist ein Verdrängungskampf«, sagte sie. »Und wenn du das Deutsch nicht bald stoppst, zersetzt es dein Englisch. Im Gehirn ist nicht genug Platz für zwei Fremdsprachen. Du musst dich entscheiden.«

Das wusste ich selber. Aber ich wollte nicht. Ich wusste, die Entscheidung, Deutsch oder Englisch, würde mein angenehmes und sorgloses Leben im *Dazwischen*, in der Lücke, die ich gefunden hatte, beenden. Denn wenn es auch kein praktische Auswirkungen gehabt hätte, mit dem Deutschlernen aufzuhören, so hätte es doch unwahrscheinliche Signalkraft. Mich für eine der beiden Sprache zu entscheiden würde bedeuten, mich für das eine oder andere Land zu entscheiden, meine Zukunft zu klären. In drei Wochen lief mein Touristenvisum ab.

Olga hatte die Frage der Sprache für sich bereits emotionslos gelöst. »Ich werde hier mein Studium machen, weil das in England für mich unmöglich ist. Und in fünf, sechs Jahren, wenn ich fertig bin, habe ich eine Lösung gefunden, um zum Arbeiten nach England zu gehen. Bis dahin lasse ich dem Deutschen Vorrang in meinem Gehirn. Aber ich lerne es ohne Enthusiasmus, um dem Englisch zumindest im Hinterkopf einen Platz zum Schlummern zu lassen.« Sie gähnte. Seit sie nachts im Hotel arbeitete, war es morgens um kurz vor neun für sie 19.55 Uhr, hatten wir ausgerechnet: noch viereinhalb Stunden, bis sie ins Bett ging.

Das Treppensteigen, hinauf zur Sprachschule im dritten Stock, gab uns einen Vorwand zu schweigen. Wir atmeten zu schwer, um zu reden. Olga keuchte ukrainisch »sch-sch«, rhythmisch klagend, ich ungarisch »kh-kh«, leise, pressend. Im Stöhnen, Japsen, übrigens auch im Niesen, bleibt man immer, was man ist, Deutscher, Engländer oder Ukrainer.

Die Wolgadeutschen waren schon da, als wir unsere Taschen im Klassenzimmer abstellten. Es war zu spüren, dass alle Kurse, die zurzeit in der Schule angeboten wurden, bereits seit Wochen liefen: Niemand, außer den Wolgadeutschen, kam mehr zu früh wie zu Kursbeginn. Die Schüler wussten nun aus Erfahrung den Schulweg so einzuteilen, dass sie zwischen fünf vor und fünf nach neun ankamen. Die Wolgadeutschen waren bereits um acht da.

»Habt ihr keine Wohnung?«, hatte Rita, die Brasilianerin, einmal gefragt, aber Frau Schönhaar die Frage sofort abgeschnitten. Was vermuten ließ, dass die Wolgadeutschen tatsächlich kein Zuhause hatten.

»Sie wohnen sicher in einem Aussiedlerwohnheim«, hatte Tina gesagt, als ich ihr davon erzählte. Warum sie lieber von acht bis neun Uhr in der leeren Klasse auf den blauen Plastikstühlen schliefen, deren Lehne sich beim leichtesten Zurücklehnen durchbog, als im Wohnheimbett, wusste Tina aber auch nicht.

Von Tag zu Tag wurden die Wolgadeutschen ugandisch-indischer.

Sie machten nicht mehr alle Übungen von Frau Schönhaar mit. Es ging los, als wir in einen Lückentext die fehlenden Verben eintragen und entscheiden mussten, ob wir Perfekt oder Imperfekt benutzten. Sie saßen einfach da, drehten an ihren

Kugelschreibern und grinsten, wenn sie sich gegenseitig anschauten. Jeder von ihnen sah in ein Gesicht, frisch gewaschen, aber auch zerknittert wie ein Hemd direkt aus der Waschmaschine.

»Franz, Christian, was ist los?«, fragte Frau Schönhaar, aber sie grinsten nur noch mehr. Schließlich machten sie die Übung doch, ohne eine Begründung für ihr provokatives Zögern zu geben. Die gaben sie erst sechs Tage später.

»Wir kriegän deitschä Pässe«, sagte Christian.

»Aber damit nicht automatisch die deutsche Sprache«, entgegnete Frau Schönhaar.

Doch das sahen sie anders.

Sie fanden, es war nicht mehr standesgemäß, allen und jeder Anweisung zu folgen.

»Keine Zeit. Musstän gestern aufs Amt«, sagten sie, wenn sie die Hausaufgaben vorlesen sollten.

Und es wirkte. Mit ihrem Missmut dominierten sie den Kurs. Unausgesprochen hatten sie das Gesetz etabliert, dass es lächerlich war, engagiert mitzuarbeiten. Rita und die russische Olga waren eingeschüchtert. Sie meldeten sich nicht mehr freiwillig. Wenn Frau Schönhaar die russische Olga etwas fragte, antwortete sie so leise, dass die Lehrerin sie unterbrechen musste, um »Lauter, Olga!« zu sagen. Olga – meiner Freundin Olga – und mir war das Deutsch, wie gesagt, nicht mehr so wichtig, deswegen sagten wir sowieso nicht mehr so viel im Kurs. Aber mal angenommen, wir hätten noch enthusiastisch mitarbeiten wollen, dann wäre es uns nicht leicht gefallen.

Ich begriff, wie die Uganda-Inder damals in Ostafrika ihre Schneiderbetriebe kontrolliert hatten. Genauso. Mit Missmut. Schlechte Laune war ein wirksames Machtmittel, damit ließen sich Kollegen und noch leichter natürlich Untergebene tyrannisieren; damit ließ sich ein Klima erzeugen, in dem sich niemand mehr traute, sich zu widersetzen.

Frau Schönhaar kämpfte noch gegen die Tyrannei des Missmuts. Wie eine Dirigentin ging sie ganz leicht in die Knie, streckte den rechten Arm vor und deutete mit der Hand eine sanfte Wellenbewegung von uns zu ihr an, als wolle sie so die Worte aus uns herausspülen, wenn wir den Konjunktiv von *herauskommen* durchdeklinierten.

»Ich käme heraus«, sagte Olga.

»Du kämst heraus«, sagte die Russische, ohne den Blick vom Tisch zu heben.

»Er, sie, es käme heraus«, sagte ich.

»Wo soll ich jemals herauskommen?«, fragte Franz. »Ich brauche das Verb nicht.«

Frau Schönhaar stöhnte und sah abrupt nach links, die Wand an. Als sie sich nach einer langen Sekunde uns wieder zuwandte, sah sie sehr beherrscht aus und sagte: »Rita. Wir …?«

»Wir kämen heraus«, sagte Rita.

Es gab kein Mittel gegen die Uganda-Deutschen. Denn sie waren – theoretisch zumindest – freiwillig hier, sie – beziehungsweise irgendein Ministerium zur Eingliederung der Aussiedler – zahlten für ihren Deutschkurs. Sie konnten uns tyrannisieren, wie sie wollten. Sie gingen mir gehörig auf die Nerven. Aber ich schwieg, denn ich hatte Angst, mich vor Olga lächerlich zu machen, wenn ich etwas gesagt hätte. Denn mich aufzuregen hätte bedeutet, dass ich den Deutschunterricht doch ernst nahm. Stattdessen sah ich die Wanduhr über der Tafel an, befahl mir, nicht zu oft hinzusehen, denn so verging die Zeit schneller, und irgendwann war es schließlich tatsächlich eins.

Die Sonne schien Ende September ohne rechte Kraft, aber das ließ die Münchener umso emsiger in den Biergarten marschieren.

»Torschlusspanik«, sagte Simon. »Sie spüren, bald ist die Zeit ganz vorbei, deswegen gehen sie jetzt noch in den Biergarten, auch wenn sie sich was Besseres vorstellen könnten.« Ich stand bei ihm am Tresen und wartete, dass die Gäste ihre Biere leer tranken, damit ich die Gläser abräumen konnte. Sie saßen in gefütterten Jacken vor ihren Bieren, die Hände in die Jackentaschen gesteckt, den Hals eingezogen, um ihn im Kragen zu wärmen. Ich hatte nur noch halb so viel Arbeit: Sie brauchten nun fast eine Stunde für ein Bier. Im August waren es noch dreißig Minuten gewesen. Wir trugen dieselben T-Shirts wie im Sommer. Als ob wir nicht wahrhaben wollten, dass etwas zu Ende ging. Ab 1. Oktober begann die Wintersaison. Herr Moosbauer, der Besitzer, würde nur noch ein Drittel des Personals brauchen.

»Mir ist es recht, ich bin sowieso nur auf der Durchreise«, sagte Simon. »Prag ist im Oktober am schönsten.«

Er hatte sich nicht in »die Liste der Freiwilligen« eingetragen, wie wir sie nannten, auf der Moosbauer die Namen von denen wissen wollte, die im Winter sowieso weggingen.

Jason war bereits fort, zurück bei seinen Eltern in Guildford, wo er bis zu seinem Studienanfang im kommenden Frühjahr auf dem Postamt Briefe sortieren wollte. Zum Abschied hatte er gesagt: »In Guildford ist es auch nicht viel anders als in der Türkei«, wo er eigentlich hinwollte. »Eine Menge komischer Kauze, die im Café sitzen, Tee trinken und darüber schwatzen, was für komische Kauze doch den ganzen Tag ins Café kommen.« Komische Kauze war sein Wort für normale Leute.

Seit Jason weg war, redeten wir viel über ihn. So versuchten wir, die Gewissheit zu verdrängen, dass wir das bald alle wären: weg voneinander.

»Was Jason wohl jetzt macht?«, fragte Simon.

»Neun«, sagte Andy. Er zählte, wie viele Bierkrüge er in fünf Minuten ausschenken konnte. »Jason? Auf einem Bahnsteig stehen und den Zügen nachsehen.«

»Ist Jason bekannt dafür, den Zug zu verpassen?«, fragte ich.

»Zoli, Mann, du bist so selbstverachtend«, sagte Simon. Sie lachten.

»Scheiße, verzählt. Wie viele hatte ich eben, zehn oder elf?«, fragte Andy.

»Jason ist ein verdammter *trainspotter*«, erklärte mir Simon, wieder mit ernstem Gesicht. Aber ich wusste nicht, ob er auch schon wieder ernst war.

»*Trainspotter?*«

Meine Unsicherheit gefiel Simon, ich sah die Zufriedenheit in seinem Gesicht.

»Yip. Steht auf dem Bahnsteig und zählt Züge. Schreibt alles auf. Typ der Lok, Anzahl der Waggons, Ankunftszeit, Zielbahnhof, mit Büffetwagen oder ohne, Verspätung.«

»Vor allem die Verspätung«, sagte Andy. »Da hat er zu tun in England.«

Das glaubte Simon auch: »Im Sommer 2000 bin ich mal mit dem Zug nach Liverpool, besser gesagt: Ich habe es versucht. Bei Stafford mussten wir den Zug wechseln, weil unserer zusammenbrach, bis Crewe hatten wir auf einer Strecke von drei Stunden viereinhalb Verspätung und mussten in eine lokale Bahn umsteigen. Dort fiel das Licht aus, wir saßen eine Stunde im Dunkeln, und mein Sitznachbar sagte: *Next Stop Auschwitz.*«

Ich wusste immer noch nicht, ob Jason tatsächlich Züge zählte.

»Besser ein *trainspotter* als ein *birdwatcher*«, sagte Andy und fertigte einen Kunden mit einem Nicken ab, um weiterreden zu können. »Der Nachbar von einem Freund von mir in Putney hat damit angefangen. Und schon bald war es wie eine Sucht. Erst reichte es ihm, am Wochenende in den New Forest oder in die Chiltern zu fahren und mal einen Blauspecht zu erspähen. Dann ging er in Rente und hatte Zeit. Auf einmal musste es Schottland sein, schließlich Afrika, die Karibik, Asien. Er glaubte, er könne alle Vögel der Welt sehen. Nach

Kenia war er pleite. Das Geierperlhuhn war ein Vogel zu viel für ihn. Seine Bank kassierte das Haus ein, jetzt lebt er in einer Mietswohnung im dreckigen Süd-London, schaut mit seinem Fernglas aus dem Fenster, und wenn er Glück hat, kommt mal eine Amsel vorbei.«

»Mann, es gibt zu viele komische Kauze in unserem Land.«

Ich konnte Simon und Andy stundenlang zuhören. Durch das Wissen, dass ich schon bald aus meiner Lücke herauskriechen und Entscheidungen treffen musste, erhielt meine Zufriedenheit allerdings einen Anflug von Bedauern. Ich wusste, lange konnte es nicht mehr so weitergehen; doch so war es ideal.

»Zoli, da ist ein Mädchen, das dich sprechen will«, sagte Robin, der sich mit mir seit einigen Tagen das Einsammeln & Abwischen teilte. Ich dachte noch, ist Olga schon auf? Aber da stand sie schon vor mir.

Sie sah deplaziert aus in ihrer Arbeitskleidung an unserer Holzbude, mit der weißen Samtbluse unter dem beigen Dufflecoat, dem rotgrau gemusterten Rock, den schwarzen Schuhe mit Absätzen, die vom Staub der Parkwege weiß gefärbt waren. Sie sah mich bedauernd an. Ich wusste daher, sie bedauerte sich selbst.

»Warum tust du das, Zoli?«, sagte sie mit leiser Stimme und traurigem Blick. Ich kannte Tina gut genug: Sie würde bald lauter werden.

Ich sagte: »Was tue ich?«

»Warum tust du mir das an?«

Ich hatte eine Idee, was sie meinte, hielt es allerdings für keinen guten Augenblick, das Gespräch zu vertiefen. Denn hinter ihr drängelten drei Fremde, die uns nicht zuhören, sondern sich ein Bier kaufen wollten.

»Lass uns woanders hingehen«, sagte ich und ging mit ihr schweigend hinter die Holzhütte. Es war der natürliche Instinkt, nach hinten, aus dem Blickfeld zu gehen. Auch wenn wir nun neben den Toiletten standen.

»Du kriegst doch von uns alles, was du brauchst, Zoli.« Sie wurde jetzt lauter. »Meine Mutter und ich tun alles für dich, du darfst bei uns umsonst wohnen, ich bezahle dir sogar deinen Sprachkurs – was willst du denn noch?!«

Ich schwieg. Denn ich wusste, sie war noch nicht fertig.

Sie schwieg auch. Vielleicht weil sie erwartete, dass ich etwas sagen würde.

»Ruth hat dich gesehen«, sagte sie resignierend.

Ich sagte aber immer noch nichts.

»Ruth mag dich wirklich. Sie war schockiert, Zoli. ›Warum arbeitet er im Biergarten?‹, fragte sie mich entsetzt. Sie rief mich extra an, um es mir sofort zu sagen. Weißt du, wie du mich blamiert hast? Als ob ich dich hungern ließe und du dir mit irgendeinem Scheißjob ein paar Mark fünfzig zusammenkratzen müsstest.«

Die wenigen Leute, die auf die Toiletten gingen, hatten uns bis dahin neugierig gemustert. Nun sahen sie auf den Boden. Tina war wieder laut geworden. Ihre Augen waren nur noch Striche. Sie hatte gar keine Ahnung, wie schön sie aussah, wenn sie traurig oder verärgert war. So wirkte sie verletzlich, lieblich. Viel eher zum Fürchten war sie, wenn sie gut gelaunt war.

»Schau, ich arbeite hier, um zu sparen, um …«, fast hätte ich gesagt, »um etwas mitzunehmen nach Ungarn«, konnte mir das aber Gott sei Dank noch verbeißen. Es wäre sowieso gelogen gewesen. Ich arbeitete im Biergarten, weil es mir Freude machte. Aber ich kannte sie gut genug, um zu wissen, was ich Tina sagen konnte und was nicht.

»Aber du musst doch wohl zugeben, dass es gegenüber meiner Mutter und mir unverantwortlich von dir ist: heimlich einfach so einen miesen Job machen. Und auch noch am Chinesischen Turm! Wo die halbe Welt hingeht. Über kurz oder lang musste dich ja jemand entdecken.«

»Tut mir Leid«, sagte ich, und das tat es mir ganz und gar nicht.

199

»Ach, Zoli. Es ist schon ein Kampf mit dir. Als ob ich nicht genug Stress in der Arbeit hätte.«

Inzwischen war ich mir sicher: Es war Deutschland, das sie so verändert hatte. Es hatte in diesem Land Methode, schwarz zu sehen. Allein die Zeitungsartikel, die uns Frau Schönhaar zu lesen gab: Immer ging es um »noch mehr Arbeitslose«, »deutschen Banken geht das Geld aus«, »Wirtschaft stagniert«, »FC Bayern in der Krise«, »Muss Dieter Bohlen in die Sex-Klinik«, und die Renten waren auch schon unsicher. In Wirklichkeit war die Wirtschaft noch immer die drittstärkste der Welt, siegte sich der FC Bayern zu Tode, hortete eine Sparkasse in Gröbenzell allein mehr Geld als es in ganz Miskolc gab – doch die Deutschen brauchten den Selbstbetrug. Es war derselbe Trick wie mit ihrer ständigen Meckerei: Der deutsche Negativismus hielt das Land am Laufen. Die Deutschen *wollten* denken: O Gott, die Wirtschaft krepiert, o Gott, noch mehr Arbeitslose, damit sie im Angesicht der eingebildeten Katastrophe dann noch verbissener, noch mehr arbeiteten.

Tina redete sich ein, o Gott, Zoli macht mir nur Sorgen, damit unsere Liebe oder was immer es war nicht das Feuer verlor. Ich war mir nicht so sicher, ob das Negativsystem bei Freundschaften genauso wie in der freien Wirtschaft funktionierte – aber ich war ja auch kein Deutscher.

Ich versuchte sie zu besänftigen. »Ich gebe dir eine Brezel und eine Apfelsaftschorle, okay?«, sagte ich. Sie sah angestrengt auf den Boden, wo sie mit der rechten Schuhspitze die linke vom Staub zu reinigen versuchte. »Du kannst dich in die Sonne setzen, und in einer halben Stunde bin ich mit der Arbeit fertig, dann gehen wir gemeinsam nach Hause oder eine Runde spazieren, wie du willst, Tina.«

»Ich habe extra eine Stunde früher mit der Arbeit aufgehört, weil ich es nicht glauben konnte; weil ich es mit eigenen Augen sehen wollte.« Ich wusste nicht, ob sie zu mir oder zu sich redete.

»Okay?«, sagte ich.

Ich nahm sie an der Hand, sie ging widerstrebend mit mir wieder nach vorne, aber ich spürte, dass sie sich nur noch pro forma sträubte.

Später, als ich Feierabend hatte, gingen wir die große Schleife durch den Park. Wir brauchten einen langen Weg, weil wir lange schwiegen. Nur ab und an sagte Tina etwas.

»Und all das ausgerechnet jetzt, wo ich am Mittwoch zur Besprechung ins Hauptquartier nach Paris muss.«

Sie wollte nur nachträglich rechtfertigen, dass sie sich so aufgeregt hatte.

»Ich hoffe nur, meine Mutter wird es nie erfahren. Das würde ihr die Schamröte ins Gesicht treiben: Tischeabwischen im Biergarten.«

Ich war mir sicher, dass es Hanna lustig gefunden hätte. Doch ich schwieg weiter. Ich hatte die Auseinandersetzung schon gewonnen: Falls Tina mir ein schlechtes Gewissen machen wollte, so schaffte sie es nicht.

»Und Ruth wird es natürlich überall weitererzählen. Super, Zoli, wirklich super.«

Doch es war bereits dunkel. Sie hörte mich glucksen, aber sie sah nicht, dass ich in mich hineinlachte.

»Weinst du etwa?«, fragte sie.

Sechzehn

Nur einen Tag, nachdem sie mich beim Tischeabwischen entdeckt hatte, fand Tina etwas anderes, über das sie sich Sorgen machen konnte. Es war Herbst geworden, deshalb musste sie nach Paris ins Hauptquartier ihrer Modefirma, um die Frühjahrskollektion zu begutachten und auszuwählen, was die Deutschen davon anziehen würden.

»Es ist mein Baby«, sagte sie. Die erste Kollektion, die sie zusammenstellte, meinte sie. »Wünsch mir Glück.«

»Viel Glück.«

Ihre Hände drückten sich in meinen Hals, sie zog mich an sich und murmelte: »Was soll ich bloß ohne dich machen?« Sie flog für einen Tag weg. »Sie werden mich in Paris auf Haut und Haare prüfen.« Ich spürte die Wärme ihrer Worte; ihr Mund war direkt an meinem linken Ohr. Mit dem rechten versuchte ich den Ansagen aus den Lautsprechern zuzuhören. Ibería-Flug nach Madrid war nun bereit zum Einchecken, Passagiere Trollinger und Karstens mussten dringend zum Flugschalter D5 kommen, wenn sie noch mit nach Tallinn wollten. Doch das Wegfliegen hatte für mich seine Faszination verloren. Ich hatte den Schmerz nicht vergessen, den ich an Bord von London nach München gespürt hatte.

Ich sah Tina nach, wie sie einem Polizisten ohne Mütze ihren Pass zeigte, den er gar nicht beachtete. Sie drehte sich nicht um, sondern ging energisch, als wolle sie es hinter sich bringen, durch die Passkontrolle in die Abflughalle. Dann war sie verschwunden. Ich ging auf die Toilette und stellte mir vor, dass der Lautsprecher meinen Namen aufriefe. Die Vorstellung erregte mich, dass ich nicht reagieren würde, dass ich einfach auf der Toilette bleiben würde, während die halbe

Welt mich aufgeregt suchte. Einen Flug zu verpassen schien mir ein größeres Abenteuer, als einen zu nehmen. Neue Länder zu entdecken wog es nicht auf, dafür jedes Mal einen vertrauten Ort verlassen zu müssen. Die Lautsprecher sagten, dass das Gate D5 für den Lufthansa-Flug nach Tallinn nun geschlossen werde. Kein Wort mehr von Trollinger und Karstens. Der Mann neben mir am Pissoir schaute mich an, und ich konnte nicht mehr. Ich knöpfte mir die Hose zu, ohne gepinkelt zu haben, und hastete, beschämt über meine Unfähigkeit, hinaus.

Zum ersten Mal seit Monaten hatte ich einen freien Vormittag vor mir. Es war zwanzig nach acht, ich hätte es noch in die Schule schaffen können, weil ich Hannas Auto hatte, aber Olga wusste bereits, dass ich nicht kommen würde. Dann wollte ich das auch so lassen. Frei zu haben galt in Deutschland als das höchste Gut, und wie die Deutschen, die permanent arbeiteten, wusste ich mit meiner ungewohnten Freiheit im ersten Augenblick auch nichts anzufangen. Ich hätte Lust gehabt, einfach zum Biergarten zu fahren und mit Andy, der die Frühschicht hatte, zu reden. Doch das erlaubte mir mein Gewissen nicht. Ich musste etwas Sinnvolleres tun mit meinem goldenen freien Tag.

Ich war Tourist, deswegen überlegte ich, welche Sehenswürdigkeiten ich betrachten konnte. St. Johann, die katholische Kirche von Gröbenzell, sei sehr schön, hatte Tinas Mutter gesagt, erbaut im Barockstil, der Chor-Turm mit Zwiebelhaube und im Innenhof ein kreuzförmiges Blumenbeet sowie Skulpturen über Geburt, Taufe und Sterben von Hubert Elsässer, wer immer das war. Aber Gröbenzell lag ungünstig zum Flughafen, im Südwesten von München, also genau auf der anderen Seite der Stadt.

Ich war schon wieder in München und wurde wütend, weil ich immer noch nicht wusste, was ich tun sollte. Der Stadtverkehr machte mich zusätzlich unruhig. Ich parkte das Auto in einer Seitenstraße hinter der Universität, dort stand es zumindest schon mal gut, wenn ich später zum Arbeiten in den Biergarten gehen musste. Das Gefühl, schon mal eine Entscheidung getroffen zu haben, nämlich das Auto abgestellt zu haben, beruhigte mich. Ich würde mir eine Zeitung und ein Fleischpfanzerlsemmel kaufen, mit Ketchup, und mich vor die Universität setzen. Schon immer, wenn ich Tourist gewesen war, mit meinen Eltern in der Piac utca in Debrecen oder mit Timea auf der Vár in Budapest, hatte ich mir am liebsten die anderen Touristen angesehen. Falls an der Universität keine Touristen vorbeikommen würden, blieben mir immer noch die Studenten.

Für mich gab es nur ein Geschäft, in dem ich in Deutschland Zeitungen kaufte: *The English Book Shop* am Beginn der Schellingstraße. Wann immer jemand zu mir gesagt hatte: »Du wirst diesen Laden lieben«, war ich skeptisch gewesen. Warum sollte man ein Geschäft lieben? Dann entdeckte ich den English Book Shop und verstand. Es war schwer zu sagen, was staubiger aussah: die Bücher oder der Besitzer. Falls es etwas gab, was seinen melancholischen Blick verschwinden ließ, so hatte ich es noch nicht entdeckt. Seine Bücher hatte er nach einem simplen System geordnet: Wenn neue eintrafen, stopfte er sie in die Lücken, die er gerade in den Regalen erspähte. Wenn ein Kunde fragte, ob er *The Great Railway Bazaar* von Paul Theroux habe oder *When We Were Orphans* von Kazuo Ishiguro, sagte er mit immer derselben Eintönigkeit in der Stimme: »*Let's have a look*«, und nach dem obligatorischen Moment des Zögerns begriffen die Kunden, dass *sie* nachschauen sollten, nicht er. Ich suchte immer nach Vorwänden, um so lange wie möglich im Geschäft bleiben zu können, und es war nicht schwer, welche zu finden. Ich brauchte nur sagen: »Haben Sie *The Secret Agent* von Joseph Conrad?«, er antwortete: »*Let's have a look*«, und das war die Lizenz, mindestens eine halbe Stunde durch den Laden zu schleichen. Es war nichts Bestimmtes, das mir in dem Book Shop gefiel, sondern einfach das Gefühl, dort zu sein. Ich machte mir einen Spaß daraus, heimlich, gleichzeitig mit den Kunden nach den Büchern zu stöbern, die sie suchten. Meistens fand keiner von uns das gewünschte Werk, die Kunden kauften irgendein anderes, und ich suchte weiter. Ich fand *The Dying Animal* von Philip Roth, nicht *The Great Railway Bazaar*, aber *Saint Jack* von Paul Theroux. Ich hätte sie sogar gekauft, wenn ich mich nicht um meine Ersparnisse gesorgt hätte.

Ich verlangte den *Daily Telegraph*. »Von heute?«, fragte der Besitzer. Mir war es bis dahin noch nicht in den Sinn gekommen, eine Zeitung von gestern zu kaufen. »*Let's have a look*«, sagte er. Aber Zeitungen waren offensichtlich etwas anderes als Bücher. Nach ihnen suchte er tatsächlich selber, weil er sie hinter seiner Rezeption stapelte. Er schleuderte Zeitungen auf den Tresen, zerknüllte sie dabei so, als wolle er sie zum Feueranzünden benutzen und nicht verkaufen. Er hatte den *Guardian* von heute sowie vom 15. September, vom 17., vom 23., vom 8. August, die *Daily Mail* von gestern und vom 24. September, die *Times* von gestern, vorgestern und vorvorgestern. Den *Daily Telegraph* vom 24. September, 19.9. und »Entschuldigung, nur von gestern«. Ich bezahlte 3,50 Euro für die Zeitung von gestern und fühlte mich wie ein Uganda-Inder; ein Kolonist, der weit entfernt von England längst überholte Notizen aus alten Zeitungen liest, aber keine einzige auslässt, weil sie ihm das Gefühl verleihen, zumindest für kurze Zeit im Zentrum des Empire zu sein und nicht am Ende der Welt. Fast genauso viel Freude wie das Lesen machte mir das Umblättern und Falten des *Daily Telegraph*. Da war ich penibel, ich faltete ihn genau auf der Trennlinie zwischen den gegenüberliegenden Seiten, zog die Linie mit dem Fingernagel des Daumens nach, strich die Seite glatt und sah die Zeitung einfach nur an, ohne zu lesen. Den *Telegraph* zu haben gab mir das Recht, unverhohlen die Studenten zu studieren. Hätte ich ohne irgendetwas in meinen Händen dagesessen und mich umgeschaut, hätte es unverschämt, gar merkwürdig gewirkt. So aber fiel ich gar nicht auf.

Ich saß am Brunnen direkt vor dem Haupteingang. Direkt hinter uns brauste der Verkehr auf sechs Spuren über die Leopoldstraße, aber es schien eine unsichtbare Barriere zu geben; der Verkehr, das alltägliche Leben, das er verkörperte, hatte nichts mit der Wirklichkeit hier an der Universität zu tun. Mir wurde zum ersten Mal bewusst, dass ich nicht mehr hierher, sondern auf die andere Seite der Barriere gehörte. Während ich die Studenten ansah, konnte ich sehen, wie alt ich geworden war, 26 im Juli. Ich hatte mich noch immer jung *gefühlt*, so wie sie, aber nun da ich sie geballt sah, erkannte ich, wie viel jünger als ich sie waren. Mir kamen Zweifel, ob ich mir Monate in der Lücke, die Sorglosigkeit des Jungseins, überhaupt noch leisten durfte.

Ihre Gesichter waren weich und glatt, die Mädchen hatten fast alle die Haare hochgesteckt oder zusammengebunden; als ob dies das Zeichen war, dass sie es ernst meinten mit dem Studieren. Die Jungen hatten die Hemden aus den Hosen hängen.

Ich versuchte zu erraten, welche Fächer sie studierten. Blond, Haare halblang und hochgesteckt, feine, leicht spitze Nase, blaue oder graue Augen, so genau konnte ich das aus der Distanz nicht erkennen, weißes T-Shirt und Rock bis zu den Knien, war Germanistik, vielleicht auch irgendwas mit Sprache, Spanisch oder Italienisch. Blond, Haare halblang, durch die er sich alle paar Meter mit der rechten Hand fuhr, Hemd mit kurzen Ärmeln im dezenten Rot mit dezenten weißgrauen Mustern, aus der Jeans hängend, war Politik. Lange braune Haare, von der Natur leicht gelockt, kein Schmuck, keine Schminke, nur ein weißes Sweatshirt zu einer ausgewaschenen Jeans, die über die Turnschuhe hing und zum schlurfen-

den Gang verleitete, war Geologie. Ich wusste, seit ich Tinas Mutter kannte, dass ich mit älteren Frauen besser zurechtkam. Doch ich würde immer die jungen Mädchen wie Timea lieben. Ich blätterte reflexartig den *Telegraph* um und fluchte. Ein Windstoß zerknitterte mir die ordentlich geglättete Seite. Ich war erst zweieinhalb Monate weg, aber in England – oder besser gesagt im *Telegraph* – war nichts mehr, wie es einmal war. Die Engländer versuchten nun sogar das Gesundheitssystem zu verbessern; indem sie die Herzpatienten mit hohem Risiko einfach nicht mehr operierten, verriet ein »hochrangiges Mitglied« aus der *Society of Cardiothoracic Surgeons* anonym der Zeitung: »Aus Angst, dass die Patienten während der Operation sterben und so die Erfolgsstatistiken versauen könnten, werden sie an den meisten Hospitalen einfach abgelehnt.« Und dem britischen Parlament, dem *House of Commons*, drohte der Untergang: Nach 150 Jahren wurden die Sitzungszeiten von 14.30 bis 22.30 Uhr auf 11.30 bis 19.30 Uhr vorverlegt. »Das ist der Anfang vom Ende«, prophezeite der konservative Abgeordnete Eric Forth, und selbst aus seiner eigenen Partei erntete Premierminister Tony Blair erbitterten Widerstand. Die neuen Sitzungszeiten seien »nicht familienfreundlich«, sagte Chris Mullin, Labour-Abgeordneter für Sunderland-Süd, sie würden nur dazu führen, dass Parlamentarier nachts statt in den *Commons* zu debattieren »durch die Vergnügungsmeilen des West Ends streunen, mit zu viel Geld in den Taschen und zu viel Zeit zur Verfügung«.
Ich hätte nie weggehen dürfen, dachte ich.
London verlassen zu haben war ein Fehler, und ich war entschlossen, die Lehren daraus zu ziehen. Ich wusste bloß nicht, was die Lehren waren. Wieder zurückgehen nach London? Wenigstens nicht mehr aus München weggehen, jetzt, wo ich wusste, wie weh das Verlassen tat? Nach Ungarn zurückgehen, damit ich nie mehr vor die Entscheidung gestellt wurde wegzugehen?

Mit Tina hatte ich kein Wort darüber geredet, wie es weitergehen würde, wenn mein Visum in sechzehn Tagen ablief. Der Konflikt im Biergarten war uns gerade recht gekommen, er zwang uns, erst einmal die gegenwärtigen Probleme zwischen uns auszuräumen – er gab uns einen Vorwand, nicht über die Zukunft nachzudenken. Aber bald würde die Zukunft Gegenwart werden. Meine Hände waren dreckig und klebrig von der Druckerschwärze, die vom billigen Papier des *Telegraph* abfärbte, und ich versuchte mit meiner alten Methode herauszufinden, welche Entscheidung für mich am besten wäre: Ich versuchte, mich darauf zu besinnen, was ich *nicht* wollte. Doch ich kam zu keinem hilfreichen Ergebnis: Ich wollte *nichts* endgültig aufgeben, weder Tina, die Engländer und die Lücke, also München, noch Timea, also Ungarn, und schon gar nicht das Hochgefühl, geheim zu leben, also London. Ich musste einfach warten, dass mein Visum auslief, und sehen, was passierte.

Um kurz vor eins ging ich an der Tiermedizinischen Fakultät vorbei in den Englischen Garten und wusste, ich würde mindestens eine halbe Stunde zu früh am Biergarten sein. Wie immer, wenn ich vor einer unangenehmen Aufgabe stand, spürte ich es körperlich. Es pochte in meinem Kopf und zerrte an meinen Gliedern, sodass ich mir ständig mit der Hand an der Nase herumspielte und den Bauch tätschelte, wie um zu sehen, ob er noch da wäre. Es würde alles ganz reibungslos gehen, im besten Fall war Moosbauer gar nicht in seinem Büro und ich konnte mich einfach in die Liste der Freiwilligen eintragen. Der Winter im Biergarten wäre sowieso nur noch ein müder Abklatsch des Sommers, besser, auf dem Höhepunkt zu gehen als zu bleiben und Simon, Andy, Robin, alles den Bach runtergehen zu sehen, sagte ich mir und glaubte mir selber nicht.

Doch ich hatte gar nicht versucht, Tina umzustimmen. Sie hatte es zu einer Grundsatzfrage erklärt, dass ich aufhören würde, Tische abzuwischen und Gläser einzusammeln. Ich kapierte, dass es dieses eine Mal nichts zu argumentieren gab, sondern nur zu befolgen.

Der Biergarten sah anders aus, nun da ich ihn mit der Gewissheit betrachtete, ihn zu verlassen. Er sah trauriger aus, bereits verlassen.

Was vor allem daran lag, dass er verlassen war. Es ging ein unangenehmer Wind, der mir eine Ahnung vom Meer gab; nur acht versprengte Gäste saßen auf den grünen Holzbänken, und sie tranken noch nicht einmal Bier, sondern Apfelsaft oder Kaffee. Angesichts der Menschenleere hatte ich keine Chance, meinen Plan umzusetzen. Andy hatte mich schon gesehen und winkte mich zu sich. Ich hatte heimlich nach hinten ins Büro schleichen wollen, um meine traurige Mission wenigstens ungesehen zu erfüllen und mich nicht rechtfertigen zu müssen.

»Wenn der Kutter zum Fischfang hinaus aufs Meer fährt, folgen die Möwen«, sagte Andy, nachdem wir uns begrüßt hatten.

»Ja?«, sagte ich.

»Heißt: Ich reise nächste Woche weiter nach Wien, und nun, wo sie es wissen, wollen sie plötzlich alle mit.«

»Wer sind alle?«

»Na, alle.«

»Okay«, sagte ich, denn ich verstand, dass er mir die Namen nicht sagen wollte; wahrscheinlich weil »alle« nur ein oder zwei andere englische Backpacker waren. »Wenn ihr alle geht, dann werde ich wohl auch aufhören, im Biergarten zu arbeiten.«

»O nein, mach das nicht. Simon und Robin bleiben noch ein bisschen da, so wie es aussieht.«

Das war nicht, was ich hören wollte.

»Aber ich weiß gar nicht, ob ich nach dem 15. Oktober noch in München sein werde, mein Visum läuft ab«, sagte ich.

»Stress mit dem Vögelchen?«

»Was?«

»Das Mädchen, das letztens hier war.«

»Ach nein, das war nur Tina.«

»Und?«

»Nichts und. Mach dir keine Sorgen, Kumpel. Ich geh mal aufs Klo.«

Ich ging um die Hütte herum und klopfte an die Bürotür. Niemand antwortete, also trat ich ein. Es war ein karges Zimmer, die Wände aus rohen Holzleisten, ungeschmückt, ein schlichter Holztisch mit Telefon und Fax vor dem einzigen Fenster, wofür ein Biergarten wohl ein Fax brauchte, und davor ein riesiger schwarzer Bürodrehstuhl mit gepolsterter Lehne, der teuer und in diesem Zimmer kurios aussah. Die Liste war mit einem Reiszweck an die Wand gepinnt. Ich war mir nicht ganz sicher, ob ich Rosenburg oder Rosenburgh hieß, doch da ich Schotte war, entschied ich mich wegen Edinburgh für die zweite Variante. Ich war der neunte Eintrag. Es schien auf den ersten Blick absurd, dass auf einmal so viele freiwillig gingen, bloß weil Moosbauer eine Liste aufhängte. Aber es war logisch. Sie brauchten einen Anlass, eine Aufforderung, ihre Unentschlossenheit zu überwinden und endlich zu tun, was sie schon vor Monaten getan haben wollten: weiterzureisen.

Tina lächelte, als sie mich am Abend in der Ankunftshalle erblickte, dann überlegte sie es sich anders und schaute leicht betrübt drein. »Ich bin vielleicht fertig, Zoli«, sagte sie, ehe ich »Hallo« sagen konnte. »Die Franzosen haben mich ganz schön in die Mangel genommen. Ich bin mir sicher, Kehlau hat ihnen irgendetwas Fieses über mich gesteckt.«

Sie bestand darauf, dass ich auf dem Nachhauseweg am Steuer saß. Es war bereits nach 22 Uhr, und mir fiel auf, wie schlecht ich nachts sah.

»Hast du das nicht gesehen, Zoli?!«

»War vielleicht ein toter Hase auf der Fahrbahn. Oder eine Katze.« Unser Auto war kurz gehüpft, es hatte einen dumpfen Schlag getan.

»Ich meine, dass der vor dir bremste. Du wärst ihm fast drauf gefahren.«

Wir tuckerten mit 90 km/h über die Autobahn. Ich hatte keinen Führerschein.

»Aber die Frühjahrskollektion ist super. Wie gemacht für den deutschen Markt.«

»Ist viel Jeans dabei?«

»Jeans? Wieso Jeans, Zoli?«

»Die Deutschen mögen Jeans.« Ich konzentrierte mich auf die Fahrbahn, meine Hände verkrampften, so fest hielt ich das Lenkrad, deshalb sah ich sie nicht an. Aber ich spürte ihren Blick.

»Wer erzählte dir denn so einen Unsinn. *Die Deutschen mögen Jeans.*« Sie äffte mich nach und ließ die Worte in die Stille hineinrauschen. »Diese Engländer sind kein Umgang für dich. Ich hatte es mir ja gleich gedacht, aber ich habe geschwiegen, weil ich dir nicht den Spaß verderben wollte. Das war mein Fehler. Aber der Spuk ist ja nun Gott sei Dank vorbei.«

Ich sagte ihr nicht, dass ich noch bis Freitag im Biergarten arbeitete. »Stimmt es, dass es in England Leute gibt, die in ihrer Freizeit Züge zählen?«, fragte ich.

»*Trainspotter*, o Gott. Hast du gehört, dass heute ein Ungar den Literatur-Nobelpreis gewonnen hat?«

»Ich habe nur gehört, dass sie in England die Sitzungszeiten des Parlaments ändern; familienfeindlicher.«

Sie sah mich prüfend an; ich spürte es.

Wir taten für einen Moment beide so, als lauschten wir dem Radio, um nichts sagen zu müssen.

»Ketsaz oder so ähnlich«, sagte sie schließlich.

»Kétszáz?«

»Ja.«

So hieß er ganz sicher nicht, denn Kétszáz hieß niemand in Ungarn. Kétszáz hieß Zweihundert. »Kenne ich nicht«, sagte ich und war mir sicher, ich sagte nichts Falsches, wie immer der ungarische Nobelpreisträger auch hieß. Ich kannte ihn sicher nicht. Ungarische Schriftsteller, die den Nobelpreis gewinnen konnten, waren nur im Ausland berühmt. Es waren Schriftsteller, und davon gab es einige, die kompliziert und hochtrabend schrieben; in Ungarn kannte ich niemanden, der das lesen wollte, aber irgendwann entdeckten die Deutschen diese Bücher und fanden sie toll. So exotisch. Erst dann stand auf einmal in den ungarischen Zeitungen, was für hochgeistige Literatur wir hätten. Die *im Ausland* gelesen wird. In den meisten unserer Buchhandlungen aber gab es weiterhin nur schlecht geschriebene Biographien über Orbán Viktor oder Prinzessin Diana; und zur Tarnung ein paar Werke von Esterházy Péter.

»Ich wünschte, es wäre schon Freitag«, sagte Tina. »Wir machen uns ein richtig schönes Wochenende, okay.« Sie streichelte mich im Nacken, am Haaransatz. Mir fiel immer noch kein Schriftsteller ein, der so ähnlich wie Zweihundert hieß.

Als wir in Gröbenzell in der Akeleistraße in die Garageneinfahrt rollten, ging automatisch das Außenlicht am Haus an, und Tinas Mutter trat vor die Haustür; auch automatisch, schien es.

Tina blickte aus dem Auto zu ihr herüber und sagte: »Ich halt es nicht mehr aus.«

Siebzehn

Ratten können Gefahr riechen. Ihre Nase ist achtmal so sensibel wie die eines Menschen; und ich hatte auch noch Schnupfen. Ich ging mit Tina durch die Theatinerstraße und witterte gar nichts. Es war der Samstag, an dem Tina uns ein schönes Wochenende machen wollte, und also sich erst einmal Winterkleider kaufen. Als Einkäuferin einer Modefirma könne sie doch auf keinen Fall die Mode des eigenen Hauses tragen, sagte sie.

Schon als wir am Marienplatz aus dem S-Bahn-Schacht an das sich zierende Tageslicht stiegen, hatte ich in meiner sorglosen Stimmung die erste Überraschung erlebt: Die Deutschen demonstrierten. Ich hatte sie für viel zu individuell gehalten, um Massenkundgebungen abzuhalten. Demonstrationen, das war etwas für uns in Ungarn, wo sich die wenigsten trauten, alleine in ein Café zu gehen, geschweige denn alleine ihre Stimme zu erheben. Oder für Italien, wo sie für jedes Spektakel, jede große Geste zu haben waren.

Den deutschen Demonstranten jedoch ging völlig der Ernst, der Zorn und die Entschlossenheit von ungarischen Protestmärschen oder deutschen S-Bahn-Fahrern ab. Sie schwätzten und lachten, vor allem über sich selber; so lustig fanden sie, dass sie demonstrieren gingen. Es war eine dichte Menge, man kam nicht durch, ohne Schultern beiseite zu schieben, Rücken wegzudrängen. Das Zentrum der Kundgebung war direkt vor dem Rathaus, ich konnte nicht sehen, was dort vor sich ging. Auf der Bühne, mit zwei Blumenkübeln, einem Mikrophon und einem Plakat, stand noch niemand. Die Demonstranten selbst trugen keine Plakate, allenfalls Einkaufstüten, kamen aber aus allen Schichten, aus allen Altersklassen;

bis mir Tina sagte, das seien gar nicht die Demonstranten, sondern wie wir Passanten auf dem Weg zum Einkaufen. Schaulustige.

Muttermilch. Für unsere Kinder – für unsere Zukunft, stand auf dem Plakat hinter der Bühne.

»Was ist Muttermilch?«, fragte ich Tina.

»Milch aus dem Busen.«

Dann sahen wir die wirklichen Demonstranten. Es war eine sehr praxisorientierte Kundgebung. Vor der Bühne saßen acht Frauen auf Schemeln und stillten ihre Babys. Wenn ein Kind satt war, zog die Mutter ihre Bluse wieder zu und sich mit dem Kleinen zurück und eine andere nahm mit ihrem Baby den Platz ein. Um sie herum zog ein Dutzend weiterer Demonstranten, auch Männer, einen Kreis und verteilte Flugzettel.

»Worum geht es?«, fragte ich Tina und erntete einen bösen Blick von einem Mann in dunkelblauer Daunenjacke neben uns.

»Erzähl ich dir gleich«, sagte Tina, die den Blick also auch spürte. »Lass uns aus der Menge rausgehen.«

»Voyeure«, zischte der Mann uns nach.

Es ging darum, dass die Kinder immer kranker wurden. Mehr Allergien, mehr weiche Knochen, mehr Haltungsschäden, und das schon mit ein oder zwei Jahren. Ohne ein Fachmann zu sein, wären mir für diese Entwicklung einige Gründe eingefallen, die Luftverschmutzung, die wenige Bewegung zum Beispiel. Aber es war die falsche Ernährung. Zu viele Mütter hörten schon nach ein paar Wochen mit dem Stillen auf. »Dabei brauchst du dir die industrielle Babynahrung nur anzusehen, da weißt du schon, das kann nicht gut fürs Kind sein«, sagte Tina. Da die deutsche Ärztekammer die Demonstration für längeres Stillen in einem offenen Brief begrüßt hatte, ging sie davon aus, dass ich als Assistenzarzt auch dahinter stand.

In der Theatinerstraße gingen wir in fünf Kleidergeschäfte, ich immer drei Meter hinter Tina.

»Was hältst du davon?«, fragte sie und hielt einen ärmellosen himmelblauen Rollkragenpulli aus feiner Schurwolle hoch.

»Ja«, sagte ich, »elegant.«

»Aber der ist nichts für mich«, sagte sie und hängte ihn zurück auf die Stange. In der Art ging das ein Dutzend Mal. Deshalb war ich richtig froh, als sie sagte, sie würde sowieso nichts finden, »lass uns ins Café gehen«. Erst als wir im Café saßen und ich den ersten Schluck heiße Schokolade getrunken hatte, roch ich die Gefahr. Sie hatte nachgedacht.

Sie sagte es im definitiven Ton eines Forschers, der eine Ewigkeit an einem Projekt gearbeitet hat, nun aber an seinen Ergebnissen keine Zweifel mehr haben will.

Die Stimmung im Café war unangenehm, ein ständiges Kommen und Gehen und immer zu wenig Plätze, weshalb viele Gäste einfach zwischen den Tischen stehen blieben, um sofort zur Stelle zu sein, falls etwas frei würde. Die Wartenden schauten uns schamlos an, mit ihren Blicken versuchten sie uns ein schlechtes Gewissen dafür zu machen, dass wir saßen und sie nicht.

Tina allerdings ignorierte die Zuschauer. Sie war fest entschlossen, mir ihre Denkergebnisse mitzuteilen.

»Ich habe es mir nicht leicht gemacht, Zoli«, sagte sie. »Ich meine, du weißt selber, was ich alles für dich getan habe, deinen Sprachkurs bezahlt, meine Mutter gebeten, dich aufzunehmen.«

Ihre Rede schrie geradezu danach, dass gleich ein »Aber« kommen würde.

»Aber«, sagte sie. »Du hast Sahne am Mund.«

Ich fuhr mir übergründlich mit der Serviette über und um den Mund herum. Doch sie war nicht mehr von ihrem Konzept abzubringen.

»Es tut mir Leid, Zoli, aber ich glaube, es ist besser, wenn wir nicht mehr zusammenleben.« Nun, da es heraus war, wollte sie es sofort vertuschen. Sie hörte gar nicht mehr auf zu reden, wohl in der Hoffnung, ich könnte angesichts des Schwalls von Wörtern, Sätzen, Meinungen diese eine, erste Aussage vergessen. Oder zumindest zu müde zur Gegenwehr werden. Sie redete immer schneller. Mein Touristenvisum lief ab, wir könnten also sowieso nicht so weitermachen, und an Heirat würde ich ja wohl selbst nicht denken, so gut kannten wir uns nicht, und sie sei sich einfach nicht mehr sicher, ob ich der Richtige für sie sei, in London sei alles so viel einfacher, unbeschwerter gewesen, aber zu Hause, ich müsse das verstehen. Ehrlich gesagt habe sie es auch erschreckt, die Sache mit dem Biergarten, und dass ich ihre Mutter immer über ihren Vater auszuquetschen versuche, aber das ändere natürlich nichts daran, dass sie mich immer noch möge, alle ihre Freundinnen mochten mich, es gebe auch niemand anderen, das sollte ich bloß nicht denken, zumal es ja nicht das Ende sei, sondern einfach mal nötig, allein zu sein, damit sie den Kopf frei kriege und sich klar werde, was mit uns werden soll.

»Was wirst du nun tun?«, fragte sie dann. Als ob ich Zeit gehabt hätte, das zu überlegen.

»Zurück nach London gehen«, sagte ich.

»Das habe ich befürchtet.«

Meine Schokolade war leer, ihr Milchkaffee unberührt, aber kräftig umgerührt, als wir gingen. Wir mussten mit dem Aufzug fünf Stöcke nach unten fahren, um aus dem Café Glockenspiel wieder auf die Straße zu kommen. Es war verwirrend, nun mit ihr auf so engem Raum eingeschlossen zu sein. Ich dachte an nichts anderes, als wann der Aufzug endlich unten sein würde. Tina starrte die Tür an. Die ging schließlich doch noch auf.

Der Trubel der Fußgängerzone zur Haupteinkaufszeit schlug uns beide vor den Kopf. Wir standen wie angewurzelt da und vor allem im Weg. Die Deutschen zischten und fluchten, stupsten uns an, aber wir wussten nicht, was wir tun sollten. Tina hatte nur die Trennung vorbereitet, aber nicht, was danach passieren würde.

»Tut mir Leid, Zoli«, sagt sie noch einmal, und ich nahm ihre Hand, als müsste ich sie trösten.

»Schon gut«, sagte ich und drehte mich abrupt von ihr ab, ohne zu wissen, was ich tat. Ich sah mich nicht mehr um. Ich rannte nicht, aber ich marschierte – sehr entschlossen wegzugehen und ohne zu wissen wohin.

Ich wusste nicht, was mir so wehtat: die Tatsache, München verlassen zu müssen, oder der Fakt, von Tina verlassen zu werden. Ich fühlte mich gestrandet. Wochenlang hatte ich nicht gewusst, was ich nach den Lückenmonaten tun sollte, weil ich so viele Chancen sah, München, London, Ungarn oder ganz was anderes; nur an diese eine Möglichkeit hatte ich nie gedacht: dass Tina mich rauswerfen könnte. Auf einmal sah ich gar keine Aussicht mehr.

Ich marschierte die Theatinerstraße noch einmal hinunter, dieselbe Straße wie anderthalb Stunden zuvor, aber ich fühlte mich, als wäre ich hier noch nie gewesen.

Im Englischen Garten waren alle Parkbänke frei, es war zu kalt, sich hinzusetzen. Ich setzte mich. Nach zehn Minuten war ich so durchgefroren, dass ich mich zusammenkauerte, die Arme vor der Brust verschränkt, das Kinn in meine Jacke gesteckt. Ich blieb trotzdem sitzen.

Natürlich konnte ich in München bleiben. Es war kein Problem, ich würde einmal über die Grenze nach Österreich fahren, mir Salzburg ansehen, in die Berge gehen, und wenn ich ein paar Tage später zurück nach Deutschland kam, würden sie mir ein neues Touristenvisum geben. Ich könnte über Olgas Russen einen Job als Nachtportier bekommen und bei den Engländern wohnen, sie nahmen das nicht so genau, ihre

Wohnung war mehr eine Durchgangsstation. Nur Simon war schon ein halbes Jahr dort und kümmerte sich deshalb um die Miete. Doch das alles waren nur theoretische Lösungen. In der Praxis konnte ich niemals in München bleiben. Denn es wäre eine Niederlage. Dort zu bleiben hätte bedeutet, eher früher als später das zu tun, worüber ich mich in meinen drei Monaten immer lustig gemacht hatte: zu versuchen, mich zu integrieren, ein Deutscher zu werden. Das würde ich nicht fertig bringen, nicht vor Olga, nicht vor mir.

Ich konnte nicht mehr. Die Kälte war nicht mehr auszuhalten, ich sprang von der Bank auf und hüpfte über den weißen Parkweg, schlug die Hände in der Luft zusammen. Die wenigen Spaziergänger sahen mich verblüfft an, ihre Kinder misstrauisch, aber es war mir keineswegs peinlich. Ich brauchte hier auf niemanden mehr Rücksicht zu nehmen. Ich war praktisch schon nicht mehr da.

Nach Ungarn zurückzugehen wäre noch schlimmer. Die Fragen meines Vaters, warum sie mich an der Tierklinik in Bognor Regis nicht behalten hatten; wo sie mich doch gerade erst auf eine dreimonatige Forschungsreise an die deutsche Ostsee geschickt hatten. Timea wiedersehen, wieder die fatale Liebe zu ihr spüren, die mich umbringen würde, weil sie zu jung war, weil sie mich irgendwie, irgendwann ganz sicher verlassen würde. Und noch immer kein Meer finden. Ungarn wäre eine Demütigung.

Vielleicht war es Zufall, vielleicht war es eine natürliche Reaktion, das Erste, was ich am Biergarten wahrnahm, war jedenfalls Robin beim Tischeabwischen. Ich dachte, das ist nicht fair, ich fühlte, das ist mein Job.

»Hey, schon wieder da?«, sagte Robin und lachte.

»Ja«, sagte ich.

»Ich dachte, gestern war dein letzter Arbeitstag?«

»Ja, aber ich will mich von euch verabschieden.«

»Aber das hast du doch gestern getan.«

»Ja, aber jetzt für immer. Ich reise schon morgen nach London ab.«

»Aber du wolltest doch noch eine Weile in München bleiben?«

»*Change of plan*«, sagte ich und betonte es wie die Textzeile aus einem Filmskript, um es mystisch, gleichzeitig aber selbstverachtend genug klingen zu lassen.

»Oho«, sagte Robin im selben Ton. »Dann pass auf dich auf, Kumpel.« Wir umarmten uns und waren beide lange genug im Ausland, das heißt realistisch genug, um nicht irgendwelche Adressen oder Telefonnummern auszutauschen.

Simon hatte am Tresen kaum was zu tun, war aber trotzdem kurz angebunden. »Dann mal viel Glück, Kumpel.« Er nahm es persönlich, dass so viele weggingen. »Ich bleibe noch ein bisschen hier. Der Winter in Prag kommt schon bald, da reise ich besser erst im Frühjahr weiter, wenn es wieder schöner wird«, sagte er.

Dann musste es wohl London sein. Ich hatte es nun immerhin schon drei Leuten angekündigt. Ich hatte keinen Moment darüber nachgedacht und daher keine Vorstellung, was genau ich dort machen würde, und ein wenig ein schlechtes Gewissen zurückzukehren, wo ich doch erst vor drei Monaten so schändlich geflohen war. Aber ich sah Fulham vor mir, die Straßen mit den gleichförmigen Backsteinreihenhäusern, den Bishop's Park, die Themse, das Wetland Centre, das ich nie gesehen hatte. Ich spürte die kalte, feuchte Luft, den Wind, der vom Meer kam. Und ich wusste, wo ich zu Hause war.

Das Grau des Tages ging ohne Abstufung rapide in das Schwarz des Abends über, und ich sah die Dinge klarer. Ich war noch immer verletzt, aber nicht mehr kopflos. Ich stellte mir einen Dissidenten vor, der gerade den Befehl erhalten hatte, in 24 Stunden das Land zu verlassen. Weil ich dachte, zum Abschied würde er noch einmal alle Plätze aufsuchen, die ihm lieb und teuer waren, ging ich vom Englischen Garten zum English Book Shop. Er war schon geschlossen. Als der Platz vor der Universität auch noch menschenleer war, verlor ich die Lust an dem Spiel. Ich fuhr mit der U-Bahn zum Bahnhof, ging einmal um ihn herum und sah die große Brücke, von der mir die Engländer erzählt hatten. Dort warteten jede Menge Leute stumm in der Kälte, mit großen Koffern und noch größeren, in Plastiktüten gehüllten Ballen, die den jämmerlichen Zustand ihrer Besitzer spiegelten. Ich wusste, hier war ich richtig. Ein Mann mit schwarzer Lederjacke und düsterem Gesicht sprach mich in einer fremden Sprache an.

»Zagreb, Zagreb. Zagreb«, sagte er, als er merkte, dass ich ihn nicht verstand. Ich schüttelte den Kopf, und er fragte auf Deutsch, wo ich her sei. »Komm«, sagte er, als ich geantwortet hatte, »Budapest fahren wir auch.« Er zerrte mich am Ärmel. Kurz vor dem Schalterfenster hatte ich mich losgerissen, und er wechselte wieder in seine fremde Sprache, um mich zu verfluchen. Ich hastete die Schalter der Busunternehmen entlang, Istanbul, Belgrad, Sofia waren angeschrieben, bei Sevilla, Badajoz, Lissabon fragte ich und wurde auf die andere Straßenseite geschickt, in ein Reisebüro, das als Werbung mit Hand beschriebene DIN-A4-Blätter auf die Schaufensterscheiben geklebt hatte.

Ich verlangte eine Fahrkarte nach London.

»Für heute Nacht?«, fragte der Verkäufer, mir schien, im selben Akzent wie der Aufdringliche in Lederjacke.

Dass es so schnell gehen, ich noch am selben Abend für immer weg sein konnte, raubte mir die Luft.

»Für morgen«, sagte ich.

Ich streifte durch die Straßen am Bahnhof, mit den billigen Hotels und türkischen Fastfoodständen, zwei Gestalten überholten mich, ihre Schritte federten, solch eine Anspannung trugen sie im Körper. In London oder Budapest hätte ich mich vor denselben Männern gefürchtet. In München hielt ich sie für Möchtegerns. Selbst im Bahnhofsviertel bei Dunkelheit fehlte der Stadt die Härte, der Lärm, der Verfall alternder Großstädte. München war immer noch ein Mädchen; hübsch, nett, niedlich. Ich wanderte weiter hinunter zum Sendlinger Tor, hinüber zur Oper am Gärtnerplatz, alles war im schönsten Licht beleuchtet, alles strahlte, und ich dachte bereits in der Vergangenheit: Ich hatte es hier gemocht.

Das Busticket in meiner Hosentasche machte sich bemerkbar. Ich hatte es gefaltet, aber es stellte sich quer und stach beim Gehen in mein Bein. Am Morgen noch hatte ich nicht weiter als bis zum Ende des Wochenendes gedacht. Auf einmal blickte ich in die Zukunft; und wünschte, ich könnte eine sehen.

Ich schlug die Zeit tot wie ein hungriger Fünfzehnjähriger, der nichts anderes hat, kein Geld, keine Kompagnons, keine Idee wohin, bloß Zeit. Als Olga um sechs vor elf zu ihrem Hotel kam, stand ich schon davor.

Anatoli hatte auch schon auf sie gewartet, er hatte seinen langen grauen Mantel bereits an und gerötete, nervöse Augen. Ich schätzte ihn auf Ende dreißig. Er sah aus wie Anfang fünfzig. Er sah mich an und sagte etwas auf Russisch zu Olga, ehe er ohne eine Abschiedsgeste aus dem Hotel verschwand.

»Was hat er gesagt?«

»Dass du zu unschuldig aussiehst, um in unser Geschäft hineingezogen zu werden«, sagte Olga. Ich wusste, dass er das nicht gesagt hatte. So sah er nicht aus, dass er eine Neunzehnjährige, die für ihn die halbe Nachtschicht übernahm, als Geschäftspartnerin bezeichnen würde.

»Ich bin gekommen, um mich zu verabschieden«, sagte ich. Tatsächlich war ich natürlich vor allem gekommen, um zu bleiben. Ich wusste nicht, wo ich sonst die letzte Nacht in München hätte verbringen wollen – und sollen.

Olga hatte sich hinter die Rezeption gesetzt und beschäftigte sich damit, die Zimmerschlüssel vor sich aufzureihen, das

Gästebuch durchzusehen. Ich stand davor wie ein Gast, der nicht bezahlen kann.

»Hat dich die deutsche Tante rausgeworfen«, sagte sie und blickte absichtlich nicht auf, um noch selbstbewusster zu wirken.

»Ich reise morgen nach London ab.«

»So plötzlich? Es muss ein furchtbarer Krach gewesen sein.«

»Ich wollte dir nur auf Wiedersehen sagen.«

»Wo willst du heute Nacht bleiben, wo sie dich doch rausgeworfen hat?«

Obwohl ich genau wusste, wie sie vorging, schaffte sie es jedes Mal wieder, mich aus der Fassung zu bringen.

»Du wirst mir fehlen, Olga.«

Doch ein Wunder geschah. Sie hob den Kopf und sah mich prüfend an. Zuerst dachte ich, sie würde etwas in meinem Gesicht suchen, aber dann begriff ich, dass sie nur Courage suchte.

»Du mir auch, Zoli.«

Ich dachte: Das ist die schönste Liebeserklärung, die ich je gehört habe. Ohne zu überlegen, was ich tat, beugte ich mich über die Rezeption, um sie auf den Mund zu küssen. Sie drehte sich weg und mir statt des Munds die rechte Wange hin. Ich wurde rot, sie tat, als wäre nichts gewesen.

»Du kannst heute Nacht hier bleiben, allerdings musst du dich bis ein oder zwei Uhr in meinem Zimmer verstecken, bis die letzten Gäste zurück sind.«

Ich lag mit offenen Augen auf der Klappliege, denn etwas anderes gab es nicht zu tun in der kleinen Kammer hinter der Rezeption. Dass ich dabei einschlief, merkte ich erst, als sie mich an der Schulter stupste und so wieder aufweckte. »Halb zwei«, sagte sie, »alle Gäste sind zurück. Fühl mal.« Ihre Finger, die sie mir auf die Wange legte, waren eiskalt.

»Lass mich rein«, sagte sie und war schon bei mir im Schlafsack. »Und benimm dich. Hast du gehört?«

»Ja.«

Ich lag auf dem Rücken und drückte mich gegen die Wand, damit sie neben mir Platz hatte.

»Du weißt, was ich meine. Wenn du mich anfasst, schmeiß ich dich raus.«

»Okay«, sagte ich und wartete eine Weile, dann schob ich meine Hand auf ihre Hüfte, als ob es Zufall wäre. An ihrem flachen Atem konnte ich merken, dass sie noch wach war. Sie ließ meine Hand liegen. Ich drehte mich ihr mit dem ganzen Körper zu und fand ihren Mund sofort. Als wir anfingen, uns zu küssen, fegte sie meine Hand von ihrer Hüfte. »Ich hab's dir gesagt, lass die Finger weg«, nuschelte sie, unsere Lippen behielten wir aufeinander.

Ich musste noch einmal eingeschlafen sein, denn sie weckte mich ein zweites Mal. Sie stand vor der Liege, ich konnte ihre Augen sogar in der Dunkelheit sehen, sie waren weit aufgerissen, dann kniff ich meine zusammen. Sie hatte das grelle Licht eingeschaltet.

»Es ist schon Viertel nach fünf. Anatoli kommt gleich zurück«, zischte sie, und das weckte mich wirklich auf. Ich sprang aus dem Bett und zog meine Schuhe, Socken und Jacke an, das Einzige, was ich ausgezogen hatte. Ich wollte hinaus, aber sie hielt mich am linken Arm zurück.

»Ich komme nach«, sagte sie.

»Im Bahnhof haben die Cafés sicher schon auf, ich werde dort auf dich warten, okay?«, fragte ich, obwohl meine Stimme noch schlief.

»Nein, du sollst in London auf mich warten. In spätestens fünf Jahren komme ich nach.«

»Okay.«

Ich schloss die Augen für einen langen Abschiedskuss, beugte mich zu ihr hinunter, streifte aber nur ihre Wange. Sie zog mich aus dem Zimmer.

»Du musst gehen.«

Sie schloss die drei Schlösser der schweren Hoteltür auf, sie musste nicht herumprobieren, sondern wusste sofort, welcher Schlüssel am dicken Bund für welches Schloss war. Ich versuchte es noch einmal, aber wieder war sie schnell genug, ihre Wange dorthin zu schieben, wo ich ihren Mund gesucht hatte.

Sie sah so jung aus.

»Ich glaube, ich bin verliebt«, wollte ich sagen.

»Ciao«, sagte sie, und es hatte etwas Endgültiges.

»Ciao«, sagte ich und ließ mich die eine Treppenstufe vor dem Hotel auf die Straße plumpsen. Hinter mir hörte ich es klacken und knacken. Sie hatte die Tür schon wieder abgeschlossen. Ich sah sie durch die Scheibe an. Sie winkte mir zu und lächelte. Sie wartete nicht, bis ich zurücklächelte, sondern war schon wieder auf dem Weg in die Kammer. Ich sah noch eine Tür hinter ihr zuschlagen.

Um fünf nach sechs fuhr eine S-Bahn vom Hauptbahnhof nach Gröbenzell. Um zwanzig vor neun wurde ich vom Bremsen des Zuges im Bahnhof Malching aufgeweckt. Es waren so früh am Sonntag bereits einige Leute im Zug, aber niemand, der neben mir oder mir gegenüber sitzen wollte. Ich musste die Strecke der S8 zwei oder dreimal hin- und hergefahren sein, Gröbenzell vier- oder sechsmal verpasst haben.

Ich traf keinen einzigen Menschen, als ich vom Bahnhof den Weiherweg entlang und dann in die Akeleistraße ging. Oft war mir Gröbenzell leer, öde vorgekommen. An diesem Sonntag erschien es mir friedlich. Ich hatte meinen eigenen Schlüssel, aber als ich die Tür aufgeschlossen hatte, klingelte ich, denn ich kam nicht mehr nach Hause.

»Zoli!«, rief Tina, ich konnte sie nicht sehen, nur hören, wie sie herbeirannte, ihre Schritte hallten dumpf auf dem Holzparkett.

»Ah!«, schrie Hanna spitz, aus dem Wohnzimmer, tippte ich.

»O Zoli, was hast du nur gemacht, wo warst du bloß?!« Tina hing mir am Hals.

Ich war überrascht, auch gerührt von diesem Empfang. Aber ich konnte es nicht zeigen. Ich war zu Eis gefroren.

»Du bist einfach weggerannt, so schnell, ich konnte dir nicht folgen. Wir haben uns solche Sorgen gemacht.« Tina hing noch immer an meinem Hals, aber sie sprach nicht in mein Ohr, sondern zur Tür oder was sonst hinter mir lag.

»Ich wusste doch, ihr habt gestritten. Tina wollte es nicht zugeben, aber ich habe es natürlich gespürt. Du brauchst erst einmal einen Kaffee, Zoli, und dann wird alles wieder gut«, sagte Hanna, die nur ihren Kopf zu uns hereinsteckte und sich schon wieder ins Wohnzimmer zurückzog. Ich stand noch immer in der Eingangshalle, steif wie ein Roboter, Tina am Hals.

»Ich komme nur, meine Sachen zu holen.«

»Zoli!« Das konnte alles bedeuten, aber ich war nicht mehr fähig, ihre Worte zu deuten. Ich wollte nichts mehr hören.

In Extremsituationen, wenn die Sinne aufs Äußerste angespannt sind, zum Beispiel wenn ein Bergsteiger in einen Sturm gerät, sind die Menschen in der Lage, wie Ratten zu handeln. Sie vergessen ihre Gefühle, sie schalten ihren Verstand aus. Sie folgen nur noch ihrem Instinkt. Später wissen sie nicht, wie sie es schafften, sich zu retten; Übermenschliches zu leisten. Ich fühlte solche Zuneigung für Tina, ich dachte kurz, vielleicht wird alles gut. Doch ich folgte nur noch meinem Instinkt. Das Beängstigende dabei war, dass ich es so bewusst wahrnahm. Als ob ich neben mir stand, mir selbst zuschaute – und dabei erkannte ich mich nicht wieder.

Ich war so kalt.

»Zoli, du wirst doch nicht wirklich gehen wollen.«

Sie lief neben mir her, hinauf, bis in das Zimmer ihrer Schwester, wo alles noch so unberührt war wie am Tag meiner Ankunft, die Depeche Mode CDs, die Bücher von Heinrich

Böll und anderen toten deutschen Autoren, selbst das Bett; mein Bett, indem ich nie geschlafen hatte. Ich räumte meine Sachen aus dem Schrank.

»Zoli, es tut mir so Leid, was ich gestern gesagt habe. Ich dachte wirklich, es wäre besser, wenn wir ein wenig Abstand gewinnen. Aber die Nacht alleine in meinem Bett war schrecklich, ich musste immer an dich denken. Mir wurde klar, dass ich dich brauche.«

Ich packte meine Sachen in die Reisetaschen. Viel hatte ich nicht. Ich hatte mir in dem einen Jahr, in dem ich nun fort war, nichts zum Anziehen gekauft.

»Ich fahr noch heute nach London. Ich habe schon die Fahrkarte.«

Sie ließ sich auf das Bett, das seit Jahren unberührte Bett fallen. Ich fürchtete, sie würde zu weinen beginnen. Doch sie blieb einfach stumm. Das machte mich unruhig, und ich raffte meine Sachen nur noch hektisch zusammen. Die sauber gefalteten Pullover und T-Shirts zerknüllten, weil ich sie gewaltsam in die Tasche stopfte. Ansonsten hatte ich nicht mehr viel herumliegen, meine Biologiebücher auf dem Schreibtisch, mein Waschzeug im Bad, mein zweites Paar Schuhe in der Eingangshalle.

Ich war so unnatürlich ruhig, dass ich mich sogar ohne Schwierigkeiten von Hanna verabschieden konnte.

»Mein Gott, Zoli«, begann sie, als sie mich mit den Taschen und dem Rucksack sah. Doch sie besann sich darauf, wie sie sich selbst am liebsten sah. Sie lächelte, und es gelang ihr tatsächlich, jung geblieben, munter, über den Dingen stehend zu wirken.

»Im Leben geht nicht immer alles so aus, wie man möchte«, sagte sie. Irgendwo, überall im Raum hätte die Fernsehkamera stehen können.

»Vielen Dank für alles«, sagte ich und meinte es.

Ich wollte Hannas Mutter die Hand zum Abschied geben und

wurde davon überrascht, dass ich sie instinktiv auf beide Wangen küsste.

Tina wartete an der Eingangstür, am Ende der Schlange ordentlich aufgereihter Schuhe. Stumm, entschlossen; die Imitation eines Butlers. Gefühllos.

»Hast du alles?«, fragte sie tonlos.

Das sah sie doch.

»Mach es gut«, sagte sie zwischen den zwei Küssen auf meine Wangen.

»Du auch. Viel Glück.«

Ich sah sie an, aber sie erwiderte meinen Blick nicht mehr.

Es war Sonntag, deshalb fuhr die S-Bahn nur alle 40 Minuten. Ich warf meinen Rucksack auf den Bahnsteig und setzte mich darauf. Ich wollte schnellstens weg. Ich wartete 33 Minuten auf die S-Bahn.

Achtzehn

Ich war aufgeblieben, um es zu sehen, doch das Meer schlief schon. Es schnarchte nicht einmal. Geräuschlos lag es vor uns, eine dunkle, träge Masse, ein endloses Nichts im Scheinwerferlicht der Autos, die der Reihe nach darauf zufuhren und dann die Laderampe hinauf auf die Fähre.

Wir standen im Scheinwerferlicht vor dem französischen Zollgebäude im Hafen von Dünkirchen und warteten, dass wir zu Fuß unserem Bus hinterhergehen konnten. Es war fast zwei Uhr nachts, um Mitternacht hatten wir nach Ramsgate übersetzen sollen. Niemand sagte uns, was das Problem war. Und ich fragte auch niemanden. Ich fror, mehr vor Müdigkeit als vor Kälte. Die Nacht war so still wie das Meer, der Lärm der anfahrenden, bremsenden, dann, um die Rampe hochzukommen, wieder Gas gebenden Lastwagen ließ die Nacht nur noch ruhiger erscheinen; das Aufheulen der Motoren erinnerte einen daran, dass hier ansonsten nichts war, keine Bewegung, kein Geräusch. Ich starrte hinaus auf den Kanal, pflichtbewusst, weil ich mich so auf das Meer gefreut hatte, doch genauso gut hätte ich den Himmel anstarren können; ich konnte keinen Unterschied zwischen den beiden dunklen Elementen ausmachen.

»Und das nennen sie Meer«, sagte Keith.

»Kanal. Sie nennen es Kanal«, sagte ich, weil ich dachte, er hätte eine Frage gestellt: *Und das nennen sie Meer?*

»Das ist eine Pfütze. Wenn du das Meer sehen willst, komm nach Australien, Kumpel.« Wenn er das vor einer halben Stunde im Bus gesagt hätte, hätte ich ihm dafür eine reinschlagen können. Nun gab ich ihm Recht, indem ich schwieg. Ich hatte Keith schon vor der Abfahrt in München beobachtet, als er den Bus suchte. Er war in meinem Alter. Der ursprünglich weiße Kragen seines bunt gestreiften Rugbyshirts ließ ahnen, wie lange er bereits unterwegs war. Unter seiner tief sitzenden Baseballmütze wuchs ein dünner blonder Pferdeschwanz hervor, sein Rucksack wirkte selbst auf seinem schmalen Rücken winzig. Ich wusste, so wie man die Dinge manchmal einfach vorher weiß, ich würde ihn auf der Fahrt kennen lernen.

»Warst du jemals am Great Barrier Reef?«, fragte er mich. Die Frage kannte ich schon: Wie oft hatte ich sie oder ähnliche, aber im Prinzip gleiche Fragen im Southern Star gehört – von Thomas, John Travolta oder anderen Europäern, wenn sie die Australier nachäfften, sich darüber lustig machten, dass sie keine Ahnung von Europa und überhaupt der Welt hatten. Doch ich freute mich, dass Keith es einem Ungarn zutraute, einfach so für einen Urlaub nach Australien reisen zu können.

»Noch nicht«, sagte ich.

»Du solltest wirklich hinfahren.«

Reisen war sein Lieblingsthema. Was nahe lag, denn er war auf Reisen. Aber er hätte auch über die Städte und Länder reden können, die er besucht hatte; doch Keith sprach nur über das Reisen. *Travelling*. Es war in jedem dritten Satz. Und immer ging es darum, wie billig er gewohnt hatte (»there's a real cheap *travel*-lounge in Sweden«), wie er in Deutschland Geld sparte, weil dort alle Pensionen mit Frühstück inklusive seien und er sich für den ganzen Tag den Magen voll schlug (»Cornflakes are the Body of Christ for the *traveller*«), dass in Warschau die Züge billiger als die Busse seien (»It was really comfy *travelling* for once«). Ich schätzte, er meinte mit Warschau Polen, denn er hatte ein konfuses System, manche Reiseabschnitte existierten für ihn nur als Länder, andere nur als Städte. (»When I *travelled* from Warsaw to Germany, I thought, why not pack in Copenhagen and Sweden as well?!«)

Er betrieb das *travelling* wie andere ihre Arbeit: leidenschaftlich, ehrgeizig; ohne Zeit für Erholung. Nur eine Sache ging ihm auf die Nerven: *travelers*. Vor allem die australischen.

»Sie fliegen nach London, bleiben dort ein Jahr und glauben, das sei *travelling*. Es ist peinlich. Sie haben keinen Schritt in ein nichtenglischsprachiges Land gesetzt, aber wenn du sie zu Hause in Sydney triffst und fragst: ›Lange nicht gesehen, was hast du das letzte Jahr gemacht?‹, antworten sie: ›*Travelling.*‹ Mann!« Er imitierte das Geräusch von jemandem, der ausspuckt.

Entweder er hatte lange niemanden zum Reden gehabt oder er war einfach so: ein niemals endendes Tonband.

Während der Überfahrt stellte ich mich an die Reling, um das Meer anzusehen, er fragte: »Willst du nicht schlafen?«, ich sagte: »Nein, das Meer ansehen«, er sagte: »Cool, lass uns das machen«, stellte sich neben mich und redete. Und redete.

»Was mich wundert, ist, dass die Europäer nichts gegen Lebensmittelvergiftungen machen. Du holst dir hier alle drei Tage eine Lebensmittelvergiftung. In Spanien, ich war nicht dort, aber ich weiß es von einem *traveller*, den ich in Schweden traf, gießen sie über jedes Essen Öl. Stell dir vor: Pizza in Öl! Hamburger in Öl! Sie sind verrückt in Spanien. Ich hatte meine erste Lebensmittelvergiftung in Warschau. Eine Suppe gab mir den Rest. Für drei Tage konnte ich nicht raus aus dem Bett. Aber ich sehe es positiv, ich denke positiv, verstehst du, was ich meine: Ich hatte drei Tage keine Ausgaben für Essen oder Sightseeing.«

Mit meinen Augen schaute ich auf die See, durch die unser Schiff mühelos schnitt, mit meinen Ohren hörte ich Keiths Geplapper zu und bekam eine Ahnung davon, wie Menschen verrückt werden. Beides zusammen, der beruhigende Anblick und das entnervende Geplapper, war zu viel für meine Sinne. Ich musste meinen Blick vom Meer abwenden. Denn damit, dass Keith von mir abließ, war nicht zu rechnen.

»Was wirst du in London machen?«

»Ich weiß nicht«, sagte ich.

»Lehrer ist immer eine Option«, sagte Keith. Er hatte in Australien als Autolackierer gearbeitet. »Es herrscht eine Dürre in England, was Lehrer angeht. Wenn du Lehramt studiert hast, zeigst du dein Papier mit dem Abschluss vor und, bäng!, am nächsten Tag hast du einen Job an irgendeiner Grundschule.«

»Aber ich habe nicht Lehramt studiert.«

»Aber du hast die Sprache.«

»Was meinst du?«

»Ungarisch. Ich wette, du kannst sofort an irgendeiner Sprachschule anfangen zu unterrichten.«

»Ungarisch?!«

»Absolut, es gibt eine höllisch große Nachfrage in London nach ausländischen Sprachen. Ob du es glaubst oder nicht, ich habe auch überlegt, ob ich nicht eine Fremdsprache lernen sollte. Würde das Reisen so viel einfacher machen. Ich dachte an Spanisch, aber warum nicht Ungarisch?!«

Wir erreichten England plötzlich, ohne Vorwarnung. Wegen der Dunkelheit und Keiths Gerede hatte ich Ramsgate nicht kommen sehen. In der Ankunftshalle hatte ein einziger Zöllner Frühschicht, wir standen lange genug in der Schlange, damit ich auf dumme Gedanken kam. Was, wenn sie mich nicht reinließen?

Der Zöllner trug trotz der Frische der Nacht nur ein kurzärmliges Hemd. Beide Unterarme waren tätowiert, die Motive verblichen, die Farben ausgewaschen, auf dem linken Arm eine grüne Schlange, die sich um ein Schwert schlängelte, auf dem rechten ein schlichtes, mit schwarzer Tinte in die Haut gestochenes Herz, in dem stand *Alison forever*.

»Was willst du in England?«

Ich hoffte, Alison war noch immer gut zu ihm, eine glückliche Ehe musste etwas Beruhigendes, Ausgleichendes haben.

»Urlaub«, sagte ich und sah ihm in die Augen.

»Sicher, dass du nur Urlaub machst?«

»Ja.«

»Wie ich sehe, hast du nämlich das letzte Jahr als Au-pair in England gearbeitet. Und du weißt, dass du als Ungar mit einem Touristenvisum nicht arbeiten darfst.«

»Ja.«

Er nickte, stempelte, und ich war durch.

Fast auf den Tag genau ein Jahr danach kam ich noch einmal in England an. Doch das Gefühl zurückzukommen spürte ich erst zwei Stunden später. Das Glück, durch den Zoll gelangt zu sein, machte mich unglaublich müde. Als wir uns wieder in den Bus setzten, hörte ich Keith noch etwas sagen, aber ich schlief schon.

London weckte mich auf. Nicht durch seinen Lärm, denn London war morgens um halb sieben noch die Kulisse eines Stummfilms. Die Leute, die schon unterwegs waren, hasteten bleich und mit gesenktem Kopf die Straßen hinunter, die Lippen zusammengedrückt. Das Gefühl, wieder da zu sein, hatte mich wach gemacht.

Ich schlug die Augen auf, sah als Erstes Keiths offenen Mund, seine unreine Haut und geschlossenen Augen, was so früh am Morgen kein munter machender Anblick war, dann drehte ich meinen Kopf von links nach rechts und sah: London. Außer mir schienen alle im Bus zu schlafen. Das gab mir das Gefühl, London zu besitzen. Ich sah die breiten, tristen Durchgangsstraßen Süd-Londons, mit ihren ungepflegten Häusern, an denen sich die Abgase der Autos buchstäblich festzusetzen schienen. Ich erkannte Greenwich und das Royal Maritim Museum. Vorfreude überfiel mich. Ich spürte, was immer auch passieren würde, ich war sicher. Ich war wieder in London.

Noch vor sieben waren wir an der Victoria Station. Keith fröstelte es, als er um sich blickte. Ich übernahm die Führung.

»Victoria Line bis Hammersmith, dann noch eine Station mit der Hammersmith & City Line, aber vielleicht können wir sogar laufen«, sagte ich.

»Bist du sicher?«

»Absolut.« Seine Unsicherheit machte mich noch sicherer.

London hasste es noch immer, früh aufzustehen. Man konnte der Stadt den Unwillen ansehen. Die leicht irritierten Gesichter der Pendler, die vielen Geschäfte, die noch geschlossen waren, selbst hier im Bahnhof Victoria. Am verlassenen Zeitungskiosk hing noch das Plakat mit der Schlagzeile des *Evening Standard* von gestern. *PRIEST RAPED BY SECRETARY – EXCLUSIVE.*

Hammersmith traf mich unvorbereitet. Wir kamen am selben Bahnsteig an, praktisch zur selben Uhrzeit, wie damals, als ich morgens von Tinas Wohnung in West Hampstead dorthin gefahren war, um auf Doktor Mukherjee zu warten. Der Gedanke, ihm begegnen zu können, beunruhigte mich. Die Erkenntnis, dass London für mich anders sein würde, als es damals war, traf mich.

Wir hätten die Straße überqueren müssen, um zur Hammersmith & City Line zu kommen, deshalb gingen wir gleich zu Fuß. Auf den Straßen begannen die obligatorischen Morgenstaus.

»Bist du sicher, dass es in Ordnung ist, dass ich mitkomme?«, fragte ich Keith.

»Sicher. Richard ist locker, und, wie gesagt, es ist ein ganzes Haus, da findet sich sicher ein Platz für dich.«

Wir gingen den Hammersmith Grove entlang und fanden die Agate Road ohne Probleme. Es waren Backsteinreihenhäuser wie in der Doneraile Street in Fulham, und doch hätte niemand die Häuserzeilen je verwechseln können. Es waren nur kleine Details, die sich unterschieden, aber im großen Ganzen ergaben sie eine andere Welt: Dicke schwarze Kabel hingen in der Agate Road schlaff und wirr an den Außenwänden, die Fensterscheiben waren dreckig, nur die Frontseiten der Häuser gestrichen. Ein kräftiger Junge Anfang zwanzig, der nur T-Shirts trug, weil ihn sein Körperfülle gegen die Kälte schützte, öffnete uns die Tür.

»*How are ya doing?*«, sagte er, als habe er uns gestern das letzte Mal gesehen.

»*How are ya going?!*«, grüßte Keith noch enthusiastischer zurück. »Ist Richard da?«

Er wusste es nicht, sagte aber, wir sollten reinkommen, er sei Martin.

»*Martin, how are ya?!*«, sagte Keith und reichte ihm die Hand. Ich ging stumm hinterher.

Der Linoleumboden in der Küche war gewellt und an etlichen Stellen eingerissen. An einem schlichten, verschmierten Holztisch saßen zwei Mädchen und kauten Toast mit Butter und roter Marmelade. Eine warf vor jedem Biss ihre langen, noch nassen Haare zurück, damit sie nicht auf den Marmeladentoast gerieten. Die andere stützte abwechselnd ihre Ellenbogen auf und brachte so den schiefen Tisch zum Wackeln.

Auf Keiths *How are ya going?* antworteten sie lethargisch »Hey«. Ich hielt es für offensichtlich, dass sie schweigend frühstücken wollten. Aber Keith sah das offenbar anders.

»Richard ist ein Freund von mir. Wir sind in Sydney im selben Viertel groß geworden. Marrickville. Schon mal gehört?«

Ein Mädchen schüttelte den Kopf; vielleicht aber auch nur, weil die nassen Haare wieder im Weg waren.

»Ich war sieben Monate in Europa unterwegs. Amsterdam, Schweden, Dänemark, Warschau, Deutschland. Zu wievielt wohnt ihr hier?«

»Tee?«, antwortete Martin. Er reichte mir eine Tasse, ich wärmte damit meine Finger. In der Küche war es kälter als an der frischen Luft. »Zu wievielt sind wir zurzeit, Jeanette? Ich würde sagen, neun, oder, seit Rob ausgezogen ist.«

Jeanette, den Ellenbogen wechselnd, den Toast runterschluckend, sagte: »Für Rob ist Darren eingezogen.«

»Ach, natürlich. Also sind wir zu zehnt, oder?«

Jeanette, weiterhin Toast schluckend, schüttelte den Kopf. »Zu neunt.«

»Ehrlich?«, sagte Martin, und sie begannen zu verhandeln: Sie drei, Richard, Kate sei nicht mehr hier, aber dafür Adam, Darren wie gesagt, Steve und Stevie hatten nun das Zimmer von Mike und Rosanna, und ganz hinten wohnte Lizzi.

»Also acht.«

»Mark.«

»Natürlich: Mark. Zu neunt, wir sind zu neunt«, sagte Martin. So schnell fiel niemandem ein neues Thema ein. Wir schwiegen, deshalb sagte Martin: »Ich schaue mal, ob Richard da ist.«

Die Treppenstufen quietschten. Ein paar Minuten später polterten sie.

»Hey, Ritch, wie gut dich zu sehen! *How are ya going?!*«, rief Keith und sprang auf, um Richard zu umarmen. Richard war nicht ganz so euphorisch.

»Wie kommst du hierher?«, fragte er.

Zwei Minuten später sagte ich das erste Wort, seit ich das Haus betreten hatte.

»Hallo.« Ich reichte Richard die Hand. Ich spürte seine kaum. Es war, »offen gesagt«, wie Richard sagte, nicht so einfach, wie Keith im Bus getan hatte. Im Moment war kein Zimmer frei. In Adams Raum war zwar ein zweites Bett, aber er bezahlte Miete für das komplette Zimmer, eben weil er es für sich alleine haben wollte. Natürlich könne Keith bei Richard und Darren im Zimmer für ein paar Tage auf dem Boden schlafen, und wenn Keith sagte, ich sei sein Kumpel, dann sei das in Ordnung, dass ich auch erst einmal hier schliefe, auf dem Sofa im Wohnzimmer, bis ich eine feste Unterkunft in London gefunden hätte. Doch in der Art, wie Richard das sagte, war klar, dass es alles andere als in Ordnung war. Ich wäre am liebsten sofort gegangen, war aber weder mutig noch unvernünftig genug, es zu tun.

Keith und ich wohnten einige Tage bei den Australiern, dann wurden aus Tagen Wochen, aus Wochen Gewohnheit. Ich kam immer später ins Bett. Am Anfang, als sie mich noch nicht kannten, schreckte es sie ab, sich im Wohnzimmer vor den Fernseher zu setzen. Sie wussten ja, ich wollte auf der Couch schlafen. Doch mit der Zeit kamen Lizzi und Jeanette, Steve und Stevie, immer öfter auch Richard und mit ihm Keith abends hinunter in den Keller, der das Wohnzimmer war, weil sie nicht alleine sein wollten. Mein Bett wurde das soziale Zentrum. Sie redeten, tranken Bier aus Dosen, aßen Chips aus Tüten, ließen den Fernseher laufen, schauten manchmal sogar hin; und ich hatte nie vor zwei oder drei die Couch zum Schlafen zurück.

Es gibt in London eine Menge Klischees über Australier. Nach gut zwei Wochen in der Agate Road wusste ich: Sie sind alle wahr. Australier wohnen in unglaublichen Mengen in einem Haus, Australier kleiden sich permanent in Sportklamotten, Australier haben oft lange Haare und chronisch verstopfte Badewannenabflüsse, Australier reden ständig über vergangene Barbecue-Partys, Australier sind immer locker. Natürlich hatte manchmal jemand in der Agate Road auch schlechte Laune. Aber dann versteckte er sich, trug die Sorgen mit sich selber aus. Sie beschwerten sich über die Vorurteile, die die Engländer über sie hatten – und schienen sich anzustrengen, den Klischees gerecht zu werden.

»Hey, how are ya going?«, begrüßte mich Adam jedes Mal überschwänglich, wenn ich ihm zufällig im Flur oder in der Küche begegnete. Ich war mir sicher, er hatte meinen Namen vergessen. Etwas anderes hatte er nie über mich wissen wollen.

Solches Desinteresse hatte nichts mit mir zu tun; es war normal in der Agate Road. Ich hatte Lizzi gefragt, was die Leute im Haus arbeiteten, und sie wusste es allenfalls vage. Sie konnte mir noch nicht einmal konkret sagen, was sie machte. »So eine Kontroll-Sache bei *Hensons*. Du weißt schon: *Hensons*, das ist das Versicherungs-Ding.«

Ich hatte gleich an meinem zweiten Tag Küche und die zwei Bäder geputzt, Flur und Wohnzimmer gesaugt, um meine Dankbarkeit zu dokumentieren und mir vielleicht sogar Freunde im Haus zu machen. Nach drei Wochen putzte ich immer noch regelmäßig die Gemeinschaftsräume, jedoch nur noch, um ein gutes Gewissen zu haben. Richard war der Einzige, der überhaupt wahrnahm, dass ich was tat – dass irgendwer was tat.

»Hey, die Küche glänzt ja«, sagte er und sah mich lächelnd an, daher wusste ich, das war eine Anerkennung, ohne dass er mich direkt ansprach.

»Ach, wirklich?«, sagte Steve. »Ist mir gar nicht aufgefallen.« Wir saßen in der Küche.

Doch nach zwei Wochen schien sich niemand mehr daran zu stören, dass ich bei ihnen wohnte; die wenigsten schien es überhaupt zu kümmern, dass ich da war. Lizzi und Richard interessierten sich für mich als Person; für die anderen war ich einer mehr, der abends beim gemeinsamen Zusammenhocken ab und an etwas sagte, meist aber nichts.

»Wie läuft's mit der Suche nach Arbeit?«, fragte Richard, als im Fernsehen bei *Coronation Street* gerade das Gespräch auf einen arbeitslosen Onkel kam.

»Er will Ungarisch unterrichten«, sagte Keith, ehe ich etwas sagen konnte.

»Ungarisch?!«, fragte Richard, dem Realismus nicht ganz fremd war.

»Wenn du mich fragst, gibt es einen höllischen Bedarf an Sprachlehrern in London«, sagte Keith.

»Oh, absolut«, sagte Steve, mir war nicht klar, ob er es ernst meinte.

»Das ist auch das Ding, an das ich denke: Lehrer«, sagte Keith. Bislang erholte er sich allerdings noch vom *travelling*. Er verließ die Wohnung nur von Donnerstag- bis Sonntagabend, wenn einige aus dem Haus ausgingen. »Ich komme mit«, meldete er sich dann freiwillig, und weil sie alle so verdammt locker waren, konnte ich nicht erkennen, ob ihnen Keith auf die Nerven ging oder nicht. Die meiste Zeit war er in Richards und Darrens Zimmer, ich wusste nicht, was er darin machte. So viel, außer im Bett zu liegen, gab es dort allerdings nicht zu tun.

»Adam arbeitet als Lehrer für eine Zeitarbeit-Agentur. Vielleicht fragst du ihn mal, ob er was weiß«, sagte Richard, und da war das Gespräch schon zu weit fortgeschritten, als dass es noch Sinn gemacht hätte, meine Identität als Ungarischlehrer zu leugnen.

Ich verbrachte die meiste Zeit mit der Arbeitssuche. Ich ging an der Themse spazieren oder saß im Starbucks Café auf der Fulham Road und dachte darüber nach, was ich arbeiten könnte; wie ich Arbeit finden könnte. Von den Brasilianerinnen im Starbucks war nur noch die Kröte bufo bufo da, Kaluembi schon wieder zurück in Bahía. Mir war unwohl gewesen, ins Starbucks zu gehen, denn es schien der aussichtslose Versuch, in ein Leben zurückzukehren, von dem ich wusste, dass es das nicht mehr gab. Ich fürchtete mich, ich wusste nicht genau vor was, vielleicht davor, dass mich die Brasilianerinnen nicht mehr erkennen würden – oder mir zu erkennen gaben, dass ich nicht mehr Teil ihres Lebens war. Doch bufo bufo begrüßte mich freundlich strahlend; und vor allem selbstverständlich. Als hätten wir uns gestern zum letzten Mal gesehen. Im London der Ausländer war es normal, dass die Leute gingen, auftauchten, verschwanden, wieder da waren. Ihr Lachen machte sie jedes Mal aufs Neue noch hässlicher, das Gesicht breiter, krötenhafter. Sie sah noch genauso aus wie früher. Warum auch nicht, ich war nur drei Monate weggewesen. Bloß mir kam es wie ein Leben lang vor. Bufo bufo fragte ihre englische Chefin für mich, ob ich im Starbucks anfangen könnte. Aber Touristen nahmen sie nicht. Sprachstudenten schon, die hatten das Recht, 20 Stunden die Woche zu arbeiten. Ich rechnete aus, wenn ich mich in einem Sprachkurs einschrieb, um das Studentenvisum zu ergattern, und dann 20 Stunden bei Starbucks arbeitete, würde ich jede Woche −5 Pfund verdienen: 90 Pfund Einnahmen im Café standen 95 Pfund Kosten für den Sprachkurs entgegen.

»Aber du könntest einen zweiten 20-Stunden-Job machen«, sagte bufo bufo. »Niemand kontrolliert, wie viele Jobs du machst, Hauptsache, du hast ein Studentenvisum. Du könntest zum Beispiel noch für die Pizzeria auf der anderen Straßenseite als Auslieferer arbeiten.«

Doch das war das falsche Beispiel. Es brachte mich völlig ab von der Idee. Die Vorstellung allein, bei den ungarischen Pizzaboys nach Arbeit zu fragen, war demütigend. Ich hatte − auch wenn sie das natürlich nicht wussten − in meiner Zeit als Assistenzarzt auf sie herabgeschaut; so selbstverachtend war ich noch nicht, dass ich nun Mitglied ihrer Mofaflotte werden wollte.

Milene, eine neue Mitbewohnerin von bufo bufo in der Lillie Road, fand schließlich Arbeit für mich, in der Brigade der Sprachlosen. Schweigend trafen wir uns jeden Abend um 21 Uhr im Keller des Großbritannien-Hauptquartiers von *Panpack*, einer amerikanischen Computerfirma, in Wembley. Wir waren zu fünfzehnt. Der Chef unserer Kolonne, ein Nigerianer, gab die blauen Arbeitskittel, Staubsauger, Putzeimer und Wischlappen aus. Wer Gummihandschuhe wollte, musste sie selbst mitbringen. Er verteilte uns mit knappen Worten und deutlichen Gesten auf die verschiedenen Stockwerke, und mich überraschte jedes Mal aufs Neue, dass am Ende tatsächlich jeder verstanden hatte, wo er putzen sollte. Denn wie Milene konnten die meisten kein Englisch – aber es fragte sie auch niemand etwas, noch nicht einmal nach einer Arbeitserlaubnis. Wir hatten uns im Büro von *Smith & Adamson Cleaning* registrieren müssen, sie hatten uns die Fotokopie einer Stadtplanseite gegeben, mit Gelb eingekreist, wo Panpack lag, und dann lag es an uns, den Firmensitz zu finden. Alles weitere regelte der Nigerianer. Er führte die Anwesenheitsliste, am Ende einer Woche teilte er Briefumschläge aus. Das Geld darin war cash und nie genug, um einem das Gefühl zu geben: Ich habe etwas verdient. 3,30 Pfund die Stunde, die erste arbeitete ich faktisch immer umsonst: Denn fast genauso viel kostete es mich mit der Bahn von Hammersmith nach Wembley und mit dem Nachtbus zurück zu fahren.

Es hätte eine phantastische Arbeit sein können. Ein riesiger, moderner Firmensitz für uns allein, das Gefühl: Alles gehört uns. Wir hätten ein geheimes Leben gründen können, nach Ungarn und Deutschland telefonieren, uns in die schwarzen Ledersessel setzen und groß daherreden können – bloß es konnte keiner reden. Dem Aussehen nach kamen meine Kollegen aus der halben Welt, Indien, Peru, Bangladesh, Zypern, die meisten schätzte ich über vierzig, die Haare der Männer waren streng seitlich gescheitelt, die Frauen atmeten rasselnd, und in ihren Gesichtern trugen sie alle vorauseilende Unruhe. Sie erwarteten jederzeit den nächsten Schlag des Schicksals. Wenn ich sie ansprach, lächelten sie, senkten schnell den Kopf und wischten oder saugten noch hektischer weiter. Ihre verhuschte Folgsamkeit deprimierte mich. Ich war froh, wenn die Staubsauger heulten, denn sie vertrieben wenigstens die erdrückende Stille.

Wenn ich Glück hatte, der Nachtbus gleich kam, war ich morgens um kurz vor vier zurück in der Agate Road. Ich klingelte, denn ich hatte keinen Schlüssel, meist musste ich zwei- oder dreimal läutete, bis jemand aufstand. Verschlafen kam Steve

oder Mark an die Tür, sah mich mit winzigen Augen an, erkannte mich und rief mit vor Müdigkeit krächzender, aber
aus Routine enthusiastischer Stimme: »*Hey, how are ya
going!?*«

Neunzehn

Am 21. Dezember um Viertel vor zwölf, nach einer langen Nacht in der Putzkolonne, weckte mich Lizzi mit einem Kuss auf die Stirn und dem Aufschrei: »Weihnachten!« Sie wollte mit Jeanette, Martin und mir den Weihnachtseinkauf machen. Wir kauften 60 Dosen Bier, drei Flaschen Wodka und einen Liter Whiskey. »Das muss reichen«, sagte Lizzi, »wir gehen nach der Feier zu Hause ja noch aus.«

Seit zwei Wochen hatte sie immer wieder versucht, die Mitbewohner in der Agate Road für die Festvorbereitungen zu begeistern. »Wir sollten Bier kaufen«, war noch eine der enthusiastischeren Antworten gewesen, die sie erhalten hatte. »Werden wir alle zusammen feiern?«, hatte ich gefragt, und meine naive Neugier war ihr wie grenzenlose Begeisterung erschienen. Von da an kam sie ständig zu mir, um über Weihnachten zu reden.

»Letztes Weihnachten habe ich im Kangaroo einen Spanier kennen gelernt. Ich sagte überrascht zu ihm: ›Du sprichst ja Englisch!‹, und er antwortete: ›Gut, dass du es bemerkst. Wir reden nämlich schon seit 20 Minuten Englisch.‹ Ich glaube, ich war noch nie so betrunken wie letztes Weihnachten.«

Wann immer ich sie sah, sah ich ihre Mutter vor mir. Lizzi war 24, aber »24 und fast schon 40« wäre eine treffendere Altersangabe gewesen. Sie freute sich, als Richard die Grippe mit Fieber hatte; sie konnte ihm heiße Milch kochen und die grünen Lutschtabletten aus der Apotheke holen, die bei ihrem Vater immer Wunder gewirkt hatten. Sie hängte Zettel auf die Toiletten: »Bitte nicht im Stehen pinkeln. Danke!« und malte noch eine Blume mit lachendem Gesicht auf das Plakat. Sie erkannte in mir, einem armen Osteuropäer in der

Fremde, instinktiv einen Empfänger für ihre mütterlichen Gefühle.

»Du solltest nicht so hart arbeiten, Zoli, du siehst morgens immer so müde aus«, sagte sie, und ich dachte, vielleicht wäre ich ausgeschlafener, wenn sie mich nicht immer um neun wecken würde, bevor sie aus dem Haus ging. »Ich gehe jetzt, Zoli, wollte dir nur schnell eine Tasse Tee bringen«, sagte sie und ging dann natürlich nicht, sondern erst nachdem sie mir fünf Minuten lang von den Problemen ihres Arbeitskollegen Damian erzählt hatte, den ich nicht kannte, der sich aber von seiner Freundin trennen sollte, weil ihre Liebe tot zu sein schien, mittlerweile kam Damian sogar schon mit schlecht gebügelten Hemden in die Arbeit. Ich lächelte, schwieg und betrachtete fasziniert Lizzis Bauch. Er schwappte unter dem knappen T-Shirt hervor, bleich, weich und kugelrund. Es war eine meiner wissenschaftlichen Entdeckungen in England; ich hatte ihm den biologischen Titel *Der Londoner Bauch* gegeben. Überall auf der Welt, also zumindest in Ungarn und München, legten die Frauen, falls sie dick waren oder wurden, ihr Fett an den Hüften oder am Hintern an. In London dagegen gab es hunderte Mädchen wie Lizzi, die hübsch im Gesicht waren, einen strammen Po und verhältnismäßig schmale Hüften hatten, aber einen richtigen Bauch. Um das Phänomen zu erklären, musste man allerdings kein Biologe sein, sondern nur zwei Stunden im Southern Star und beobachten, was Londoner Frauen tranken.

Als wir im Supermarkt an die Kasse kamen, ließ Lizzi mich nichts von den Weihnachtsgetränken bezahlen. Ich bräuchte mein Geld für wichtigere Dinge, sagte sie. Ich protestierte heftig, weil ich mir sicher war, dass sie sich nicht erweichen ließe. Ich war ihr dankbar, denn plötzlich war Geld ein Thema. Aus meiner Arbeit als Assistenzarzt und Tischabwischer & Bierglaseinsammler hatte ich 400 Pfund und 1100 Euro gespart, ohne es überhaupt wahrzunehmen. Ich hatte das Geld, das ich nicht brauchte, einfach in den Briefumschlag gesteckt, den ich im Innenfach meiner blauen Reisetasche aufbewahrte. Nun zog ich ihn des Öfteren hervor und sah das Geld an, um mich zu versichern: Ich hatte es noch. Zum ersten Mal seit meiner Ankunft im Ausland musste ich Miete zahlen, wenngleich auch eher symbolisch, 25 Pfund die Woche für meinen Platz auf dem Sofa, hatte Richard festgelegt, ich musste für mein Essen selber sorgen. Die Sorglosigkeit begann zu verschwinden.

Vor allem die Arbeit als Putzmann brachte mich auf den Gedanken, mir Sorgen machen zu müssen. Ich arbeitete nicht mehr wie in Doktor Mukherjees Praxis oder im Biergarten aus schierer Freude; ich arbeitete nur noch, weil ich dafür bezahlt wurde. So dachte ich automatisch an Geld, an Geldsparen und Geldausgeben; so ergriff mich die Furcht, ich könnte irgendwann nicht mehr genug Geld haben.

Ich schob den Gedanken auf, dass ich etwas wegen der Arbeit tun musste. Doch nachdem ich mit Jeanette und Lizzi die Weihnachtseinkäufe auf unserer Terrasse abgestellt hatte und der ganze graue Tag ohne Ziel vor mir lag, ging ich los. Ich ging zu Fuß, um das Treffen noch ein wenig herauszuzögern, von dem ich mir eine große Befreiung erhoffte, aber eine noch größere Demütigung fürchtete. Es war Samstag, also trugen die Engländer, vor allem die Frauen, in den Straßen Turnschuhe. Sie hatten dieselben Mäntel an wie unter der Woche, aber dazu Sportschuhe. Das war ihre Art anzuzeigen: Wochenende. Freizeit.

Herbst war die Jahreszeit, die am besten zu London passte, wenn die Blätter der vielen Bäume die Bürgersteige bunt färbten und der ewig graue, gleichgültige Himmel einem ein molliges Gefühl gab; solange man drinnen saß und rausschaute. Doch ich mochte den Winter fast genauso gerne. Es sah immerzu so aus, als würde es gleich regnen oder als hätte es gerade geregnet, mit Pfützen auf den Straßen und einer so hohen Luftfeuchtigkeit, dass ich glaubte, sie sehen zu können – und doch schien es nie zu regnen. Ich überlegte, wann es das letzte Mal geregnet hatte, mir fiel es nicht ein. Vielleicht regnete es aber auch so oft, dass ich es schon gar nicht mehr wahrnahm.

Ich spazierte durch die Seitenstraßen, je länger ich ging, desto reicher wurde London, von den Sozialwohnungen am Hammersmith Broadway, wo junge Schwarze auf lächerlich kleinen Mountainbikes ziellos die Queen Caroline Street rauf und runter fuhren, bis zu den Bürgerhäusern im Admirals-Viertel in Fulham, nördlich des Bishop's Park. Ich hatte die Woodlawn Road als Durchgangsstraße gewählt, wusste, gleich würde ich die Doneraile Street kreuzen, und legte im Schritt zu. Natürlich begegnete ich niemandem von den Mukherjees. Der Zufall wäre zu groß gewesen. Und trotzdem atmete ich vor Anspannung schneller, bis ich aus dem ganzen Viertel draußen war. Ich würde mich bei Doktor Mukherjee noch einmal melden, genau wie bei Tina, da war ich mir sicher – aber nicht, bevor ich nicht etwas erreicht hatte. Was das sein sollte, wusste ich nicht; Hauptsache ein Erfolg.

Ich ging zunächst noch zu den Brasilianerinnen ins Starbucks, um mir genau zu überlegen, was ich bei dem Treffen sagen wollte. Ich saß mit meinem Gratis-Cappuccino im Samtsessel und überlegte natürlich nichts, weil ich schon genau wusste, was ich sagen würde. Nur nervöser wurde ich. Dafür gab es überhaupt keinen Grund, aber je öfter ich mir das sagte, desto elender fühlte ich mich. Vor allem fühlte ich mich erniedrigt. Am liebsten wäre ich sofort nach Hause zurückgefahren und hätte mich in Miskolc bei meinen Eltern verkrochen, ich konnte bei meinem Vater auf dem Friedhof anfangen, ein so schlechtes Leben wäre das auch nicht. Statt nach Ungarn ging ich dann aber doch nur auf die andere Straßenseite.

Ich hatte zwei von ihnen schon seit einigen Minuten bei den

geparkten Mofas stehen und herumblödeln sehen. Ich sprach sie direkt auf Ungarisch an. Sie hießen Vilmos und Tamás, und meine Not machte sie gesprächig. Sie waren in London nicht oft in der Situation gewesen, mehr zu wissen als andere, Rat geben zu können. Dementsprechend genossen sie es.

Sie konnten mich jederzeit in der Flotte der Pizzajungen unterbringen, wenn vielleicht auch nicht in dieser Filiale, dann woanders, die Pizzakette war über ganz London verteilt. Nach einem Führerschein würde ich gar nicht gefragt werden, die 20-Stunden-Arbeitsbeschränkung für Ausländer, die nicht aus der Europäischen Union kamen, juckte niemanden, entweder ich würde die Stunden darüber hinaus schwarzarbeiten oder eben zweimal 20 Stunden in zwei verschiedenen Filialen, die nichts voneinander wussten. Ich brauchte nur ein Studentenvisum.

»Daran kommst du nicht vorbei«, sagte Vilmos.

»Am billigsten machen es die Ukrainer in Brentford«, sagte Tamás.

»700 Pfund für ein Jahr«, sagte Vilmos.

Sie waren nun so eingespielt, dass sie sich wie zwei Schauspieler beim lange einstudierten Dialog ergänzten. Tamás schrieb mir den Namen der Sprachschule und die Adresse auf, Vilmos erklärte mir, wie ich hinkam.

»700 Pfund nur für ein Visum klingt viel«, sagte Vilmos. Das waren in einem passablen Job in Miskolc mehr als zwei Monatsgehälter.

»Aber du musst es so sehen: Wenn du hart arbeitest, kannst du das als Pizzajunge in drei Wochen verdienen«, sagte Tamás.

»Wir machen im Jahr 15 000 Pfund«, sagte Vilmos. Das wäre in Miskolc eine Wohnung.

Ich hätte vor Glück schreien können, als ich am Themseufer entlang zurückging. Ich hatte noch nichts erreicht, außer dass ich nun wusste, wie ich etwas erreichen konnte. Doch ich fühlte, ich hatte den schwierigsten Part bereits erledigt. Meinen eigenen Stolz überwunden. Auf dem Fluss zog ein Ruderboot vorbei, ein Achter, der Steuermann bellte den acht jungen Mädchen die Anweisung, den Rhythmus nicht zu verlieren, über ein Megaphon zu, und ich dachte mir, wie dumm ich gewesen war. Ich war mir zu gut zum Pizzaausliefern gewesen, nur weil das alle ungarischen Jungen in London machten. Eine Spaziergängerin mit khakifarbener Wollmütze und doppelt verknotetem Schal um den Hals, lächelte mir zu, weil sie dachte, ich hätte ihr zugelächelt. Dabei lachte ich über mich.

Angesichts der Aussicht, bald gutes Geld zu verdienen, gab ich erst einmal freigiebig Geld aus. Ich kaufte mir eine Telefonkarte und rief meinen Vater an.

»Das sind ja großartige Aussichten, Zoli«, sagte er. »Wie viel sind 20 000 Pfund in Forint?«

»Ungefähr sieben Millionen Forint. Ich glaube, ich habe den Job vor allem bekommen, weil ich die dreimonatige Forschungsreise nach Deutschland vorweisen konnte.«

»Das mag ich wohl glauben, Zoli. Deutschland ist wirtschaftlich ein so wichtiges Land; wer sich dort durchsetzt, wird überall angenommen.«

»Es war weniger, dass ich mich durchsetzen musste. Die Ergebnisse von unserer Forschungsreise durch die Ostsee waren einfach sehr gut. Wir haben Leierfische beobachtet. Leierfische in der Ostsee, Papa! Das ist eine Barschart, die sich eigentlich in wärmeren Gewässern am wohlsten fühlt. Aber der Große Leierfisch kommt überall zurecht.«

»So wie du, Zoli.«

»Dem Großen Leierfisch sind von der Natur aus viel weniger Möglichkeiten gegeben als anderen Barschartigen, sein Kieferstachel zum Beispiel ist anders als bei den Drachenfischen nicht giftig. Aber weißt du was, Papa?«

»Was?«

»Der Große Leierfisch ist ein Beobachter. Er überlebt, nicht weil er von Natur aus so stark ist, sondern weil er so gut hinschaut. Er gräbt sich am Meeresboden ein, nur die Augen schauen aus dem Sand hervor, so kann er stundenlang unbeweglich verbringen, aber er registriert jede Regung der anderen Lebewesen, und wenn ihm ein Kleinfisch zu nahe kommt, schnappt er zu. Und jetzt lebt er sogar in der Ostsee schon in größeren Mengen – unglaublich. Herauszufinden, ob wir am Beginn einer richtigen Wanderbewegung der Spezies stehen, wäre eine spannende Frage. Ich werde auf jeden Fall vorschlagen, dafür noch eine Expedition zu starten, wenn ich nun im Royal Institut of Oceanography anfange.«

»Aber vergesse uns dabei nicht, Zoli. Das wird nun schon das zweite Weihnachten ohne dich; eigentlich wolltest du nach einem Jahr wieder hier sein, erinnerst du dich?«

Natürlich erinnerte ich mich. Ich kam mir wie ein Versager vor, dass ich in vierzehn Monaten nichts geschafft hatte, um stolz nach Ungarn zurückzukehren.

»Im Moment läuft es halt sehr gut in der Arbeit, Papa. Ich komme schon wieder, irgendwann«, sagte ich und dachte: Und wenn ich niemals zurückkomme?

Ich füllte meine Taschen schon am Sonntagabend, den Reisepass steckte ich in die rechte Jackentasche, das Geld in die linke vordere Hosentasche, und am Montagmorgen wachte ich vor Vorfreude so rechtzeitig auf, dass ich noch eine Viertelstunde auf dem Sofa liegen und auf das Klingeln des Weckers um halb neun warten konnte. Es trampelten schon wieder alle auf mir herum, die entschlossenen Schritte der Australier im Parterre hallten dumpf und kräftig auf der Kellerdecke, ich lag darunter, aber dieses eine Mal kamen mir die Schläge wie freudige Begrüßungsschreie vor. Die Morgen in der Agate Road konnten einen schaffen. Wenn ich noch müde und schwach aus dem Keller heraufstieg und der Lärm und die Hektik des Alltags einem frontal ins Gesicht schlugen. In der Küche lief das Radio, die Badtür knallte, Stevie schrie aus dem ersten Stock, wer seine verdammte Baseballmütze gesehen habe, verdammt nochmal, Jeanette hetzte auf klappernden Stöckelschuhen zur Tür, hallo, Zoli, Entschuldigung, sie sei spät dran, in der Küche saß ein neuer Besucher oder vielleicht auch Mitbewohner, der sich wie ein Maschinengewehr plappernd vorstellen wollte, *how are ya going?!*, und immer waren die beiden Toiletten besetzt, ich konnte nicht pinkeln, bis ich ohnmächtig zu werden drohte. Dieser Montagmorgen war nicht anders. Bloß ich war anders.

Ich hatte ein schönes Lied im Kopf, *Tell Me Why I Don't Like Mondays*, und eine Laune, so fröhlich wie sonst frühestens ab 13 Uhr. Es war halb neun und sogar die Dusche im Erdgeschoss frei. Ich war mir sicher, es würde ein erfolgreicher Tag werden.

Brentford hatte noch nicht einmal eine U-Bahn-Station. Als ich in Northfields ausstieg, die lange, windige Windmill Road hinunterging, unter der Autobahn M4 hindurch, und vor Brentford stand, wusste ich warum: Wer wollte hier schon herkommen? Vielleicht war es unglücklich, dass ich an einem Wintermorgen dorthin kam; allerdings konnte ich mir den Stadtteil im Sommer gar nicht vorstellen. Brentford war der ewige Winter. Die Häuser sahen trist und traurig aus, und die Menschen wie die Häuser. Ich fand die Sprachschule, wie Vilmos sie mir beschrieben hatte: durch den unscheinbaren Seitengang einer Reinigung, hinauf über Treppen mit durchlöchertem Teppich in den zweiten Stock, die Rezeption war einfach zu finden. Sie stand mir plötzlich im Weg.

Die Sekretärin sah mich an, ohne etwas zu sagen, Gleichgültigkeit im Blick. Ich mochte sie augenblicklich. Sie sah aus, wie Olga in fünf Jahren aussehen würde.

»Ich möchte mich für einen Jahreskurs einschreiben«, sagte

ich. Da regte sie sich. Sie sah mich an und ließ ihre Augen auf meinen ruhen. Ich kannte das schon von Olga, aber deswegen fühlte ich mich nicht weniger unbehaglich.

»Aber du sprichst doch Englisch«, sagte sie.

»Äh, ja.«

»Wozu brauchst du dann den Kurs?«

Darauf war ich nicht vorbereitet. Tamás hatte gesagt, du sagst, was du willst, du schreibst dich ein, du zahlst, sie schreiben dir eine Bestätigung, das war's.

»Ich will mich verbessern.«

»In dieser Schule wirst du nicht besser.«

Ich war im Leben immer am besten gefahren, wenn ich nett und zuvorkommend zu den Leuten war. In Konfrontationen hatte ich mich noch nie gut geschlagen.

Ihre Augen spuckten Spott.

»Ich möchte aber in die Schule gehen«, sagte ich.

»Und wenn wir dich nicht nehmen? Wenn ich dem Direktor sage, du bist überqualifiziert für unsere Kurse?«

»Ich könnte es zumindest probieren. Wenn ich tatsächlich zu gut sein sollte, könnten wir das Ganze stoppen.«

»Wir würden dir aber das Geld nicht zurückgeben.«

»Das wäre mir egal.«

»Das habe ich mir gedacht.« Sie lachte höhnisch, und auch wenn ich es nie eingestanden hätte, die Wahrheit war: Ihr bleiches slawisches Gesicht mit der pickligen Haut, eingerahmt von den langen blonden Haaren, sah dabei wunderschön aus.

»Wo kommst du her?«

»Aus Hammersmith.«

»Aus welchem Land!«, grunzte sie.

»Ungarn.«

»Hier in der Schule sind nur Ukrainer und Russen. Aber da du sowieso nicht oft kommen wirst, können wir eine Ausnahme machen.« Sie hatte mit mir gespielt, vom ersten Augenblick an gewusst, was ich wollte, und war zufrieden, weil sie das Spiel so leicht gewonnen hatte. Ich wurde rot – und deshalb ihre Stimme auf einmal sanft.

Sie erklärte mir, was der Kurs alles bot, von neun bis elf zwei Stunden Grammatik, von elf bis eins Konversation, einen Test müsste ich nicht machen, sie hätte einen guten Eindruck von meinem Englisch bekommen, ich würde in die Superior-Klasse gehen, das wären dann 704,95 Pfund für zwölf Monate inklusive Mehrwertsteuer. Ich gab ihr praktisch alles, was ich im Biergarten verdient hatte. Sie übertrug meine Daten aus dem Reisepass säuberlich in ein Formular, ich faltete die Bestätigung, dass ich nun ein Sprachstudent war, so gründlich in der Mitte, wie ich immer den *Daily Telegraph* faltete, und sah auf die Wanduhr mit dem gelblich angelaufenen Ziffernblatt hinter ihr. Wenn ich Glück hatte, würde ich es noch zum *Home Office* nach Croydon schaffen, um das Studentenvisum zu beantragen.

»Okay, am 2. Januar fängst du an«, sagte sie und fixierte wieder meine Augen. »Schade, dass du nicht kommen wirst.« Ich wusste nicht, ob sie das wirklich schade fand oder ob das nur wieder ihr Spott war. Ich riskierte es aber, es ernst zu nehmen.

»Ich kenne eine Ukrainerin, der du sehr ähnlich siehst.«

»Ich bin Russin«, sagte sie, die Sanftheit in der Stimme war verschwunden.

»Entschuldigung. Was machst du Weihnachten?«

»Wir feiern Weihnachten erst im Januar.«

Ich musste sie verständnislos angeschaut haben. Denn sie lächelte wieder. Das mochte sie, wenn sie mich aus der Fassung brachte.

»Wir sind orthodoxe Christen. Unser Kalenderjahr ist anders als eures.«

Ich dachte an meine Australier. Wir feiern Weihnachten auch anders, wollte ich sagen. »Vielleicht sehen wir uns einmal im Kangaroo oder im Southern Star«, sagte ich.

Sie sagte nichts, sondern lächelte nur, deshalb wusste ich, dass sie die Bars kannte.

»Auf Wiedersehen«, sagte sie bestimmt.

Und dann wurde unser Weihnachten doch wie alle anderen Weihnachtsfeste auf dieser Welt: Wir saßen zusammen im Wohnzimmer und redeten vor allem über vergangene Weihnachten. Das heißt, wir erzählten, wer wann wie stark betrunken war.

»Ich erinnere mich an Weihnachten 1998«, sagte Richard. »Ein verdammt heißer Sommer in Brissie.« Brissie war Brisbane. »Wir lagen am Strand, mein Kumpel Al hatte einen Tannenbaum mitgebracht, aus Gummi, wir waren die Attraktion des ganzen Strands. Ich sage euch, bei uns liefen alle Leute zusammen, und irgendwann begannen wir einen zweiten Tannenbaum aus leeren Bierdosen zu bauen. Ich war besessen davon, dass der Dosenbaum größer als der Gummibaum wurde. Deshalb trank und trank ich, um genug Dosen zu haben. Leider raubte mir das Bier irgendwann das Gleichgewichtsgefühl, und als ich die letzte Dose, ich schwör's euch, die letzte Dose draufsetzen wollte, fiel ich in den Baum hinein und warf alles um.«

»*That's wicked*«, sagte Clive, ein Freund von Darren. Die anderen brüllten vor Lachen. Wir waren zu einundzwanzigst, und es war erst zwölf Uhr morgens. Keith schlief noch. Weil wir keinen Tannenbaum hatten, nur ein paar Sterne aus Glitzerpapier, die Lizzi gebastelt und an die Wände gehängt hatte, sowie ein paar Karnevalskonfettischlangen, begannen Steve und ein Freund mit schulterlangen Haaren, den ich vom Sehen kannte, sofort einen Ersatzbaum aus Bierdosen zu bauen. Es war Martin, dem auffiel: »*Lads*, wie können wir einen Baum aus Dosen bauen? Wie sollen wir die Äste hinkriegen?« Es stellte sich heraus, dass ein Dosenbaum im Prinzip eine Dosenpyramide war. Martin und Stevie gingen freiwillig neues Bier kaufen, weil der Pyramidenbaum allen zu klein vorkam. Jeanette trank die Whiskeyflasche mit einem kräftigen Zug leer, damit wir eine Baumspitze hatten.

Es kamen, fast im Stundentakt, mehr Besucher. Auch die Begrüßung war geradezu regelmäßig dieselbe. »*Hey, how are ya going, guys?!*«, riefen sie, sobald sie die Kellertreppe herunterkamen, und bekamen ein hysterisches Kreischen zur Antwort. »Wir haben was mitgebracht: Weihnachtsüberraschung!«, schrien sie und hielten mehrere Sechserpackungen Dosenbier in die Höhe. Das Gekreische erreichte den Siedepunkt. Ich hatte auch ein Weihnachtsgeschenk gekauft, für Lizzi, zur Sicherheit, weil ich fürchtete, dass sie für jeden von uns etwas hatte und ich dann nicht ohne Gegengeschenk dastehen wollte. Bislang hatte sie aber noch nichts verteilt. Ich hielt mein Geschenk, *Amsterdam* von Ian McEwan, unter dem Sofa bereit.

Nachmittags um kurz vor drei war die Musik aus Darrens Mini-Stereo nur noch ein entferntes Stampfen von Bässen; das Gerede, Geschrei und vor allem Gelächter übertönten sie. Ich hatte Schuldgefühle bekommen, als ich am Morgen mit dem Rest der Telefonkarte meine Eltern anrief, um ihnen frohe Weihnachten zu wünschen, und sie mich gefragt hatten, mit wem ich feiern würde. Wie konnte ich nur so Weihnachten feiern, hatte ich mir gedacht. »Es ist zurzeit ein australisches Forschungsteam bei uns, die haben mich eingeladen«, hatte ich gesagt.

»Australische Weihnachten in England, Zoli. Das wird sicher romantischer als mit deinem Vater und mir in unserer kleinen Wohnung«, hatte meine Mutter geantwortet.

Vielleicht war es nicht romantisch im traditionellen Sinne, aber die Wahrheit war, dass es eine der besten Weihnachten war, die ich je hatte. Es hatte alles: die Melancholie, weil ich an meine Eltern und Timea dachte, die Freude, unter heiteren Menschen zu sein, und auch ein bisschen das Gefühl, es geschafft zu haben in London.

»Lasst uns ein Weihnachtslied singen«, rief Richard.

»*Travelling in a fried-out combie*«, schrie Clive.

»Ein Weihnachtslied habe ich gesagt!«

Aber es war schon zu spät.

Das Zimmer vibrierte.

»*On a hippie trail, head full of zombie*
I met a strange lady, she made me nervous
She took me in and gave me breakfast
And she said …«

Steve sprang auf, um den Lungen genug Platz zum Schreien zu verschaffen, die meisten anderen blieben sitzen, machten es ihm aber nach, beim Singen die Bierdosen gen Himmel zu strecken.

»*Do you come from a land down under?*
Where women glow and men plunder?
Can't you hear, can't you hear the thunder?
You better run, you better take cover.«

Ich merkte, dass ich betrunken sein musste: Ich sang mit.

Um fünf drängte Jeanette zum Aufbruch, Darren und Clive wollten noch von Weihnachten 2001 erzählen, »wir standen auf der Hammersmith Bridge und versuchten, auf die Ruderboote hinunterzupissen, als ein Polizist vorbeikam und fragte: ›Was macht ihr?‹ Ich wollte mir gerade eine Ausrede einfallen lassen, als der Polizist sagte: ›So wird das gemacht.‹ Mann, ich sag's euch: Er pinkelte einem Ruderer direkt auf den Kopf!«, aber dann mussten wir wirklich los, wenn wir vor dem Southern Star nicht Schlange stehen wollten, sagte Jeanette.

Wir brauchten nur den Hammersmith Grove nach Norden und dann die Goldhawk Road ein paar Meter nach Osten zu gehen, schon waren wir da – und doch noch zwei Stunden vom Ziel entfernt. Es war Viertel vor sechs und vor dem Southern Star eine Schlange von gut und gerne 300 Leuten. Einer der Türsteher ging die Schlange entlang, vor und zurück und bat uns, wieder zu gehen, die Bar war bereits überfüllt, wir würden heute sowieso nicht mehr hineinkommen. Doch niemand ging. Wir hatten das restliche Bier mitgebracht, vor uns begannen sie für die Musik zu sorgen, »*Do you come from* ...«, sangen sie, hinter uns machte ein Mann mit Elefantenkopf Faxen, längst nicht der Einzige, der verkleidet war. Ich sah die Autos vorbeifahren, auf den Beifahrersitzen die irritierten Blicke der Engländer, die gerade vom festlichen Weihnachtsessen mit ihrer Familie nach Hause fuhren, das ziemlich entsetzlich gewesen sein musste, sonst wären sie jetzt, um sechs, nicht schon wieder auf dem Nachhauseweg. Ihre verblüfften Gesichter brachten mich zum Lachen, und ich konnte für zwei Minuten nicht mehr aufhören, obwohl mir Lizzi auf den Rücken klopfte.

Um kurz vor acht waren wir endlich drinnen. Von überall schrien Leute, ich dachte, sie riefen mir etwas zu, aber wenn ich sie anblickte, lachten sie meist schon mit ihren Freunden über einen Witz, den ich nicht gehört hatte. Die Band auf der Bühne trug Nikolausmützen, spielte *The Summer of 69* von Bryan Adams und kündigte danach *The Girls Kiss Girls Contest* an, in dreißig Minuten. Alle möglichen Flüssigkeiten stürzten auf mich ein, ein schweißiger Bauch drängelte sich in meinen Rücken, Bier spritzte mir auf den Arm, Speichel hing mir auf der Wange, nachdem mich ein fremdes Mädchen einfach so geküsst hatte. Ich lächelte ihr glücklich zu. Es war die Hölle. Es war die ausländische Weihnacht.

In wenigen Minuten hatte ich die anderen verloren. Dafür fand ich Thomas in seinem rotschwarzen Fußballtrikot, John Travolta, bufo bufo. Und die Russin aus der Sprachschule. Sie stand im oberen Stockwerk, auf der Empore, die eine Hand fest an das Geländer geklammert, die andere an ihren Plastikbecher, und musterte konzentriert, starr die Menge unter ihr. Ich sah von der Theke zu ihr herauf, sie sah mich nicht. Das Mädchen neben ihr schien ihre Freundin zu sein, denn sie stand in der gleichen verbissenen Haltung da. Sie wurden alle paar Minuten von Männern angesprochen, die sie diszipliniert ignorierten, was vor allem eine Konsequenz hatte: Die Trunkenbolde, die zu ihnen kamen, wurden immer hässlicher und betrunkener, weil die noch halbwegs zurechnungsfähigen Männer sich in der Zwischenzeit andere Mädchen gesucht hatten.

»Was schaust du da ständig hoch, Detari?«, fragte mich Thomas.

Ich hatte ihn fünf Monate nicht mehr gesehen, aber wir hatten den offiziellen Teil bereits in fünf Minuten erledigt: Wo warst du? Wie geht es dir? Was macht die Arbeit? Alles klar. Wir waren alle hier, weil wir so wenig ernsthafte Worte wie möglich reden wollten.

»Eine Russin«, antwortete ich.

»Die Freiheitsstatue«, sagte John Travolta, der auch bemerkt haben musste, dass sich die Russinnen nicht bewegten.

Thomas stieß mich an, damit wir wieder ihn statt die Russin anschauten. »Mann, letztens war eine Russin hier. Sie musterte mich eine halbe Stunde, dann kam sie herüber und bot mir ohne Umschweife 3000 Pfund, wenn ich ihr hier in London ein Kind machte. Weil das Kind dann den britischen Pass bekäme und sie mit dem Kleinen hier bleiben dürfe. Ich sagte, ich würde darüber nachdenken, und das tue ich heute noch. Ich glaube nämlich, es war deine.« Er nickte zu ihr hinauf.

»Du brauchst ihm nicht glauben«, sagte John Travolta und grinste. »Aber du kannst es natürlich, wenn du willst.«

»Weihnachten«, sagte Stefan, ein deutscher Freund aus Thomas' Bank. »Ich erinnere mich an Weihnachten 1996, als ich im Dschungel von Ecuador war. Es war die dunkelste Weihnacht, die ich je erlebte: Ich hatte meine Brille verloren und musste deswegen die ganze Zeit meine Sonnenbrille mit Dioptrien tragen.«

»Kontaktlinsen konntest du wohl eher nicht kaufen im Urwald.«

»Danke für den Hinweis, Mann.«

Ich hörte zu, trank mehr Bier und starrte die Russin an. So ließ es sich leben. Als sie etwas zu ihrer Freundin sagte und ihre Statuenstellung an der Empore aufgab, wusste ich sofort, wohin ich musste. Ich bahnte mir den Weg durch die Menge; weil Weihnachten war, fiel mir der Vergleich ein: Ich teilte die Menge wie Moses das Meer. Ich wartete eine halbe Minute vor den Toiletten, dann sah ich sie kommen und ging los, um so zu tun, als ob ich gerade vom WC käme.

»Hey, oh, hallo«, sagte ich, »was für ein Zufall« – wäre mein nächster Satz gewesen. Aber sie sah mich nur kurz an und stürmte an mir vorbei.

»Pech, Mann«, sagte der Langhaarige, der direkt hinter ihr auf die Toiletten eilte. Aber so wollte ich es nicht sehen.

»Sie hat echte Klasse«, sagte ich, als ich zurück war.

»Wer?«, fragte Thomas.

»Die Russin. Ich habe sie jetzt eine halbe Stunde beobachtet, sie weist jeden Bewerber ab.« Wir schauten hinauf, wo sie wieder stand, unbeweglich, als wäre sie nie weg gewesen.

»Klasse?!«, schnaufte Thomas: »*Yeah, right, man.* Und als Nächstes erzählst du uns, dass sich der Weihnachtsmann die Beine rasiert.«

»Ich sage dir, was Klasse wäre«, kündigte Stefan an: »Wenn die Russin sagen würde: ›Hör zu, ich warte, bis du dein Bier ausgetrunken hast, dann machst du mir hier auf der Toilette ein Kind, dauert nur fünf Minuten, ich kaufe dir ein neues Bier, Handschlag und Auf Wiedersehen.‹«

»Das war eine andere Russin, Mann.«

Was danach geschah, hatte ich am nächsten Morgen vergessen. In Büchern sagen die Protagonisten in solchen Fällen immer: »Ich weiß nicht mehr, wie ich an dem Abend nach Hause kam.« Aber ich konnte das nicht sagen. Ich kam gar nicht mehr nach Hause an dem Abend.

Ich wachte auf einem Teppichboden auf und blickte auf ein

Bücherregal, in dem mehr Stofftiere und Kartons mit Schminkutensilien als Bücher standen, dann ein Bett, Stefans Gesicht im Kopfkissen, dahinter ein Hinterkopf mit langen, dicken schwarzen Haaren, rechts vom Bett ein Schreibtisch, auf dem jede Menge schlampig hingeworfene Kleider lagen, schließlich Thomas, John Travolta, eine südländisch aussehende Frau, die ich nicht kannte, in dieser Reihenfolge auf dem Fußboden neben mir. Als ich die Frau näher betrachtete, fiel mir wieder einiges von der Nacht zuvor ein – so viel, dass ich am liebsten alles wieder vergessen hätte. Ich ging, darauf bedacht, niemanden zu wecken.

Ich erkannte die Gegend nicht. Den geschundenen Häusern nach zu schließen war ich weit draußen in West-London: in Acton, Chiswick, vielleicht auch Ealing. Eine Familie kam mir auf der sonst menschleeren Straße entgegen. Die Frau trug einen militärisch scharf geschnitten Mantel und das blond gefärbte Haar unter einem hellblauen Kopftuch. Den Mann sah ich nicht an, weil mein Blick zu lange auf ihr haften blieb. In ihrer Mitte, jeder an einer Hand, hatten sie ihren vielleicht vierjährigen Sohn mit – echten – blonden Haaren. Sie sahen aus, als wären sie auf den Weg in die Kirche. Ich hörte den Sohn etwas fragen, das machte mich sicher, dass sie auf den Weg in die Kirche waren: Sie redeten polnisch.

»Frohe Weihnachten!«, rief ich. Zuerst der Mann, dann auch seine Frau grüßten schüchtern, aber herzlich zurück. Mehr hatte ich nicht gewollt von diesem Morgen: Nur die Bestätigung, dass mir die Leute nichts anmerkten; dass mir niemand ansah, wie ich Weihnachten gefeiert hatte.

Zwanzig

Mein erster Kunde gab mir ein gutes Gefühl: Es konnte nur noch besser werden.

Er hatte zwei Margaritas bestellt und ich deshalb eine Mutter mit Kind erwartet, das wegen einer Grippe nicht in die Grundschule gehen konnte und mit seinem Lieblingsessen über die Krankheit hinweggetröstet werden sollte. Ihr Haus alleine jedoch ließ mich schon mulmig werden. Die *Estates* in der Laundry Road waren ein mustergültiges Horrorbeispiel, wohin der englische Traum vom eigenen Haus für jeden geführt hatte. Wie Einzelgefängnisse reihten sich die flach gebauten Sozialwohnungen aneinander, Häuser mit zwei Zimmern, allein der Anblick der Eingangstüren löste den Drang aus, den Kopf einzuziehen; einmal, weil man dachte, man würde nicht durchpassen, zum anderen, weil man hinter diesen Türen keinen freundlichen Empfang erwartete. Ich nahm den Schutzhelm ab, weil ich nicht wollte, dass sich die fürsorgliche Mutter vor mir fürchtete, und einen Moment später bekam *ich* es mit der Angst zu tun. Mein erster Kunde entpuppte sich als tobender Schäferhund, der seine Besitzerin an der Leine führte.

»Schluss jetzt!«, schrie die Frau, ich war die Stufe zur Haustür wieder rückwärts heruntergesprungen und starrte aus vier Metern dem kläffenden Hund ins Gebiss. Es war schwer zu sagen, wer Furcht erregender war: das Tier oder die Frau. Sie trug ein grünweißes Sommerkleid, auf dem Essensreste in froher Farbenvielfalt festgetrocknet waren. Es flatterte schüchtern im kräftigen Januarwind und wirkte so noch deplazierter an dem blanken, bleichen, vor allem aber massiven Körper. Sie war einen Kopf kleiner und sicher kräftiger als ich.

»Gib mir die Pizza.« Sie redete mit mir wie mit ihrem Hund, der nun mit zusammengekniffener Schnauze knurrte, vermutlich auch nichts anderes machen konnte, so sehr würgte sie ihn am Halsband.

»Macht 13 Pfund«, sagte ich, immer noch aus sicherer Distanz.

»13 Pfund für zwei Pizzas, bist du verrückt?!« Ich fand den Preis auch verrückt, aber das würde mir nicht weiterhelfen.

»Mein Kollege hat Ihnen doch den Preis am Telefon genannt, als Sie die Bestellung aufgaben.«

»Einen Scheißdreck hat er.« Die ungewaschenen, aneinander klebenden Haare fielen ihr ins Gesicht, so stark warf sie den Kopf nach vorne, während sie die Worte ausspuckte. Ich schätzte sie auf 40, das hieß, sie war vermutlich höchstens 32.

»Acht Pfund zahl ich dir. Hier«, sie hielt mir die flache Hand mit ein paar Münzen hin. »Und jetzt gibt mir die Pizza. Spock und ich haben Hunger.« Ich ahnte, wer Spock war.

»Tut mir Leid, 13 Pfund, oder ich muss die Pizza wieder mitnehmen.«

»Ich hetze den Hund auf dich, du Schwuchtel!«

Ich rannte schon. Ich knallte die Pizzas in die Warmhaltebox auf dem Gepäckträger, kickte den Mofaständer weg und hetzte, den Helm in der linken Hand, mit der rechten das Mofa schiebend vor auf die Hauptstraße, die Lillie Road. Hinter mir hörte ich das Gebell. Gott sei Dank nur von ihr, nicht von dem Hund.

Ich hatte noch eine Funghi in der Bronsart Road abzugeben und war mir sicher, der Kunde war noch nie von einem so verstockten, misstrauischen Pizzajungen beliefert worden. Ich fuhr zurück zu meiner Filiale, Ecke Fulham Palace Road/Nella Road. Vor meiner ersten Fahrt hatte ich es als Glück betrachtet, dass ich in dieser, der Hammersmith-Filiale, untergekommen war.

»Mamma mia, ich schick dich los und du bringst mehr Pizzas

zurück, als du verkaufst«, sagte Addy, der Boss. Er war karibischer Abstammung, aber weil wir ein Pizzadienst waren, sagte er kaum einen Satz ohne italienisches Wort. Er beherrschte vier: Mamma mia, pronto, ciao. Er rief in der Laundry Road an. Die Frau sagte ihm, natürlich würde sie 13 Pfund zahlen. Ich sei nur nie bei ihr gewesen.

»Junge, ich vertraue dir, ich weiß, die Welt ist voller Spinner und London ihre Hauptstadt, aber, mamma mia, die Lady scheint sich beruhigt zu haben, sie erwartet dich. Sieh zu, dass du die Pizzas schleunigst loswirst, pronto, verstehst du. Ciao.«

Ich fuhr noch einmal los, lieferte die drei neuen Bestellung aus, die ich mitgenommen hatte, und kalkulierte, dass ich weitere zehn Minuten wegbleiben konnte, ohne dass es Addy auffiel. Ich parkte das Mofa, um keine Zeit zu verlieren, einfach wo ich war, auf dem Bürgersteig der Greyhound Road und schlang die bereits nur noch lauwarmen Margaritas herunter. Nach anderthalb Pizzas spürte ich, dass mir gleich schlecht werden würde. Ich schaute auf die Uhr, es war zwanzig vor eins. Vor vierzig Minuten hatte ich meinen Job begonnen, das hieß, noch zwei Stunden und zwanzig Minuten musste ich arbeiten, um die 13 Pfund wieder reinzuholen, die ich nun aus der eigenen Tasche zahlen musste. Und dann konnte ich beginnen, die drei Wochen abzustottern, die ich arbeiten musste, um das Geld für das Visum zurückzugewinnen.

Was mir sofort gefiel, war die Eile der Arbeit. Alles musste schnell gehen, die Anweisungen in der Filiale wurden gebrüllt, »zwei Napolitana und einen Insalata mista in die Niton Street, pronto«, und ich gab Gas. Das war etwas anderes als die deprimierende Langsamkeit der Putzarbeit. Die Mühsal des Nachtputzens hatte mich heruntergezogen, das rasende Tempo des Pizzaauslieferns baute mich auf. Es gab mir das Gefühl, etwas Wichtiges zu tun. Und mit diesem Gefühl ließ sich auch die freie Zeit besser genießen.

An einem Januarsonntag um eins traf ich Thomas im *Churchill Arms* in Notting Hill. Es war eine Beförderung. Er hatte mich eingeladen, ihn zum ersten Mal außerhalb des Southern Star zu treffen; in jener Welt, in der er kein Fußballtrikot trug. Ich ging zu Fuß; weil ich so London besser kennen lernte, machte ich mir vor. In Wahrheit wollte ich das Pfund für den Bus sparen. Als ich den Kreisverkehr der West Cross Route in Shepherd's Bush unterquert hatte, wurde mir bewusst, welche Weltreise ich unternahm. Auf einen Schlag war ich auf einem anderen Kontinent. Shepherd's Bush mit seinem abgegrasten Green und den abgewrackten Gestalten lag hinter mir. Eben noch waren die Straßen mit Abfall gesäumt, die Geschäfte ärmlich und die Gesichter hart, müde, zu früh zu alt geworden gewesen; nun, 150 Meter und einen Kreisverkehr weiter, stellten die Geschäfte Croissants wie Kunstwerke aus, die Straßen waren von Bäumen gesäumt und die Gesichter von Cremes verwöhnt, zufrieden, ewig jung. Thomas saß schon auf einem Barhocker, als ich in das Pub kam, ein dunkles Bier vor sich. Er trug ein sauber gebügeltes hellblaues Hemd, ordentlich in die Jeans gesteckt, eine schwarze Lederjacke und nickte mir zu, wie man das automatisch macht, wenn man an einer Bar sitzt und im Leben genug amerikanische Filme gesehen hat.

Das Pub war überfrachtet, Blumen an der Decke, jeder Zentimeter Wand mit gerahmten Bildern zugekleistert, Zeitungstitelseiten aus dem Zweiten Weltkrieg neben aufgepiksten Schmetterlingen. Ein Dutzend Gäste starrte mich mit entrücktem Blick an, als ich durch die Tür kam. Als ich drinnen war, merkte ich, dass es nicht meine Frisur gewesen war, die sie so fasziniert hatte, sondern der Fernseher, der direkt über der Eingangstür hing.

Das Pub war voll. Hinten in einem Anbau saßen Pärchen und Gruppen von Freunden, die das moderne englische Pub-Mahl aßen: Kaeng Ped Phed Yang oder Khao Phat Prik. Die

Mehrzahl der Londoner Pubs hatte längst thailändische Köche.

Die meisten Besucher waren jedoch zum Trinken hier. Sonntag war Trinktag in London. Das hieß nicht, dass Londoner von Montag bis Donnerstag und vor allem freitags und samstags nichts getrunken hätten, ganz im Gegenteil. Bloß sonntags taten sie es den ganzen Tag. Die grauen Wintertage und die dicken Sonntagszeitungen forderten sie geradezu dazu auf, sich mit einem Bier in die Pubs und Bars zu setzen. Ich hatte im Southern Star Ausländer getroffen, Franzosen oder Spanier, die sich darüber aufregten, dass die Pubs und Bars am Sonntag bereits um 22.30 Uhr schlossen. Aber sie hatten nichts verstanden: In England konnte man am Sonntag länger trinken als in Frankreich, Spanien oder sonst wo. Weil alle schon am Mittag damit anfingen.

Thomas kaufte mir ein Pint of Lager, ich setzte mich neben ihn und wartete gespannt. Ich hatte keine Ahnung, über was er redete, wenn er nicht im Southern Star war. Das Problem war: Er hatte auch keine Ahnung, über was er reden sollte, wenn er nicht im Southern Star war.

»So, wie läuft die Arbeit?«

Ich erzählte ihm vom Schäferhund und erfand noch ein paar grausige Einblicke in englische Wohnzimmer dazu, damit die Arbeit interessanter klang. Das gefiel ihm.

»Die Engländer haben sie nicht mehr alle. Aber, sag mal, ist es nicht hart, dass du als Assistenzarzt Pizzas ausfahren musst?«

Natürlich sei das hart, sagte ich, weil ich wusste, welche Antwort von mir erwartet wurde. Aber was bliebe mir anderes übrig: Als Osteuropäer müsste ich schon sehr viel Glück haben, um wie vergangenes Jahr auf einen englischen Arzt zu treffen, dem die Gesetze egal waren, der mich illegal anstellte.

»Aber 2004, also schon nächstes Jahr, tritt Ungarn in die Europäische Union ein, dann wird alles leichter, oder?«

Es würde nichts ändern. Arbeiten, richtig arbeiten, durften wir im Westen erst 2011.

Die Antwort kam Thomas gerade recht. Er konnte geschockt tun, also still bleiben, worüber er heilfroh war, weil er im Moment nichts mehr zu sagen hatte. Er hatte versucht, ein Gespräch zu führen, so wie er sich ein normales Gespräch vorstellte, aber jetzt ging ihm das Interesse aus. Er bestellte noch ein Bier. Ich brachte ihn dazu, über seine Arbeit in der Bank zu reden, und er vergaß, wem er das erzählte. Er redete in einer Fachsprache, die für mich wie ein Morsecode klang, über IPOs, für die er verantwortlich gewesen war, Konjunkturdellen in der Halbleiterindustrie und andere Sachen, die ich noch nicht mal aussprechen, geschweige denn mir merken konnte. Wir bestellten mehr Bier. Er war bereits so betrunken, dass er seine Großzügigkeitsphase erreichte. Ich kannte das schon aus dem Southern Star. Er wollte dann alles bezahlen. Und trotzdem schien es uns beiden nicht opportun, so zu reden wie im Southern Star, wenn wir genauso betrunken waren. In einem normalen Pub, unter lauter Engländern zu sein, verpflichtete uns unterbewusst, ein halbwegs ziviles Gespräch zu führen. Ich vermutete, dafür hatte der Wirt den Fernseher installiert: Er gab den Besuchern eine Ausrede, zu schweigen und zu starren, wenn sie nicht mehr weiterwussten mit ihren gepflegten Gesprächen. Denn kein Gast hier konnte sich zehn Stunden am Stück sinnvoll unterhalten. Aber viele Gäste hier wollten zehn Stunden am Stück trinken.

Wenn ich mich im Fußball ausgekannt hätte, wäre alles viel leichter gewesen. So aber konnte ich Thomas nur über Frauen fragen. Er mochte Sekretärinnen. Als er unlängst in Frankfurt war, hatte er sich in der Fußgängerzone von einem Straßenkünstler zeichnen lassen und die Bleistiftzeichnung seiner Sekretärin geschenkt. Sie hatte ihn gefragt: »Oh, ist das John Major?« Als er ihr sagte, nein, das sei er, hatte sie das Bild trotzdem über ihrem Schreibtisch aufgehängt. Er wollte aber jetzt nichts mehr von ihr wissen. Er hatte nun zwei brasilianische Freundinnen aus dem Southern Star. Keine Sekretärinnen, aber eine hatte zumindest eine Brille.

»Und eine davon ist deine richtige Freundin?«

»Beide. Oder keine.« Er war sich nicht sicher. Es schien wirklich etwas, worüber er noch nicht nachgedacht hatte.

Bis fünf Uhr hielten wir durch. Dann sagte er: »Lass uns ins Southern Star gehen.«

Im Taxi fragte ich ihn nichts, und er erzählte mir seine Geschichte.

»Nach dem Studium begann ich bei einer amerikanischen Bank, und die schickte mich gleich nach Tokio. Ich habe gedacht, du bist in Tokio, da kommt normal niemand hin, da kommst du nicht mehr so schnell hin, du musst dir alles ansehen, du musst Japaner kennen lernen. Ich bin in meiner freien Zeit ständig ins Kino, Takeshi Kitano, Akira Kurosawa, all die japanischen Regisseure habe ich mir angesehen, ich habe Yasumari Kawabata gelesen, Shuji Terayama, ich habe sogar versucht, die Sprache zu lernen, bin mit Japanerinnen ausgegangen. Und ich war unglücklich. Ich habe es mir nie eingestanden, erst als ich die Bank wechselte und nach London ging, habe ich es so gesehen, wie es ist: Ich machte das alles nur, weil ich glaubte, ich müsste es machen. In London habe ich erst gar nicht damit angefangen. Ich mache nur noch das, was mir wirklich Spaß macht: Samstags im Satellitenfernsehen die Bundesliga sehen und ins Southern Star gehen.« Er lachte, und ich war mir sicher: Er war einer der besten Banker.

Im Southern Star war es wie immer, und das war, fand ich, eine schockierend schöne Überraschung. Denn es war ja nicht Freitag- oder Samstagnacht. Es war Sonntagnachmittag. Welche Bar auf der Welt war um 17 Uhr bis zum Bersten voll mit jungen Leuten, die sich benahmen, als gebe es kein

Morgen? Stärker denn je, seit ich nach London zurückgekehrt war, spürte ich wieder das herrliche Gefühl, unbeobachtet, verborgen von der ganzen Welt ein mysteriöses Leben zu führen.

Die Stimmung erfasste und verwandelte Thomas sofort, »Hey, willst du die?!«, schrie er und zeigte auf ein Mädchen mit krausen Haaren und dem Gesicht eines guten Menschen. Das Mädchen kam herüber, umschlang Thomas und küsste ihn, als liebte sie ihn. Ich war perplex. Aber das Mädchen war nur eine von seinen zwei brasilianischen Freundinnen, stellte sich heraus.

Direkt vor der Bühne stand eine Gruppe meiner Mitbewohner, sogar Keith war aus dem Bett gekommen, beziehungsweise vom Fußboden los. Er schlief immer noch bei Darren und Richard im Zimmer auf seiner Isoliermatte. Sie tranken *Snakebite* aus Kübeln und redeten, als ich dazu stieß, gerade über ein fernes Land: Central London.

»Ich würde nie ins Zentrum gehen. Das Pint Lager 40 Pennies teurer und genauso schlecht. Türsteher, die sich wichtig nehmen, und Frauen, die sich für schön halten«, sagte Darren.

In gut einem Jahr war ich zweimal in Soho gewesen, beide Male, weil mich Tina dorthin schleppte, einmal alleine im Hyde Park und einmal zum Fahrplanlesen an der Waterloo Station. Chelsea mit seiner schwingenden King's Road war für mich das Äußerste, geographisch wie soziologisch. Das hatte ich mit den meisten West-Londoner Ausländern gemeinsam. Wir waren voller Neugier nach England gekommen, voller Vorsätze, was wir uns ansehen würden, dann schnüffelten wir in unserer Umgebung herum, Fulham, Hammersmith, West Kensington, Shepherd's Bush, Acton und westwärts, wir lebten uns ein im Westen, und irgendwann trauten wir uns nicht mehr raus. Weil wir die Ausflüge so lange aufgeschoben hatten, wurden sie eine größere und größere Sache, schließlich erschien eine Fahrt in die Innenstadt, in das Eastend, aufs Land so groß, so aufwendig, so schwer, gar zum Fürchten, dass wir es gleich sein ließen.

»Ein Freund von mir war vor zwei Wochen in Süd-London«, sagte Keith.

»Uh, Süd-London«, sagte Steve.

»Sie haben ihn nicht in die Bar reingelassen, in der er mit einem Vögelchen verabredet war, deshalb ging er alleine in ein Pub, wo sie ihn rassistisch beschimpften, als sie merkten, dass er Aussie ist. Als er schließlich sein Bier leer hatte und flüchtete, setzten ihm drei Jugendliche nach und prügelten die Scheiße aus seinem Gehirn. Er liegt jetzt noch im Krankenhaus.«

»Mann!«

»Das ist es nicht wert.«

Sie schüttelten den Kopf. Ich stand bei ihnen, fühlte mich wohl, und es wäre ein ganz normaler Abend im Southern Star geworden, einer von so vielen schönen, wenn der Diskjockey nicht *Don't Marry Her* von The Beautiful South gespielt hätte. Um das Lied zu hören, schob ich meinen Gang zur Toilette auf, und als ich schließlich ging, sah ich plötzlich schräg vor mir: Sie. Ich erstarrte augenblicklich, weil ich mit allem gerechnet hätte, aber nicht mit ihr. Warum hatte ich sie nicht früher gesehen? Sie kam direkt auf mich zu, von den Toiletten.

Als sie vorbeiging, lächelte sie.

Ich wollte ihr hinterher, etwas sagen, sie ansprechen. Aber als sie merkte, dass ich ihr folgte, beschleunigte sie, ich verstand die Botschaft und blieb zurück. Den Rest des Abends schaute ich immer wieder zu ihr herauf, sie stand wieder an der Empore, aber das Lächeln kam nicht mehr zurück in ihr Gesicht, die Statue rührte sich nicht mehr für mich.

Am nächsten Morgen begann meine Schicht um Viertel vor zwölf, ich stand deshalb schon um halb acht auf, damit ich auf alle Fälle rechtzeitig zur Arbeit käme. Ich hatte zuvor noch etwas zu erledigen.

Um kurz vor neun war ich in Brentford; zu früh, denn um neun begann der Unterricht, das hieß, nun kamen die Schüler und ich würde von ihnen umzingelt wie ein Kasper an der Rezeption stehen. Ich wartete lieber noch ein bisschen. Die Zeit vertrieb ich mir, indem ich vor der Schule Steine gegen den Bordstein kickte. Die Sprachschüler kamen, sahen mich prüfend an und verschwanden im Eingang, ehe ich ihnen einen Blick zurückwerfen konnte. Alles Russen, dachte ich verächtlich, aber die Wahrheit war, dass ich dies nur dachte, weil sie mir das damals bei meiner Einschreibung gesagt hatte. Um zwanzig nach neun beschloss ich, dass es Zeit zu gehen war. Ich stieg die Treppen hinauf, der Teppich kam mir noch heruntergekommener vor, nun da ich das Studentenvisum hatte und deshalb anders als bei meinem ersten Besuch wusste, ich würde nie mehr hierher kommen müssen.

»*How are ya going?!*«, sagte ich und grinste.

Sie blickte erschrocken auf. Sie hatte mich nicht kommen gehört.

»Lass den australischen Quatsch. Ich habe gestern Abend im Southern Star schon gesehen, dass du viele australische Freunde hast, findest du wohl toll, was, aber mich beeindruckst du damit nicht.« Sie war wütend, dass sie sich von mir hatte überraschen lassen.

»Okay«, sagte ich.

»Was willst du?«

»Ich wollte, äh …«

»In den Kurs kannst du nicht mehr, du hast bereits drei Wochen gefehlt, dein Geld kriegst du nicht zurück, ich hatte dich gewarnt.«

»Ja, ja. Klar.« Es lief nicht gerade so, wie ich es vorbereitet hatte.

»Also?«

Sie hatte einen russischen Freund. Der es keineswegs duldete, dass sie mit Nichtrussen sprach. Vielleicht war es sogar der Direktor der Schule. Ein Ukrainer. Ein ukrainischer Russe. Ich sah es so klar vor mir, dass ich mich fragte, wie um alles in der Welt ich es erst jetzt merken konnte.

»Ich wollte einfach fragen, wie du heißt.« Es war sicher nicht die beste Frage, aber die erste, die mir eingefallen war.

»Bist du bescheuert?« Sie war irritiert. Aber ich muss in dem Moment tatsächlich so bescheuert ausgesehen haben, dass sie sich beruhigte. Sie überlegte es sich anders. »Warum sollte ich dir das sagen?« Sie klang nun völlig unaggressiv.

»Weil ich dich jetzt schon so oft gesehen habe.«

»Du starrst mich im Southern Star immer an.«

»Ja, ich …« Ich gab auf. Ich stand da, starrte sie an und wusste nicht mehr weiter.

»Also?«

Ich zuckte mit den Achseln. Sie seufzte.

»Also …«, sie blätterte in ihren Akten, ich sah ihr zu, sie streifte mit dem rechten Zeigefinger durch eine Liste und hatte gefunden, was sie suchte. »Also, … Zoltán. Ich heiße Inessa. Hast du sonst noch Fragen?«

»Ich wollte fragen, ob du Lust hast, mich einmal zu treffen.« Es war mir so peinlich, dass ich ihr keine Chance geben wollte zu antworten. Ich redete einfach weiter: »Am Samstag muss ich arbeiten, aber wir könnten am Sonntag ans Meer fahren.«

»Ans Meer?!« Sie war von meiner Ortswahl so überrascht, dass sie vergaß, wütend zu werden über meine Unverschämtheit, sie so direkt zu fragen.

»Bei dem Wetter ans Meer?!«, sagte sie – als wir uns am Sonntag vor Gleis 2 in der Charing Cross Station trafen. Es regnete in Strömen.

»Bei Regen ist es am Meer am schönsten«, sagte ich.

»Du bist verrückt«, sagte sie, aber das schien ihr an mir am besten zu gefallen.

Sie hatte Wanderschuhe an, die Jeans in die Schuhe gesteckt, ihre grüne Regenjacke war zu groß, sie hing weit über die

Hüften und war an den Ärmeln säuberlich aufgerollt. Ich war glücklich. Ihr Anblick verdeutlichte mir, dass sie den Ausflug genauso ernst nahm wie ich. Ich hatte uns Sandwiches gemacht, mit Käse, zur Sicherheit, falls sie Vegetarierin war, und den *Sunday Telegraph* gekauft.

Kaum dass wir losgefahren waren, wurde es zu viel für mich. Aus Gewohnheit wollte ich die Zeitung lesen, ich wollte aus dem Fenster schauen, nichts verpassen, wenn ich schon einmal aus London herausfuhr, und ich wollte natürlich mit ihr reden. Es endete damit, dass ich den *Telegraph* auf dem Schoß liegen hatte, mit ihr redete und dabei immer wieder hektisch, als würde ich verfolgt, auf die vorbeiziehende Landschaft schaute.

»Du kannst ruhig die Zeitung lesen.«

»Nein, nein.«

»Ich wollte einmal Journalistin werden.«

»Wirklich?«

»Aber dann habe ich in Sankt Petersburg Archäologie studiert. Es war der Fehler meines Lebens.« Sie betonte die Worte überdeutlich, als koste es sie Mühe, sie auszusprechen, und schaute, was für sie ungewöhnlich war, nicht mich an, sondern aus dem Fenster.

»Was war daran falsch?«, fragte ich.

»Überall treffe ich Leute, die mir sagen: ›Oh, Archäologie, davon habe ich immer geträumt, es muss phantastisch sein, Spuren unserer Vergangenheit zu finden.‹«

Ich konnte daran nichts Falsches finden.

»So habe ich auch einmal gedacht – bevor ich zu studieren anfing. Nach drei Semestern merkte ich, dass es mich nicht genug interessiert, dass mir all die toten Sachen, Jahrhunderte alte Scherben oder Jahrtausende alte Eisenstücke, nicht wichtig genug sind. Aber ich habe nicht den Mut gehabt, das Fach zu wechseln. Ich habe gedacht, ich bin zu alt, ich kann nicht nochmal ganz von vorne anfangen, was man beginnt, muss man auch zu Ende führen. Als ich aus der Universität kam, hatte ich einen erstklassigen Abschluss und eine einzige Gewissheit: dass ich nie als Archäologin arbeiten wollte.«

Wenn ich sie ansah, mit ihren breiten Wangenknochen, ihrem strengen Mund, den zum Zopf gebundenen dichten blonden Haaren, sah ich immer noch die älter gewordene Olga vor mir. Doch mir wurde klar, dass sie trotz aller äußerlichen Ähnlichkeiten nicht wie Olga war. Sie war 28 und in ihrer Seele bereits *zu* alt: Sie hatte die jugendliche Forschheit, die Olga ihr ganzes Leben lang haben würde, bereits verloren. Inessas Selbstsicherheit, mit der sie mich an der Rezeption empfangen hatte, war nur Tarnung. Sie trug ein trauriges Geheimnis in sich, und ich fürchtete mich vor dem Moment, wenn es ans Licht kommen würde.

Es regnete anders in Hastings als in London; statt kleintiergroße nur stecknadeldünne Tropfen. Es war genau der Regen, den ich mir gewünscht hatte. Er passte zum Meer. Er gab einem ein Gefühl für die feuchte Mächtigkeit der Fluten. Wir gingen über den Stadtstrand, die einzigen Spaziergänger. Als ich stehen blieb, um das in fauchenden Wellen heranrollende Meer anzuschauen, blieb sie ohne etwas zu sagen neben mir stehen, so wie das eigentlich nur über lange Jahre eingespielten Pärchen gelingt.

»Hast du das Meer schon einmal gesehen?«, fragte ich.

»Jeden Sommer. Ich bin in Litauen aufgewachsen, bis ich 16 war und die Sowjetunion zusammenbrach.«

Ich schwieg, weil ich fühlte, jede weitere Frage hätte ihr trauriges Geheimnis zutage fördern können.

»Und du?«

Ich sah sie an, weil ich vergessen hatte, worüber wir gerade geredet hatten.

»Hast du das Meer schon mal gesehen?«, wiederholte sie.

»Zweimal, jedes Mal, wenn ich nach London fuhr.« Aber ich beschloss, dies sei das wahre erste Mal.

Wir gingen weiter, ich hielt den Regenschirm über sie und ließ mich nass regnen, weil ich wusste, das gefiel ihr. Sie lachte, und ich schüttelte den Kopf wie ein nasser Hund, um ihre gute Laune verweilen zu lassen.

»Du bist ein so positiver Mensch«, sagte sie, und mir wurde heiß, weil sie sich bei mir einhakte. »Man merkt, dass du mit Australiern lebst statt mit anderen Osteuropäern.«

»Ich kannte ein ukrainisches Mädchen in München.«

»Das musst du mir nicht nochmal sagen, ich weiß, dass du sie geliebt hast, vielleicht noch immer liebst.«

Ich wusste, dass sie es nicht wusste, sondern nur rauskriegen wollte, ob es so war.

»Was meinst du, wie es wäre, wenn wir *im* Meer leben könnten?«, fragte ich.

Sie ließ sich nicht ablenken. »Nein, wirklich, ich würde nie denken, dass du Osteuropäer bist. Du wirkst so unbesorgt.«

Mit jedem dieser Komplimente wurde mir mulmiger. Denn was sie wirklich sagen wollte, war: *Sie* machte sich Sorgen, *sie* trug schwer am Leben.

»Ich habe schon lange keinen Mann mehr wie dich getroffen. Die Männer, denen man in London begegnet, sind zu müde zuzuhören, sie wissen nicht, wie man sich unterhält.«

Sie hatte lange keinen Mann mehr gehabt oder einen, der ihr das Herz gebrochen hatte, oder, das war am wahrscheinlichsten, einen, der ihr vor langer Zeit das Herz gebrochen hatte, weshalb sie so lange keinen mehr hatte.

»Du machst aber im Southern Star auch nicht den Eindruck, als ob du mit jemanden reden wolltest.«

»Ich weiß, Zoltán, ich weiß.« Ich hatte sie gebeten, mich Zoli zu nennen, aber sie ignorierte es, als wollte sie ein Machtmittel über mich behalten. »Als ich dich im Southern Star zufällig vor den Toiletten traf, habe ich mir so gewünscht, dass du mich ansprechen würdest, und als du es tatest, bekam ich die Panik, ich konnte nicht anders als davonlaufen. Tut mir Leid,

Zoltán, es tut mir so Leid. Aber so ist das immer bei mir: Wenn etwas Schönes nahe ist, renne ich davon, weil ich denke, das kann mir doch gar nicht passieren. Das ist das Stigma, das wir Osteuropäer tragen: Wir wissen, dass wir jeden schönen Moment teuer bezahlen werden; dass es *danach* noch schlimmer sein wird, als es zuvor war.«

»Der Kommunismus ist vorbei, wir sind hier: in London.«

»Ich weiß nicht, warum du so bist, wie du bist, Zoltán, du gefällst mir ja gerade deshalb. Aber siehst du denn nicht die Engländer oder auch Australier in unserem Alter? Wir haben mindestens eine genauso gute Ausbildung wie sie, in England gibt es nicht genug Leute für all die Arbeitsstellen hier, aber uns lässt man nicht arbeiten. Ich zahle jedes Jahr 700 Pfund an die Sprachschule, damit ich in der Schule einen dämlichen Sekretärinnenjob machen darf. Ich weiß nicht, wie du es machst, in unserer Situation positiv zu bleiben.«

Sie war so sehr in Gedanken, dass ich mich zu ihr unter den Schirm drängeln konnte, ohne Gefahr, dass sie mich der Heuchelei entlarvte, wo ich doch getönt hatte, Regen am Meer sei das Beste. Ich war triefend nass, meine Jeans klebte kiloschwer an den Oberschenkeln. Ich wusste, wo ich das her hatte: von meinem Vater. Die Sorglosigkeit.

Mein Vater war immer optimistisch gewesen. Wenn seine Freunde über das karge Leben unter den Kommunisten klagten, hörte er verständnisvoll zu; und abends bei uns zu Hause lachte er sich tot: »Mir können die Kommunisten nichts, mich brauchen sie alle, die Kommunisten, die Russen, und wenn morgen die Amerikaner kommen, sind sie genauso auf mich angewiesen: Denn sterben müssen sie alle, einen Sarg will jeder.« Ich wusste, wovon Inessa redete, ich dachte an meine Ankunft in London, als ich das Stigma gespürt hatte, die Angst, anders zu sein. Es schien mir so weit weg, als wäre ich eine andere Person gewesen.

Wir setzen uns auf den kalten Boden, mit den Rücken an eine

der dunkeln Holzhütten am Strand, die *Net Shops* hießen, weil sie einst zum Trocken der Fischernetze gebaut worden waren. Wir aßen meine Sandwiches, Inessa sagte, »ich liebe Schinken, aber Käse ist auch in Ordnung«, und auf der Zugfahrt zurück saßen wir schweigend aneinander gelehnt, im stillen Einverständnis, dass wir nichts mehr sagen mussten. Wir verstanden uns bereits wortlos.

»Willst du noch zu mir auf eine Tasse Tee kommen?«, fragte Inessa, und ich war mir sicher, sie meinte es auch genauso: dass wir eine Tasse Tee trinken sollten.

Sie wohnte in Acton. Ich ging ihr von der U-Bahn einfach hinterher und verlor deswegen sofort die Orientierung. Vor einem großen Haus hielt sie an; sie wohnte dort in einem kleinen Zimmer. Ein englisches Ehepaar vermietete die Räume im Obergeschoss, sie teilte sich ihren mit einer polnischen Freundin.

»Mitbewohnerin, nicht Freundin«, sagte Inessa.

Die Polin war nicht da, und wo immer sie auch war, Inessa schien sich sicher, dass sie nicht so schnell nach Hause kommen würde.

Inessa saß auf ihrem Bett, ich auf dem ihrer Mitbewohnerin. Es gab nur einen Stuhl im Zimmer. Ihr Tee schmeckte fast so bitter wie der Kaffee von Tinas Mutter.

»Ich wette, du hast viele Frauen gehabt«, sagte sie. »Timea«, sagte ich. Mein Kopf drehte sich auf einmal, es musste die plötzliche Wärme des Zimmers sein.

»Die Ukrainerin?«

»Nein, die hieß Olga.«

»Ich wusste doch, dass du viele Frauen hattest. Willst du noch einen Tee?«

Ich kam mir vor, als ob ich betrunken wäre.

»Ich liebe es, mich zu verlieben«, sagte ich und erkannte entsetzt: Ich *war* betrunken. »Der Moment, wenn es bäng! macht. Ich nenne es Moment-Liebe.«

»Komm zu mir aufs Bett«, sagte sie. Sie verstand mich falsch.
Ich kam trotzdem zu ihr.

»So was ist mir noch nie passiert: Ich glaube, ich bin betrunken«, sagte ich.

Sie legte sich einfach auf den Rücken und streckte die Beine aus. Sie kicherte. »Magst du keinen Tee mit Rum?«

Sie schloss die Augen, ich begann sie auszuziehen, und während ich noch an ihrer Unterhose herumzog, begann sie schon rhythmisch-monoton zu stöhnen.

Ich dachte: »Was tue ich?«, und war fest entschlossen, nichts dagegen zu unternehmen.

Einundzwanzig

Pizzas auszuliefern verdeutlichte mir jeden Tag aufs Neue, wie es um mein Verhältnis zu den Engländern stand: Sie öffneten mir die Tür einen Spalt und ließen mich nicht herein. Ich arbeitete täglich neun Stunden, sechs Tage die Woche, verdiente 947,70 Pfund im Monat und verlor die Illusion, ein aufregendes Leben zu führen. Es wurde erst Frühling und dann Alltag.

Ich hatte noch immer meinen größten Schatz, den Optimismus. Doch es wurde schwieriger, ihn zu bewahren. Ich lernte zu viele gleichgültige Ausländer kennen, und ihre Lethargie war ansteckend. Ich konnte die Attraktion sehen, die solche Stumpfheit hatte. Sie war ihr Schutzschild; die Apathie hielt sie davor ab, darüber nachzudenken, was sie taten, was sie erreicht hatten, wo sie hinwollten. Wir ahnten die Antworten, deshalb drückten wir uns vor den Fragen.

Durch Inessa entdeckte ich, dass das sorglose ausländische London, das ich als Au-pair-Assistenzarzt kennen gelernt hatte, nur ein oberflächlicher Belag war. Darunter gab es eine tiefere Schicht, in die ich gar nicht zu tief eindringen wollte. Denn sie war bodenlos. Die französischen Studenten, die ein Jahr Auszeit nahmen, die deutschen Banker und die tschechischen Au-pair-Mädchen, denen allen man in Fulham, Hammersmith, Shepherd's Bush ständig begegnete, verschwanden, je weiter nach Westen, dem Stadtrand entgegen, man ging. In Acton, Ealing und Brentford wohnten Polen, Portugiesen, Peruaner, die auch für ein oder zwei Jahre nach London gekommen waren – irgendwann einmal. Sie waren im *Dazwischen* hängen geblieben; aus ihrem *gap-year* war ein *gap-Leben* geworden.

Am Anfang, als ich mit Inessa durch Acton streifte, war ich von der Penetranz des ausländischen Lebens dort fasziniert gewesen: Während man in Hammersmith zwischen den englischen Geschäften und englischen Schulkindern schon mal ausländische Sprachen auf der Straße hörte, sah man in Acton das Ausland überall. Das Café in der Horn Lane hieß Estoril, und außer mir und Inessa war auch alles wie an der portugiesischen Küste: die Zeitungen, die Süßigkeiten, die Gäste mit den melancholischen Blicken. In der Fensterscheibe beim Kramerladen nebenan stand auf den Zetteln am schwarzen Brett nicht: *Double-room to let,* sondern: *Pokoj dwoosobowy. £50 od osoby.*

Ich sah Inessa an meinen freien Tagen oder wenn Agnesziska, ihre Mitbewohnerin, nicht zu Hause übernachtete. Beides – Agnesziskas Fernbleiben, meine freien Tage – kam selten genug vor, was mir nur recht war. Denn Inessea war bereits infiziert von all den Krankheiten des tiefen Auslandslondon: von der Bitterkeit, der Desillusion, der Resignation. Ich hatte Angst, mir irgendetwas davon bei ihr zu holen.

»Du könntest einer der besten Meeresbiologen der Welt sein, musst stattdessen für 3,90 Pfund die Stunde Pizza ausfahren und bist trotzdem glücklich. Du bist so stark, Zoltán«, sagte sie, als wir an einem freien Samstag im Gunnersbury Park spazieren gingen.

Dabei wäre sie die Einzige gewesen, die hätte erkennen können, wie schwach ich war.

Ich konnte für mich selber sorgen, meinen Optimismus konservieren, das Leben als Pizzajunge genießen, auch wenn es fern von Ozeanen und Leierfischen war. Doch ich war weder stark genug, Inessa aufzurichten, sie von Resignation und Desillusion zu heilen, noch sie zu verlassen. Ich hatte nie einer Freundin sagen müssen, dass ich sie nicht mehr wollte, bei Timea war ich einfach verschwunden, Tina hatte mich rausgeworfen, eine andere hatte ich nie gehabt. Inessa traf ich und dachte mir mindestens einmal am Tag, »ich halte sie nicht mehr aus«, doch das Äußerste, was ich schaffte, war, sie anzulügen, ich hätte diese Woche keinen freien Tag. Ich redete mir ein, ich würde es aus Mitleid nicht schaffen, mich von ihr zu befreien, aus Fürsorge, dass sie daran völlig zerbrechen würde. Es war eine Lüge: Ich war einfach zu feige. Ich hatte Angst vor der Konsequenz, der Endgültigkeit, die in einem Bruch lag.

Wenn ich ohne sie war, war es in Ordnung, dann dachte ich an sie, wie lieb ich sie hatte, wie schön es war, mit ihr auf Ausflüge zu gehen, was für ein herzensguter Mensch sie war. Ich dachte: Es liegt nur an mir, sie wieder glücklich und zufrieden zu machen.

Dann traf ich sie, und sie zog mich herunter.

Wir unternahmen immer etwas, wenn wir uns trafen. Wir fuhren nach Oxford, wir gingen in die Tate Modern, sogar ins Wetland Centre. Es hatte sowieso seine mystische Bedeutung für mich verloren, seitdem London Alltag geworden war. Ich bewunderte London noch immer, aber vor allem benutzte ich es nun.

»Was machen deine Freundinnen heute Nachmittag?«, fragte ich, als wir an jenem späten Mainachmittag durch den Gunnersbury Park gingen. Wir würden sie am Abend treffen, um ins Southern Star und dann, falls wir noch konnten, ins Kangaroo zu gehen.

»Ich vermute, sie schlafen«, sagte Inessa.

»Machen sie nichts anderes?«

Es war eine unschuldige Frage, aber schon wurde Inessas Stimme wieder beschuldigend; nicht mich anklagend, sondern das Leben, diese Welt. »Sie haben nicht das Geld wie englische Mädchen, samstagmittags in die Bond Street zu gehen und sich mal zum Spaß eine Bluse für 80 Pfund zu kaufen.«

»Aber Geld für fünf Pint Snakebite haben sie schon noch?!«

Es war ein Witz, gut, vielleicht nicht der beste, aber …

»Sie trinken, weil sie so hart arbeiten. Wenn du jeden Tag drei Jobs machst, morgens um acht Toiletten in Ealing putzt, mit der U-Bahn zum Babysitten nach Wembley hetzt und schließlich abends um acht einem alten Mann in Hounslow den Hintern abwischst, hättest du auch keine Lust mehr, deinen tollen *Telegraph* oder McHughes zu lesen.«

»McEwan.« Ich hatte, als ich vor Wochen in der Agate Road einmal das Wohnzimmer saugte, das immer noch mein Schlafzimmer war, unter meinem Bett das Weihnachtsgeschenk gefunden, das ich vorsorglich für Lizzie gekauft, aber dann nicht gebraucht hatte: *Amsterdam* von Ian McEwan. Weil ich nicht wusste, ob Lizzie und ich beide noch nächstes Weihnachten in London und dann auch noch in einer Wohnung sein würden, hatte ich beschlossen, es selber zu lesen.

»Ach, Zoli, es tut mir Leid. Ich wünschte mir ja, meine Freundinnen hätten deine Energie, deinen starken Willen. Aber du musst verstehen, dass sie frustriert sind, bei dem Leben hier.« Das war der schlimmste Teil. Wenn sie ins Selbstmitleid verfiel. Ich probierte es mit allen Methoden: Ich versuchte, sie abzulenken, »Beautiful South machen angeblich eine neue CD«. Ich versuchte, sie aufzubauen, »du wirst sehen, eines Tages, ein Zufall oder vielleicht auch zwei, und du wirst als Korrespondentin für die BBC aus Moskau berichten«. Ich versuchte, sie unter Druck zu setzen, »wenn du alles negativ siehst, wird auch alles negativ werden«. Aber ich war zu schwach. Mir gelang es nicht, sie fröhlich zu stimmen; bestenfalls schaffte ich es, sie betrunken zu machen.

Wir trafen uns mit ihren Freundinnen um sieben an der zweiten Bank, von Süden aus gesehen, auf dem Shepherd's Bush Green, mit Blick auf das gegenüberliegende Southern Star. Wenn wir Pech hatten, war die Parkbank schon von Stadtstreichern besetzt. An Tagen wie diesem, also wenn wir

Glück hatten, kamen die Gammler erst, wenn sie mich mit den drei Mädchen und einer Flasche Whiskey auf der Bank erblickten. Die Mädchen tranken, ich versuchte die Penner fern zu halten.

»Mach dich weg!« Ich konnte aggressiv sein, wenn ich wollte.

»Erst wenn ich euch eine schmutzige Geschichte erzählt habe.«

Hinter mir auf der Bank kicherte Iskra. Sie war auch Russin mit litauischem Pass, Dayra, die andere Freundin, Ecuadorianerin. »Lass ihn erzählen«, sagte Iskra.

»Hast du gehört?«, fragte der Gammler und sah mich an. Er trug eine Jogginghose mit mehr Löchern als Stoff und einen funkelnagelneuen Parker. Schräg über die Stirn verliefen schmierige Strähnen, es sah aus, als wären sie aus verkrusteter Erde.

Ich schmollte und sagte deshalb nichts.

»Also, was ist deine schmutzige Geschichte«, krakeelte Inessa.

»Ich bin Ire«, begann er.

»Danke, das reicht!«, schrie Iskra. Sie kreischten vor Lachen.

»Wie schmutzig!«

Dayra hielt sich eine Hand vor den Mund und schlug die andere auf Inessas dünnen Oberschenkel. Sie waren ein kurioser Anblick, ich hatte den Verdacht, sie wussten das auch und nahmen deswegen Dayra, die dunkelhäutig, pummelig und plump im Gesicht war, meistens in die Mitte, links von ihr Inessa, bleich, zart, blond, und rechts Iskra, bleich, zart, sehr blond gefärbt. Sie kannten sich, weil sich gleichaltrige Russinnen in West-London irgendwie kennen lernten und Dayra einmal einen russischen Freund gehabt hatte. Sie waren alles: Putzfrauen, Kindermädchen, Altenpfleger. *Zusatzjob* war eines ihrer meistverwendeten Worte.

Wenn der Alkohol anfing zu wirken, waren sie ausgelassen, heiter für den Augenblick. Später wurden sie aggressiv.

Als wir um zwanzig vor neun im Southern Star waren, vorne rechts an der Bar, hielt ich Ausschau nach dem rotschwarz gestreiften Fußballtrikot oder zumindest nach jemandem aus meinem Haus. Iskra brüllte: »Hey, was willst du?!«

Der Junge neben ihr fühlte sich offenbar angesprochen. »Ist ja gut. Ich habe nur gefragt, ob du ein Bier willst.«

»Dann kauf mir das verdammte Bier endlich!«, schrie Iskra.

»Es ist der Frust«, flüsterte Inessa mir zu, »der Alkohol spült ihn raus«, und ich fühlte mich, als würde ich hinweggespült von ihrer Traurigkeit.

Ich versuchte, mit ihnen beim Trinken mitzuhalten. Ich hoffte, es würde mich zum Explodieren bringen; mir die Courage geben, Inessa zu verlassen. Doch ich wurde nur melancholischer, verzweifelter, hingerissen von der Einbildung, sie zu lieben, hergerissen vom Wunsch, sie nicht mehr sehen zu müssen.

»Achtung, da kommen Zoli & die Rockerbräute«, rief Darren, als ich – in Wirklichkeit alleine – zu ihm hinüberkam, um bei den Australiern wenigstens kurzzeitig ein Refugium zu finden. Er war mit Richard, Helene und Katie da, zwei neuen Mitbewohnerinnen. Die Bewohner kamen und gingen in der Agate Road, wer wie ich blieb, fühlte sich daher schnell eingesessen – und leicht mies. Jeder, der auszog, hielt den Zurückbleibenden ihren Stillstand vor Augen: Wir hatten es wieder nicht geschafft weiterzukommen.

»Randalieren deine Rockerbräute schon wieder?«, fragte Darren. Er hatte auch einmal versucht, Iskra ein Bier zu kaufen.

»Ich habe das Gefühl, in Russland herrscht ein anderer Umgang zwischen Mann und Frau«, sagte Richard. »Je besser sie sich verstehen, desto lauter brüllen sie sich an.«

»Lasst Zoli doch in Ruhe«, sagte Katie.

Inessa beäugte uns aus sicherer Distanz. Ich hatte sie einmal meinen Mitbewohnern vorgestellt, als Keith sagte »*Hey, how are ya going?*«, hatte sie auch noch gelächelt, aber dann war sie einfach verstummt. »Ich wollte gerne mit ihnen reden, aber ich konnte einfach nicht«, hatte sie später gesagt, »Ich weiß genau, dass sie auf mich herabschauen, weil ich Osteuropäerin bin, Zoltán.«

»Warum kommen deine Freundinnen nicht zu uns herüber?«, fragte Katie.

»Ja, Zoli hat viele Freundinnen!«, rief Darren.

»Sie sehen sich unter der Woche kaum und wollen deshalb für einen Moment lieber unter sich bleiben«, erfand ich.

»Frauengespräche, was?!«

»Exakt.«

Um Mitternacht gingen im Southern Star die Lichter an, wir starrten auf unsere matschverschmierten Schuhe und Hosenbeine. Doch das abrupte Ende, das plötzliche Verstummen der betäubenden Musik und die augenblickliche entlarvende Helligkeit konnten uns nicht ernüchtern. Der viele Alkohol hatte uns abgestumpft.

Mit dem 207er waren wir in einer Viertelstunde in Acton. Wir sparten uns das Schlangestehen vor dem Kangaroo, weil Iskra und Inessa die zwei bärtigen, aber kahlköpfigen Türsteher kannten und zumindest für einen Moment sehr bezirzend sein konnten. Die Uxbridge Road, an der das Kangaroo lag, war eine breite, auch um diese Uhrzeit noch belebte Durchgangsstraße, vor den billigen Fastfoodlokalen standen Jugendliche in kleinen lauten Gruppen herum, und doch bereitete der Lärm der Straße einen in keinster Weise auf das vor, was hinter der Eingangstür wartete. Der kaugummikauende der zwei Türsteher machte die Tür auf und sofort wieder hinter uns zu. Ich hatte die unterschiedlichsten Gefühle gleichzeitig: in einen amerikanischen Westernsaloon einzutreten, in einen Geheimtreff von Jugendlichen in einem diktatorischen Regime – in eine der miesesten Spelunken von West-London. Alles, was das Southern Star andeutete, Schamlosigkeit, Laster, Verruchtheit, gab es im Kangaroo im Überfluss. *Härte* war das Wort, das die Bar am besten beschrieb. Die Band spielte ausschließlich harte Rocksongs in einer Lautstärke, die zum Härtetest wurde. Es war noch härter als im Southern Star, sich durch die Menge zu zwängen. Harte Gestalten, die vulminösen, tätowierten Oberkörper in ärmellose T-Shirts gezwängt, tanzten so aggressiv, als sei dies nur das Vorspiel zu einer Schlägerei; und manchmal war es das auch. Nirgendwo war konzentrierter zu spüren, was unter der sorglosen Oberfläche des Auslandslondon steckte: Die meisten kamen nicht ins Kangaroo, um sich zu vergnügen – sondern um ihre Frustration abzureagieren.

Wir waren auf dem Weg zur Theke, aber die Mädchen hatten schon jeweils ein Bier; Inessa und Iskra einen noch mehr als halb vollen Becher, Dayra immerhin noch ein Drittel im Glas. Sie waren gefangen im Zwang, so wenig Geld wie möglich auszugeben. Deshalb kauften wir uns im Supermarkt den billigsten Whiskey für 7,99 Pfund, um schon betrunken zu sein, bevor wir ausgingen. Deshalb suchten sie sich im Southern Stars Jungs, die ihnen Snakebites ausgaben, und servierten sie dann kühl ab. Deshalb klauten sie im Kangaroo Bierbecher, die am Rand der Tanzfläche abgestellt oder auf Tischen zurückgelassen worden waren.

»Diese Bar ist so deprimierend, Zoli«, schrie Inessa; sie brüllte, damit ich sie überhaupt hörte, und verstand nicht, warum ich daraufhin nichts antwortete, sondern sie leidenschaftlich küsste. Ich wusste nicht, ob es etwas bedeutete, und wenn was, aber ihre Worte hatten wie eine Liebeserklärung geklungen. Sie hatte mich zum ersten Mal Zoli genannt.

Wir waren zu ausgelaugt vom vielen Alkohol, um zu tanzen. Wir hingen an der Veranda drei Meter über der Tanzfläche und tranken mehr. Dayra lag plötzlich in den groben Armen eines vor Alkohol grinsenden Jungens mit kurz und billig geschnittenen Haaren, ich hatte nicht mitgekriegt, wie das zustande gekommen war, vermutlich war es aber auch zu schnell, zu simpel passiert, als das etwas mitzukriegen gewesen wäre: Der Junge sah Dayra, Dayra sah ihn, er lächelte, sie lächelte, sie fielen sich in die Arme. Es war eine der wenigen Sachen, in denen es die Londoner Ausländer geschafft hatten, wie Engländer zu werden: Man verschwendete in Großbritannien keine Worte, wenn man sich in den Bars für eine Nacht paarte. Man betrank sich, lächelte jemandem zu, der einem ins Visier kam, der andere lächelte zurück, man ging auf sich zu, küsste sich, betrank sich weiter, ging gemeinsam nach Hause und sah zu, dass man am nächsten Morgen wegkam, wenn der andere noch schlief.

Ein Japaner mit langen Haaren sah zu uns herüber und erkannte die Situation: Dayra und der Typ mit dem billigen Haarschnitt, Inessa und ich, Iskra mit niemandem standen nebeneinander. Er ging auf Iskra zu. Es verirrten sich immer wieder einmal Japaner ins Kangaroo. West Acton – geographisch und dem Namen nach so nah an Acton Town, im Wesen ein Sonnensystem entfernt – war das Herz einer starken japanischen Gemeinde in London.

Ich sah nicht, wie der Japaner bei Iskra ankam. Ich hörte es nur. Sie schrie.

»Verpiss dich, du verdammter Bastard!«

Inessa löste sich von mir, um einzugreifen. Der Japaner stand einen Meter vor Iskra, beide Hände erhoben, ob zur Entschuldigung oder um sich zu ergeben, war Interpretationssache. Iskra trank ihren Bierbecher leer, die Schultern hochgezogen, ihre Augen lauerten direkt über dem oberen Becherrand.

»Bitte, Iskra, es ist in Ordnung, es ist nichts passiert. Lass uns den Abend ruhig zu Ende bringen.« Inessa redete mit ihr, ich deshalb mit dem Japaner.

»Tut mir Leid, Kumpel. Aber mach dir nichts draus, das passiert öfters. Meine Freundin hier ist Rassistin.«

»Oh!«, stöhnte er, ich nahm den Laut als ein Zeichen von Einverständnis.
Er ging.
Ich sah mich um und klaute ein neues Bier für Iskra.

Zweiundzwanzig

»Sind Sie Franzosen?!«, sagte der Mann schließlich, der neben mir saß und uns schon die ganze Zeit unverhohlen neugierig gemustert hatte. Er formulierte es wie eine Frage und betonte es wie eine Feststellung.

»Nein, sie ist aus Russland, und ich bin Ungar.«

»Meine ich doch«, sagte er selbstzufrieden. Er war Engländer und ungewöhnlich groß, fast zwei Meter, schätzte ich, dadurch dass er saß, wirkte er noch riesiger. Die mickrigen Sitze der U-Bahn ließen ihn zu groß für diese Welt erscheinen.

»Was meinen Sie?«, fragte ich.

»Dass Sie Ausländer sind.«

»Aber doch keine Franzosen.«

Doch das wollte er nicht einsehen. »Ich meine: Ausländer *wie* Franzosen. Ich habe es am Akzent erkannt.«

Ich wollte keine Diskussion, die ersten Leute im Abteil starrten bereits herüber, verblüfft über das seltene Ereignis, dass Fremde in der Londoner U-Bahn ein Gespräch begannen.

»Ausländer *wie* Franzosen sind wir irgendwie schon«, bestätigte ich und hatte eine vage Idee, was er meinte: Für einige Engländer war Frankreich das Synonym für alles Ausländische – und somit alles Schlechte. »*Pardon my French*«, hatte Doktor Mukherjee jedes Mal gesagt, bevor oder nachdem er ein Schimpfwort benutzte. Geschlechtskrankheiten nannte er *französische Krankheiten*.

»Was macht ihr Kerle hier in London?«, fragte der Riese. Er war ohne Zweifel ein Handwerker oder Arbeiter, denn er gab sich besondere, aber vergebliche Mühe, die Worte nicht im Londoner Arbeiterklassen-Akzent auszusprechen.

»Wir arbeiten«, sagte ich schnell, weil ich nicht wollte, dass Inessa antwortete. Es hätte den Ton nur verschärft.

»Das ist gut. Ihr seid *professionals*«, sagte er.

»So ist es.«

Professionals war so ein Wort, wie es nur die Engländer erfinden konnten. Es sagte gar nichts aus, außer dass man nicht Student war, und deshalb benutzten es die Engländer ständig, um ihren Arbeitsstatus zu beschreiben. Damit konnte sie die Frage beantworten, was sie machten, und verbergen, was sie wirklich arbeiteten.

Es war so unenglisch, Fragen zu stellen, dass unser Gespräch bald ins Stottern geriet, obwohl mir schien, er hätte noch gerne mehr über uns gewusst. In White City stieg er aus, er schien noch froher darüber als wir.

»Ausländer *wie* Franzosen. Was bitte schön hat das zu heißen?«, fragte Inessa, als sich die Türen schlossen und die Central Line wieder anrollte.

»Dass wir anders sind«, sagte ich.

Sie war mit meiner Antwort nicht zufrieden, aber ich war mir sicher, ein Engländer hätte mir zugestimmt, dass ich den Ausdruck so exakt es ging erklärt hatte.

Wir waren auf dem Weg in den Urlaub, ein Wochenende im Hotel, weil Inessa am Samstag Geburtstag hatte – und weil wir nicht viel Geld ausgeben wollten, fuhren wir in das Hotel am Holland Park, in dem Inessas Mitbewohnerin Agnesziska arbeitete. Sie hatte uns ein Doppelzimmer zum Mitarbeiterpreis von 30 Pfund die Nacht verschafft.

Die Idee, in einem Hotel zu wohnen, hatte mir schon immer gefallen, es in der eigenen Stadt zu tun, erschien mir noch reizvoller. Es gab uns offiziell die Rolle, die ich am meisten liebte: die des Zaungasts. Als Hotelgast durch London zu laufen würde automatisch die Sinne schärfen, mit der Unbeschwertheit eines Touristen ließ es sich sicher fröhlich den Menschen beim Leben zuschauen.

»Ach, Zoltán, Agnesziska hätte für das Wochenende ins Hotel ziehen sollen und wir hätten alleine in meinem Zimmer bleiben können, das wäre viel schöner gewesen«, sagte Inessa, als wir angekommen waren.

»Es ist ein sehr schönes Hotel«, entgegnete ich.

»Eben deshalb. Es ist für reiche Leute. So pompös. Ich werde mich darin nicht wohl fühlen.«

Aber da hatten wir es erst von außen gesehen. Es stand in einer Reihe edler, weißer victorianischer Häuser, mit prunkvollen Säulen und großzügigen Fenstern. Die regulären Preise, die ich auf einer goldenen Tafel im Eck der Rezeption erspähte, waren der exquisiten Lage angemessen, 100 Pfund das Doppelzimmer. Und mehr musste man in London nicht tun, um abzukassieren: nur am richtigen Ort sein. Als ich unser Zimmer sah, wäre ich auch gerne in Inessas kleinem, voll gestopftem Raum im tristen Acton gewesen. Das Wissen, dass dieses Hotelzimmer normalerweise für eine Nacht kostete, was ich in einer halben Woche verdiente, machte es nur deprimierender. Es war dunkel, spartanisch eingerichtet, die rechte Wand deformiert, vermutlich weil sie einmal feucht gewesen war.

»O Gott«, sagte Inessa. Sie klang, als würde sie gleich weinen, und machte sofort den Fernseher an; als könne die blonde, lächelnde BBC-Nachrichtensprecherin den miesen Eindruck des Zimmers übertünchen.

Qualität war etwas, was Unternehmen in London nicht anzubieten brauchten. Ich wusste das, ich arbeitete selbst in einem. In unserer Pizzeria hoben wir die bereits geöffneten Thunfischdosen, das bereits geschnittene Gemüse und den schon ausgerollten Teig auf, bis die Zutaten aufgebraucht waren; und wenn drei Tage lang nur wenige Thunfischpizzas bestellt wurden, der Thunfisch schon dunkelbraun wurde, dann warteten unsere Pizzabäcker eben auf den vierten Tag. Einmal im Ofen und von Käse und Tomaten überbacken, war dem Thunfisch sowieso nichts mehr anzusehen.

Cafés in London hatten oft keine Toiletten, den Raum konnte man schließlich nutzen, um noch drei Tische mehr hineinzuzwängen. Restaurants setzten ihre Gäste in fensterlose, ungestrichene Kellerräume. Warum sollte ein Hotel noch Geld in seine Zimmer investieren, wenn es schon eine schöne Fassade und eine exzellente Lage hatte? Es lebten zu viele Menschen in London, es kamen permanent noch mehr Besucher, die Nachfrage war immer da – warum also sollte das Angebot gut sein, wo es doch reichte, einfach etwas anzubieten.

Als ich das Zimmer sah, dachte ich zum allerersten Mal nicht: »Ich halte sie nicht mehr aus.« Sondern: »Ich halte es hier nicht mehr aus.« Ich erschrak über mich selber und vergaß die Idee schnell wieder. Aber nachts, als ich in unserem deprimierenden Hotelzimmer lag und so tat, als würde ich schlafen, während Inessas nackter, heißer Oberschenkel gegen meinen drückte, holte ich den Gedanken noch einmal zurück. War es London wirklich wert, zu leben wie der ärmste Vagabund, in der schieren Hoffnung, mit den Jahren irgendwann irgendwie doch noch wie ein Engländer zu werden oder zumindest in acht Jahren, wenn wir auch in Westeuropa arbeiten durften, ein Meeresbiologe in Southampton? Doch ich wusste noch immer zu genau, was ich *nicht* wollte: über so etwas nachdenken.

»Herzlichen Glückwunsch, Liebling«, sagte ich und küsste Inessa einfach auf den Mund.

»Was?!«, murmelte sie.

»Es ist Mitternacht, du hast Geburtstag.«

»Und ich dachte schon, du wärst einfach eingeschlafen. Dabei hast du dich nur schlafend gestellt, um mich zu überraschen.« Sie zog mich an sich.

»Ich habe ein Geschenk für dich«, sagte ich und wusste, ich würde es ihr frühestens in einer Viertelstunde geben können.

Ich hatte ihr ein Buch gekauft, *London Fields* von Martin

Amis, obwohl ich wusste, es war eher ein Geschenk, wie ich es mir gewünscht hätte, als eines, über das sie sich freute. Ein kleines Stofftier, am besten noch eines das per Knopfdruck reden oder gar singen konnte, hätte sie wirklich glücklich gemacht. Doch ich hatte es nicht fertig gebracht, ihr eines zu kaufen. Denn ich ahnte, was es bewirkt hätte: Ich hätte nur an Timea gedacht; daran, dass sie sich nie solch einen Kitsch gewünscht hätte, und ich hätte Inessa dafür verachtet. Timea wollte immer nur Schokolade.

»Ich habe ein Buch bekommen!«, rief Inessa und schaute es an, als ob es ein Stofftier wäre. Sie wirkte aufrichtig zufrieden. Ich lag neben ihr auf dem Rücken und fühlte, wenn ich mich nicht sofort anders hinlegte, würde ich einschlafen. Das Nächste, was ich spürte, war die Junisonne: Sie kam am Morgen in voller Pracht durchs Fenster.

Ich wollte Tourist sein, Inessa bloß im Bett bleiben. Sie sagte es nicht, ich merkte es allerdings, wie sie auf all meine Vorschläge reagierte.

»Lass uns frühstücken gehen.«

»Später«, sagte sie nur und kuschelte sich an mich.

»Draußen scheint die Sonne.«

»Hast du das *Bitte nicht stören*-Schild rausgehängt?«

»Wir könnten in den Holland Park gehen.«

»Ja, ja.«

Sie streichelte mich, ich dachte: Ich muss hier raus.

Um halb elf klopfte es. Zimmerservice. Ich hatte das *Bitte nicht stören*-Schild nicht rausgehängt.

»Komm lass uns rausgehen«, sagte ich.

»Schick das Zimmermädchen doch einfach weg.«

»Bitte«, flehte ich.

Mir fiel ein Gespräch mit Thomas ein, als ich ihn gefragt hatte, ob eine seiner zwei brasilianischen Freundinnen seine richtige Freundin sei. Er hatte geantwortet, er wisse es nicht.

Damals hatte ich das merkwürdig gefunden. Wie konnte man das nicht wissen? Jetzt verstand ich ihn.

Es wurde Mittag, als wir endlich rauskamen. Die Sonne war schon wieder verschwunden. Auf der Holland Park Avenue trug fast jeder zweite Engländer einen Plastik- oder Pappbecher mit Kaffee in der Hand; dass es Samstag war, brachte sie nicht von ihrer Gewohnheit ab, Kaffee wie während der Arbeitswoche, wenn sie es eilig hatten, im Gehen zu trinken.

»Charles Dickens war hier öfters bei Lord Holland zu Besuch«, sagte ich, als wir im Park vor dem Schloss standen.

»So ein arroganter Kerl«, sagte Inessa. Sie meinte einen der Pfauen, die durch das Narzissenbeet stolzierten.

Ich dachte daran, wie ich einmal mit Timea auf der Margit sziget in Budapest spazieren gegangen war und wir beschlossen hatten, wir müssten heiraten, falls wir in den Wiesen zufällig auf eine Rose stoßen würden. Ich lächelte.

»Woran denkst du?«, fragte Inessa.

»An nichts.«

»An deine ehemalige ungarische Freundin«, sagte sie. Ich wusste, dass sie es nicht wusste.

Sie hakte sich bei mir unter und legte ihren Kopf auf meine Schulter. »Wie hast du dich damals in sie verliebt?« Ihre Haare kitzelten mich am Hals.

Es war nicht schwer zu kapieren, dass ich besser gar nicht erst auf das Thema eingehen sollte. Ich wusste, wie eifersüchtig Inessa sein konnte.

»Ich sah sie im Labor an der Uni«, sagte ich.

»Wieder einmal eine deiner großen Moment-Lieben«, sagte sie.

Das machte mich wütend: dass sie nach ihrem Kommentar auch noch seufzte.

»Was ist daran auszusetzen?«

»Wie willst du so jemals eine feste Freundin, geschweige denn eine Frau finden?«

»Ich habe dich gefunden.«

»O ja!« Rot stieg der Trotz in ihr bleiches Gesicht. »Aber wie könnte ich dir jemals vertrauen, Zoltán? Wie kann ich mir sicher sein, dass dich nicht an der nächsten Ecke wieder einer von deinen großartigen Moment-Anfällen erwischt?«

»Ich liebe dich.« Ich sagte das ohne große Anstrengungen. *I love you.* Die Engländer benutzten es nicht nur für Liebeserklärungen, sondern auch um ihre Zuneigung für einen guten Freund auszudrücken.

»Aber wie kann *ich dich* jemals ohne Sorgen lieben? Du lässt dich durchs Leben treiben, von Moment-Liebe zu Moment-Liebe, von Unfall zu Unfall, heute bin ich es, aber schon morgen krachst du in die nächste.«

»Ich weiß ganz genau, was ich *nicht* will im Leben.« Ich hörte selbst, wie besserwisserisch ich klang, und hasste mich dafür.

»Und was ist das bitte?«

»Nicht so resigniert und lethargisch werden wie du und die anderen in Acton« – dachte ich. »Dich *nicht* verlieren«, sagte ich.

Tränen stiegen ihr in die Augen. Ihr militärgrünes T-Shirt war so klein geschnitten, dass ihr Kopf zu groß wirkte. »Aber wie kann ich es riskieren, bei dir zu bleiben, wenn du herumläufst, bereit, dich Hals oder Kopf in jedes Mädchen zu verlieben, deren Lächeln dir gefällt? Wie kann ich so ein Risiko eingehen, nach all dem, was mir passiert ist?«

Ich bog hektisch ab, in den Kyoto Garden, den japanischen Teil des Parks. Innerlich jedoch erstarrte ich. Ich hatte immer gewusst, dass sie ein dunkles Geheimnis barg. Ich wollte es auf keinen Fall wissen.

»Schau, der Wasserfall«, sagte ich.

Sie starrte mich an, ihr Blick durchdrang mich. Ich konnte sie nicht mehr stoppen.

»Wir können uns auf diese Bank setzen«, sagte ich resigniert.

»Und am Ende hat er gesagt: ›Es tut mir Leid, aber es war alles ein Fehler!‹« Ihre Stimme war hysterisch. Ich sah sie verständnislos an. Sie musste in Gedanken angefangen haben zu reden und hatte nur den letzten Satz laut ausgesprochen.

»Zwei Jahre war ich mit ihm zusammen.« Sie wiederholte nun offensichtlich den stillen Anfang der Geschichte laut. »Er war Grieche. Mit englischem Pass. Wie kann er nach zwei Jahren sagen, alles sei ein Fehler gewesen? Zwei Jahre ein einziger Fehler?!«

»Aber du weißt doch, wie die Leute reden. Er hat das so gesagt, um zu erklären, warum er sich von dir trennt, aber er hat es doch nicht so gemeint.« Ich hatte keine Ahnung, von wem ich redete.

Sie putzte sich die Nase. »Du hast ja Recht.« Sie wischte sich mit der Hand über die Nasenlöcher. »Tut mir Leid.«

»Es braucht dir nicht Leid tun.«

Das war zu viel Verständnis: Es regte sie wieder auf. »Wie kann ich mich auf dich einlassen, wenn es dann wieder mit solchen Schmerzen enden wird?«

Eine junge Mutter, ihre zwei Kinder hielten die winzigen Hände in den Wasserfall, lächelte Inessa zu. Aus der Distanz sah es so aus, als würde sie lachen, wenn sie weinte.

Das Weinen beruhigte Inessa. Vielleicht fühlte sie sich danach frei, vielleicht nur schuldig, dass sie so ausgeflippt war, auf jeden Fall war sie am Abend bester Laune. Sie zog ihren Blümchenrock an, ich fand, sie sah in Hosen hübscher aus, aber das spielte keine Rolle, ihr Rock war für besondere Anlässe; es war ihr einziger. Sie hielt meine Hand, die Leute in der U-Bahn sahen sie an, und ich verstand warum: Ihr Gesicht strahlte Wärme, Freundlichkeit, sogar Zufriedenheit aus.

»Was ist passiert?« Sie deutete mit einem Kopfnicken auf die Schlagzeile des *Daily Mirror*, den ein Mann uns gegenüber las. »Irgendein Problem mit einem schwulen Butler von Prinz Charles.« Die Zeitungen waren so voll von der Geschichte

über den königlichen Diener, dass ich nicht mehr durchblick-
te. Wenn sie Gefallen an einem Thema gefunden hatte, bissen
sich die Engländer darin fest und gingen so ins Detail, dass
kein Nichtengländer mehr die Zusammenhänge verstand.

Wir fuhren in die Innenstadt. Obwohl wir nun regelmäßig
Ausflüge machten, fühlten wir uns beide noch immer unwohl
in Soho oder Mayfair. Die luxuriösen Kaufhäuser, die Massen
von westlichen Touristen mit ihren teuren Videokameras und
billigen Plastikrucksäcken, die krass geschminkten englischen
Mädchen in ihren knappen Kleidchen, die von grimmigen
Türstehern bewachten Bars sagten uns noch immer: Ihr gehört hier nicht hin.

Aber weil es Inessas 29. Geburtstag war, wir beide uns unter
Druck sahen, etwas Besonderes zu tun, sagte keiner von uns,
wie ungern wir hier waren.

An der Luft war noch immer zu spüren, dass es ein warmer
Tag gewesen war, auch wenn die Temperatur mittlerweile auf
allenfalls 15 Grad gefallen war. Die Touristen trugen Rucksä-
cke, die Engländer alles mögliche, Hauptsache kurz. Kurz-
ärmlige Hemden, kurze Shirts, zu kurze Röcke. In den Haupt-
adern Sohos, der Shaftesbury Avenue und Coventry Street,
kam man kaum vorwärts.

»Fußgängerstau«, sagte Inessa.

Über uns schienen die grellen Lichter Londons, und ich
staunte, obwohl ich es schon kannte, noch immer über die
Größe und Mächtigkeit, die die Stadt hier in ihrem Herzen
ausstrahlte.

Ich hatte, als ich das Geburtstagsgeschenk für Inessa kaufte,
im Buchladen die London-Führer durchgeblättert, um etwas
zu finden, wo wir am Samstagabend hingehen könnten. Es
gebe ein Pub, in das immer der Vater des Autoren gegangen
war, dessen Buch ich ihr geschenkt hatte, sagte ich Inessa. Sie
war skeptisch. Als ich hinzufügte, dort habe der Vater gerne
über seinen Sohn erzählt: »Ich weiß nicht, wie er Bücher

schreiben kann. Er hat immer nur Science-fiction-Comics gelesen«, wollte sie es doch sehen. Das Pub hieß *Coach & Horses*
und sah so aus, als würden die Leute dort noch ganz andere
Geschichten erzählen. Es war verraucht, schlicht, in der Zeit
stehen geblieben. Bloß die Gäste waren älter geworden, um
hunderte Jahre älter, so schien es. Sie sahen aus, als würden sie
das Pub nie verlassen.

»Ui«, sagte Inessa. Ich wusste, was das hieß: Normalerweise
wäre sie sofort wieder rausgegangen, aber weil das Drama des
Nachmittags sie so fröhlich gemacht hatte, gefiel es ihr hier.

»Gefallen tut es mir hier ja nicht«, sagte sie. »Aber ich möchte
ein Bier trinken und sehen, wie ich es dann finde.«

Ich bestellte zwei Bier, zahlte zusammen 5,20 Pfund, und wir
hatten ein Thema. Wie teuer es doch im Zentrum war. Das
Pint im Southern Star kostete zwar nur 20 Pennys weniger
und das konnte einfach an der Marke liegen, aber ich war
mittlerweile auch schon so fanatisch, wenn es ums Sparen
ging, dass jeder Anlass recht war, über Geld und Preise zu reden.

Es schien mir mittlerweile selbst merkwürdig, dass ich einmal
in London gewohnt und mich Geld schlichtweg nicht interessiert hatte. Natürlich hatte ich mich auch damals gefreut,
wenn mir Doktor Mukherjee meinen kümmerlichen Monats-
lohn als Au-pair-Assistenzarzt gab. Ich hatte die Scheine weg-
gepackt und war zufrieden gewesen, als ich merkte, ich gab
nicht alles aus.

Nun war Geld das, was uns glücklich, traurig, sorgenvoll, stolz
machte. Am Wochenanfang, wenn ich in die Pizzeria kam
und wir auf die ersten Bestellungen warteten, brauchte ich
nur einen der anderen ungarischen Pizzajungen zu fragen,
wie das Wochenende war, und wir begannen über Geld zu reden.

»Am Samstag waren wir im Southern Star; aber vorher haben
wir an der Hammersmith Bridge zwei Flaschen Wodka aus

dem Supermarkt geleert, deshalb habe ich mir im Southern Star kein einziges Bier kaufen müssen, um betrunken zu sein.«

»Im Tesco gibt es zurzeit zwei Stücke irische Butter für den Preis von einer.«

»Ich esse sowieso nur Margarine.«

»Und womit schmierst du dir den Hintern ein?«

»László hat angerufen, er hat sich von dem Geld, das er hier verdient hat, in Dabas eine Drei-Zimmer-Wohnung gekauft.«

»Dumm nur, dass er nicht daran gedacht hat, sich Geld für Möbel aufzubewahren. Aber wenn er abends auf dem bloßen Fußboden nicht einschlafen kann, kann er ja zwischen seinen drei Zimmern hin und her gehen.«

»Ein Freund von mir kennt ein Mädchen aus Györ, die hat einem Engländer 5000 Pfund gezahlt, damit er sie heiratet und sie zu einem englischen Pass kommt.«

Wir kannten Tausende von solchen Geschichten. Wir erzählten sie uns immer wieder: »Ich schwöre es dir, nächstes Jahr gehe ich nach Dänemark. In Skandinavien sagen die Regierungen: ›Kommt alle rein, selbst wenn ihr Rumänen oder Jugoslawen seid, wir brauchen euch, wir haben nicht genug Arbeiter.‹«

Wir kannten alle Stundenlöhne Londons. »Ich habe letztens einen Typ aus Jászberény getroffen, der macht bei den Japanern 4,45 die Stunde.«

»Bei welchen Japanern?«

»Japanisches Essen ausfahren.«

»Gut, aber ich kenn eine Slowakin, die macht 6 Pfund die Stunde.«

»Ich kann mir denken wie.«

»Hehe.«

»Nein, sie füttert die Elefanten im Zoo.«

»Aber nur die rosa Elefanten.«

Ich hatte nun sogar ein Bankkonto eröffnet, weil das ganze

Schwarzgeld nicht mehr in meinen Briefumschlag passte. Von den rund 950 Pfund, die ich verdiente, sparte ich jeden Monat zwischen 500 und 600. Am Jahresende würde ich 7000 Pfund haben und überlegte schon, was ich damit in Ungarn machen könnte. Den Führerschein, eine kleine Wohnung in dezentraler Lage in Miskolc anzahlen, ins Höhlenbad Barlangfürdö gehen. Dann fiel mir ein, dass ich weder einen Führerschein wollte noch nach Ungarn zurück. Doch ich wurde das Denken nicht mehr los. Geld bewegte uns. Es war das Einzige, das unser Tun rechtfertigte. Dayra hatte in Ecuador Psychologie studiert, um in London seit sieben Jahren Krankenhäuser und fremde Wohnungen zu putzen, Gábor besaß ein Budapester Diplom in Recht, mit dem er seit vier Jahren Pizzas ausfuhr. Wir *mussten* an das Geld denken, um nicht verrückt zu werden.

»Ein Jahr mache ich es noch, dann habe ich genug Geld zusammen, um nach Hause zu gehen.«

Sie redeten ständig vom Weggehen und blieben ewig.

»Jetzt ist die Joblage in Ungarn gerade schlecht, ein Jahr bleibe ich noch.«

Selbst Thomas redete so; bloß auf anderem Niveau. »*London sucks.* Aber hier verdiene ich das Vierfache wie bei einer Bank in Deutschland. Und wenn ich dann in einem Jahr zurückgehe, bekomme ich einen viel besseren Job. Nur weil ich in London war. Die Deutschen sind so: Wow, du hast in London gearbeitet, bei einer japanischen Bank – du musst super sein.«

Ich war das Gerede leid. Dieser Fanatismus zu sparen – und die wenigsten wussten überhaupt, worauf wir eigentlich sparten.

»Na, dafür, wenn wir nach Hause zurückgehen«, sagte Inessa, »guck mal, der hat keine Zähne mehr.«

Zwei Schneidezähne im Unterkiefer hatte der Mann doch noch und einige vereinzelte sehr lange Barthaare im Gesicht. Er stand an der Bar im Coach & Horses. Die zwei Zähne sah man allerdings nur, wenn man ihn länger beobachtete. Ab und an stellte er sein Bierglas auf den Tresen, dann massierte er sich mit den letzten Zähnen die Oberlippe.

»Und wann gehst du nach Hause?«, fragte ich Inessa. Es war ihr fünftes Jahr in England.

»Nächstes Jahr«, sagte sie. Das konnte in zwölf Monaten, fünf Jahren oder nie sein. Es war immer: nächstes Jahr. *Nächstes Jahr gehe ich.* Wie oft hatte ich das gehört.

Es ging tatsächlich permanent wer, aber ich sah keinen Unterschied zwischen denen, die blieben, und denen, die gingen. Sie alle wirkten auf mich, als hätten sie den richtigen Zeitpunkt zu gehen verpasst. Sie wussten nicht mehr, ob sie bleiben oder gehen wollten; wo sie hingehörten. Wir alle blieben immer zu lange.

»Warum arbeitest du nicht weniger in der Pizzeria und stattdessen als Putzmann?«, fragte Inessa. »Du würdest viel mehr verdienen. In Privathaushalten bekommst du mindestens 5, meistens 5,50 Pfund die Stunde.«

»Du weißt doch, dass niemand einen Jungen zum Putzen einstellen würde.«

Ich vermisste die Gespräche mit Doktor Mukherjee über englische Wissenschaftler, über die Nachrichten aus dem *Telegraph*, über Thatcher, oder auch mit Tina über die Engländer an sich. Aber ich versuchte erst gar nicht, mit Inessa auf solche Themen zu kommen. Es war einfacher, vertrauter, über Stundenlöhne zu reden, wie dreckig die Bäder waren, die Iskra am Freitag putzen musste, oder wie verzogen die Kinder, die Inessa jeden Nachmittag, nach ihrer Arbeit in der Schule, hütete.

»Letztens«, sagte Inessa, denn so begannen alle unsere Geschichten: letztens, »ist die englische Schlampe, auf deren Kinder Dayra in South Ealing aufpasst, während sie Kaffee trinken geht, total hysterisch geworden. Sie wüsste, ihr Mann würde sie mit Dayra betrügen.«

»Und?«

»Dayra hat den Mann noch nie gesehen, weil er nach der Arbeit immer zu seiner Liebhaberin geht. Sie ist polnischer Abstammung.«

»Die Liebhaberin?«

»Die englische Schlampe.«

»Na dann.«

Um elf Uhr wehte ein kühler, aber durchaus angenehmer Wind herein. Die Barkeeper rissen die zwei Eingangstüren auf, damit die Kühle uns aus dem Pub vertriebe. »Wir schließen. Trinkt aus und geht. Sperrstunde«, schrien sie. Niemand beachtete sie. Alle taten, als wollten sie sowieso gerade gehen. Auf der Old Compton Street flossen die Menschenströme zusammen, aus den Pubs wurden die heiseren, nichtsdestotrotz weiter grölenden Betrunkenen herangespült, die Musicaltheater entließen die fröhlich schnatternden Touristen, und auf den Bürgersteigen saßen in den billigen Metallstühlen der Straßencafés die Schwulen und sahen mit überlegenem Blick dem Treiben zu. London war wieder einmal am schönsten: Niemand nahm mich wahr, ich beobachtete alle.

»Lass uns zu Fuß zum Hotel gehen«, schlug ich vor.

Wir gingen den Piccadilly entlang, an der Haltestelle für die Nachtbusse lärmten und schnatterten die Jungen, die sich gerade kennen gelernt hatten oder gleich kennen lernen würden. Gerührt lauschte ich den Gesprächsfetzen.

»Entschuldigung, dass wir dich belästigen. Aber mein Kumpel glaubt, du wüsstest, wo wir um die Uhrzeit zwei Fahrräder klauen können.«

»*Where are you from?*«

Es war nicht nur im Southern Star die Begrüßungsformel, sondern in ganz London.

»Aus Island.«

»Bist du wirklich aus Island?!«

»Heute Nacht zumindest bin ich aus Island.«

Wir gingen am Green Park vorbei, durch Mayfair hinauf und,

um die breite Bayswater Road zu vermeiden, durch die Seitenstraßen von Paddington. Gelbliche Laternen beleuchteten die ockerfarbenen Reihenhäuser. Sie sahen aus, als ob sie sich seit hundert Jahren nicht verändert hätten und sich in hundert Jahren nicht verändern würden. Wir waren fast schon wieder in West-London. Ich dachte: In dieser Stadt bin ich zu Hause. Und ich wusste klarer denn je, dass ich sie verlassen musste, ehe London mich wie all die anderen Ausländer unglücklich machen würde.

»Woran denkst du?«, fragte Inessa. Wie immer, wenn sie glücklich war, hatte sie sich bei mir untergehakt und den Kopf auf meine linke Schulter gelegt.

»An nichts«, sagte ich und wusste auch schon ganz genau, wann ich nach Ungarn zurückgehen würde. Nächstes Jahr.

Paperbacks bei
Kiepenheuer & Witsch

Ronald Reng
Der Traumhüter

Die unglaubliche Geschichte eines Torwarts

KiWi 796
Originalausgabe

»Ein grandioses Buch … Nick Hornby hat einen
Nachfolger gefunden.«   *Financial Times Deutschland*

»›Der Traumhüter‹, daran besteht kein Zweifel, spielt
in derselben Liga wie ›Fever Pitch‹ von Nick Hornby.«
Welt am Sonntag

»Etwas Besonderes in der deutschen Fußball-Literatur«
FAZ

www.kiwi-koeln.de